Classiques & Cie LYCÉE

Guy de Maupassant

Une vie (1883)

et autres récits de destins de femmes

Texte intégral suivi d'un dossier critique
pour la préparation du bac français

Collection dirigée par
Johan Faerber

Édition annotée et commentée par
Simona Crippa
chercheur et chargée de cours en littérature française

D1213842

Une vie

Autres récits de destins de femmes : La Veillée, Rose, La Parure

© Hatier Paris 2013 – ISBN 978-2-218-96668-2

Conception graphique de la maquette : c-album, Jean-Baptiste Taisne, Rachel Pfleger (texte) ; Lauriane Tiberghien (dossier) • Mise en pages : Chesteroc Ltd • Suivi éditorial : Claire Dupuis • Correction : Lucie Martinet

Une vie

(L'humble vérité.)

À MADAME BRAINNE[1]

Hommage d'un ami dévoué
et en souvenir d'un ami mort.

---

1. Maupassant rend ici hommage à deux amis disparus avant la parution d'*Une vie :* Léonie Brainne (1836-1883) et Gustave Flaubert (1821-1880), désigné ici comme l'« ami mort. » Tous deux l'avaient encouragé dans l'écriture de son roman.

I

Jeanne, ayant fini ses malles, s'approcha de la fenêtre, mais la pluie ne cessait pas.

L'averse, toute la nuit, avait sonné contre les carreaux et les toits. Le ciel bas et chargé d'eau semblait crevé, se vidant sur la terre, la délayant[1] en bouillie, la fondant comme du sucre. Des rafales passaient pleines d'une chaleur lourde. Le ronflement des ruisseaux débordés emplissait les rues désertes où les maisons, comme des éponges, buvaient l'humidité qui pénétrait au dedans et faisait suer les murs de la cave au grenier.

Jeanne, sortie la veille du couvent, libre enfin pour toujours, prête à saisir tous les bonheurs de la vie dont elle rêvait depuis si longtemps, craignait que son père hésitât à partir si le temps ne s'éclaircissait pas ; et pour la centième fois depuis le matin elle interrogeait l'horizon.

Puis, elle s'aperçut qu'elle avait oublié de mettre son calendrier dans son sac de voyage. Elle cueillit sur le mur le petit carton divisé par mois, et portant au milieu d'un dessin la date de l'année courante 1819 en chiffres d'or. Puis elle biffa à coups de crayon les quatre premières colonnes, rayant chaque nom de saint jusqu'au 2 mai, jour de sa sortie du couvent.

---

1. **Délayer** : diluer une substance dans un liquide.

Une voix, derrière la porte, appela : « Jeannette ! »

Jeanne répondit : « Entre, papa. » Et son père parut.

Le baron Simon-Jacques Le Perthuis des Vauds était un gentilhomme de l'autre siècle, maniaque et bon. Disciple enthousiaste de J.-J. Rousseau[1], il avait des tendresses d'amant pour la nature, les champs, les bois, les bêtes.

Aristocrate de naissance, il haïssait par instinct quatre-vingt-treize[2] ; mais philosophe[3] par tempérament et libéral[4] par éducation, il exécrait la tyrannie[5] d'une haine inoffensive et déclamatoire[6].

Sa grande force et sa grande faiblesse, c'était la bonté, une bonté qui n'avait pas assez de bras pour caresser, pour donner, pour étreindre, une bonté de créateur, éparse[7], sans résistance, comme l'engourdissement d'un nerf de la volonté, une lacune[8] dans l'énergie, presque un vice.

Homme de théorie, il méditait tout un plan d'éducation pour sa fille, voulant la faire heureuse, bonne, droite et tendre.

---

1. J.-J. Rousseau : philosophe préromantique (1712-1778). Sa conception de la nature est indissociable de ses positions sociales et politiques. Il considère que l'homme à l'état de nature, primitif, est dépourvu de perversité et de vice.

2. Quatre-vingt-treize : il s'agit de 1793, début de la période de la Révolution française qu'on a appelée la Terreur et durant laquelle est mis en place un système visant à arrêter le plus grand nombre de contre-révolutionnaires avec des méthodes de jugement souvent expéditives. Les aristocrates comptaient parmi les plus nombreuses victimes.

3. Philosophe : esprit sage et éclairé, comme les philosophes du siècle des Lumières.

4. Libéral : qui prône la tolérance, c'est-à-dire le respect sacré des droits de la personne humaine.

5. Tyrannie : pouvoir arbitraire et absolu d'un souverain, d'une personne ou d'un groupe de personnes.

6. Déclamatoire : pompeux.

7. Éparse : répandue sur différents objets, dans différentes directions.

8. Lacune : manque.

Elle était demeurée jusqu'à douze ans dans la maison, puis, malgré les pleurs de la mère, elle fut mise au Sacré-Cœur.

Il l'avait tenue là sévèrement enfermée, cloîtrée, ignorée et ignorante des choses humaines. Il voulait qu'on la lui rendît chaste à dix-sept ans pour la tremper lui-même dans une sorte de bain de poésie raisonnable ; et, par les champs, au milieu de la terre fécondée, ouvrir son âme, dégourdir son ignorance à l'aspect de l'amour naïf, des tendresses simples des animaux, des lois sereines de la vie.

Elle sortait maintenant du couvent, radieuse, pleine de sèves et d'appétits de bonheur, prête à toutes les joies, à tous les hasards charmants que dans le désœuvrement des jours, la longueur des nuits, la solitude des espérances, son esprit avait déjà parcourus.

Elle semblait un portrait de Véronèse[1] avec ses cheveux d'un blond luisant qu'on aurait dit avoir déteint sur sa chair, une chair d'aristocrate à peine nuancée de rose, ombrée d'un léger duvet, d'une sorte de velours pâle qu'on apercevait un peu quand le soleil la caressait. Ses yeux étaient bleus, de ce bleu opaque qu'ont ceux des bonshommes en faïence de Hollande.

Elle avait, sur l'aile gauche de la narine, un petit grain de beauté, un autre à droite, sur le menton, où frisaient quelques poils si semblables à sa peau qu'on les distinguait à peine. Elle était grande, mûre de poitrine, ondoyante de la taille. Sa voix nette semblait parfois trop aiguë ; mais son rire franc jetait de la joie autour d'elle. Souvent, d'un geste familier, elle portait ses deux mains à ses tempes comme pour lisser sa chevelure.

---

1. **Véronèse :** peintre italien (1528-1588), de la Renaissance tardive.

Elle courut à son père et l'embrassa, en l'étreignant : « Eh bien, partons-nous ? » dit-elle.

Il sourit, secoua ses cheveux déjà blancs et qu'il portait assez longs, et, tendant la main vers la fenêtre :

— Comment veux-tu voyager par un temps pareil ?

Mais elle le priait, câline et tendre : « Oh, papa, partons, je t'en supplie. Il fera beau dans l'après-midi.

— Mais ta mère n'y consentira jamais.

— Si, je te le promets, je m'en charge.

— Si tu parviens à décider ta mère, je veux bien, moi. »

Et elle se précipita vers la chambre de la baronne. Car elle avait attendu ce jour du départ avec une impatience grandissante.

Depuis son entrée au Sacré-Cœur elle n'avait pas quitté Rouen, son père ne permettant aucune distraction avant l'âge qu'il avait fixé. Deux fois seulement on l'avait emmenée quinze jours à Paris, mais c'était une ville encore, et elle ne rêvait que la campagne.

Elle allait maintenant passer l'été dans leur propriété des Peuples[1], vieux château de famille planté sur la falaise près d'Yport[2] ; et elle se promettait une joie infinie de cette vie libre au bord des flots. Puis il était entendu qu'on lui faisait don de ce manoir qu'elle habiterait toujours lorsqu'elle serait mariée.

Et la pluie, tombant sans répit depuis la veille au soir, était le premier gros chagrin de son existence.

Mais, au bout de trois minutes, elle sortit, en courant, de la chambre de sa mère, criant par toute la maison : « Papa, papa ! maman veut bien ; fais atteler[3]. »

---

1. Peuples : ancien mot populaire par lequel on désigne des peupliers.
2. Yport : ville normande, située entre Fécamp et Étretat.
3. Atteler : attacher un animal (ou des animaux) à un véhicule pour qu'il le tracte.

Le déluge ne s'apaisait point ; on eût dit même qu'il redoublait quand la calèche s'avança devant la porte.

Jeanne était prête à monter en voiture lorsque la baronne descendit l'escalier, soutenue d'un côté par son mari, et, de l'autre, par une grande fille de chambre forte et bien découplée[1] comme un gars. C'était une Normande du pays de Caux, qui paraissait au moins vingt ans, bien qu'elle en eût au plus dix-huit. On la traitait dans la famille un peu comme une seconde fille, car elle avait été la sœur de lait[2] de Jeanne. Elle s'appelait Rosalie.

Sa principale fonction consistait d'ailleurs à guider les pas de sa maîtresse devenue énorme depuis quelques années par suite d'une hypertrophie[3] du cœur dont elle se plaignait sans cesse.

La baronne atteignit, en soufflant beaucoup, le perron du vieil hôtel, regarda la cour où l'eau ruisselait et murmura : « Ce n'est vraiment pas raisonnable. »

Son mari, toujours souriant, répondit : « C'est vous qui l'avez voulu, madame Adélaïde[4]. »

Comme elle portait ce nom pompeux d'Adélaïde, il le faisait toujours précéder de « madame » avec un certain air de respect un peu moqueur.

Puis elle se remit en marche et monta péniblement dans la voiture dont tous les ressorts plièrent. Le baron s'assit à

---

1. Découplée : bien faite et vigoureuse.
2. Sœur de lait : fille qui n'a pas de lien de parenté avec une autre personne mais qui a partagé le lait de la même nourrice. À l'époque, les aristocrates n'allaitaient pas leurs enfants.
3. Hypertrophie : développement excessif, anormal, exagéré.
4. Madame Adélaïde : Marie-Adélaïde de France (1732-1800) était la plus pittoresque des filles de Louis XV.

son côté, Jeanne et Rosalie prirent place sur la banquette à reculons. *backwards?*

120 La cuisinière Ludivine apporta des masses de manteaux qu'on disposa sur les genoux, plus deux paniers qu'on dissimula sous les jambes ; puis elle grimpa sur le siège à côté du père Simon ; et s'enveloppa d'une grande couverture qui la coiffait entièrement. Le concierge et sa femme vinrent saluer
125 en fermant la portière ; ils reçurent les dernières recommandations pour les malles qui devaient suivre dans une charrette ; et on partit.

Le père Simon, le cocher, la tête baissée, le dos arrondi sous la pluie, disparaissait dans son carrick à triple collet[1]. La
130 bourrasque gémissante battait les vitres, inondait la chaussée.

La berline[2], au grand trot des deux chevaux, dévala rondement sur le quai, longea la ligne des grands navires dont les mâts, les vergues[3], les cordages se dressaient tristement dans le ciel ruisselant, comme des arbres dépouillés ; puis elle
135 s'engagea sur le long boulevard du mont Riboudet[4].

Bientôt on traversa les prairies ; et de temps en temps un saule noyé, les branches tombantes avec un abandonnement de cadavre, se dessinait vaguement à travers un brouillard d'eau. Les fers des chevaux clapotaient et les quatre roues
140 faisaient des soleils de boue.

On se taisait ; les esprits eux-mêmes semblaient mouillés comme la terre. Petite mère se renversant appuya sa tête et ferma ses paupières. Le baron considérait d'un œil morne les

---

1. **Carrick à triple collet** : ample manteau à trois cols porté par les cochers.
2. **Berline** : véhicule à cheval, fermé, à quatre roues.
3. **Vergues** : pièces de bois placées au travers des mâts pour fixer les voiles.
4. **Boulevard du mont Riboudet** : faubourg à l'ouest de Rouen.

campagnes monotones et trempées. Rosalie, un paquet sur les
145 genoux, songeait de cette songerie animale des gens du
peuple. Mais Jeanne, sous ce ruissellement tiède, se sentait
revivre ainsi qu'une plante enfermée qu'on vient de remettre
à l'air ; et l'épaisseur de sa joie, comme un feuillage, abritait
son cœur de la tristesse. Bien qu'elle ne parlât pas, elle avait
150 envie de chanter, de tendre au dehors sa main pour l'emplir
d'eau qu'elle boirait ; et elle jouissait d'être emportée au grand
trot des chevaux, de voir la désolation des paysages, et de se
sentir à l'abri au milieu de cette inondation.

Et, sous la pluie acharnée les croupes luisantes des deux
155 bêtes exhalaient une buée d'eau bouillante.

La baronne, peu à peu, s'endormait. Sa figure qu'encadraient
six boudins[1] réguliers de cheveux pendillants s'affaissa peu à
peu, mollement soutenue par les trois grandes vagues de son
cou dont les dernières ondulations se perdaient dans la pleine
160 mer de sa poitrine. Sa tête, soulevée à chaque aspiration,
retombait ensuite ; les joues s'enflaient, tandis que entre ses
lèvres entrouvertes passait un ronflement sonore. Son mari se
pencha sur elle, et posa doucement, dans ses mains croisées sur
l'ampleur de son ventre, un petit portefeuille en cuir.

165 Ce toucher la réveilla ; et elle considéra l'objet d'un regard
noyé, avec cet hébétement des sommeils interrompus. Le
portefeuille tomba, s'ouvrit. De l'or et des billets de banque
s'éparpillèrent dans la calèche. Elle s'éveilla tout à fait ; et la
gaieté de sa fille partit en une fusée de rires.

170 Le baron ramassa l'argent, et, le lui posant sur les genoux :
« Voici, ma chère amie, tout ce qui reste de ma ferme

---

1. Boudins : boucles de cheveux roulées en spirale.

d'Életot[1]. Je l'ai vendue pour faire réparer les Peuples où nous habiterons souvent désormais. »

Elle compta six mille et quatre cents francs et les mit tranquillement dans sa poche.

C'était la neuvième ferme vendue ainsi, sur trente et une que leurs parents avaient laissées. Ils possédaient cependant encore environ vingt mille livres de rentes[2] en terres qui, bien administrées, auraient facilement rendu trente mille francs par an.

Comme ils vivaient simplement, ce revenu aurait suffi s'il n'y avait eu dans la maison un trou sans fond toujours ouvert, la bonté. Elle tarissait l'argent dans leurs mains comme le soleil tarit l'eau des marécages. Cela coulait, fuyait, disparaissait. Comment ? Personne n'en savait rien. À tout moment l'un d'eux disait : « Je ne sais comment cela s'est fait, j'ai dépensé cent francs aujourd'hui sans rien acheter de gros. »

Cette facilité à donner était du reste un des grands bonheurs de leur vie ; et ils s'entendaient sur ce point d'une façon superbe et touchante.

Jeanne demanda : « Est-ce beau, maintenant, mon château ? »

Le baron répondit gaiement : « Tu verras, fillette. »

Mais peu à peu la violence de l'averse diminuait ; puis ce ne fut plus qu'une sorte de brume, une très fine poussière de pluie voltigeant. La voûte des nuées[3] semblait s'élever, blanchir ; et soudain, par un trou qu'on ne voyait point, un long rayon de soleil oblique descendit sur les prairies.

---

1. Életot : petit village près de Fécamp.
2. Rentes : revenus périodiques en dehors du travail. Les aristocrates n'avaient pas le droit de travailler.
3. Nuées : gros nuages.

Et, les nuages s'étant fendus, le fond bleu du firmament[1]
parut ; puis la déchirure s'agrandit comme un voile qui se
200 déchire ; et un beau ciel pur d'un azur net et profond se déve-
loppa sur le monde.

Un souffle frais et doux passa, comme un soupir heureux de
la terre ; et, quand on longeait des jardins ou des bois, on
entendait parfois le chant alerte d'un oiseau qui séchait ses
205 plumes.

Le soir venait. Tout le monde dormait maintenant dans la
voiture, excepté Jeanne. Deux fois on s'arrêta dans des
auberges pour laisser souffler les chevaux et leur donner un
peu d'avoine avec de l'eau.

210 Le soleil s'était couché ; des cloches sonnaient au loin. Dans
un petit village on alluma les lanternes ; et le ciel aussi s'illumina d'un fourmillement d'étoiles. Des maisons éclairées
apparaissaient de place en place, traversant les ténèbres d'un
point de feu ; et tout d'un coup, derrière une côte, à travers des
215 branches de sapins, la lune, rouge, énorme, et comme
engourdie de sommeil, surgit.

Il faisait si doux que les vitres demeuraient baissées.
Jeanne, épuisée de rêves, rassasiée de visions heureuses, se
reposait maintenant. Parfois l'engourdissement d'une posi-
220 tion prolongée lui faisait rouvrir les yeux ; alors elle regardait
au dehors, voyait dans la nuit lumineuse passer les arbres
d'une ferme, ou bien quelques vaches çà et là couchées en un
champ, et qui relevaient la tête. Puis elle cherchait une
posture nouvelle, essayait de ressaisir un songe ébauché ; mais
225 le roulement continu de la voiture emplissait ses oreilles,

---

1. Firmament : voûte céleste.

fatiguait sa pensée et elle refermait les yeux, se sentant l'esprit courbaturé comme le corps.

Cependant on s'arrêta. Des hommes et des femmes se tenaient debout devant les portières avec des lanternes à la main. On arrivait. Jeanne subitement réveillée sauta bien vite. Père et Rosalie, éclairés par un fermier, portèrent presque la baronne tout à fait exténuée, geignant de détresse, et répétant sans cesse d'une petite voix expirante : «Ah ! mon Dieu ! mes pauvres enfants ! » Elle ne voulut rien boire, rien manger, se coucha et tout aussitôt dormit.

Jeanne et le baron soupèrent[1] en tête-à-tête.

Ils souriaient en se regardant, se prenaient les mains à travers la table ; et, saisis tous deux d'une joie enfantine, ils se mirent à visiter le manoir réparé.

C'était une de ces hautes et vastes demeures normandes tenant de la ferme et du château, bâties en pierres blanches devenues grises, et spacieuses à loger une race[2].

Un immense vestibule séparait en deux la maison et la traversait de part en part, ouvrant ses grandes portes sur les deux faces. Un double escalier semblait enjamber cette entrée, laissant vide le centre, et joignant au premier ses deux montées à la façon d'un pont.

Au rez-de-chaussée, à droite, on entrait dans le salon démesuré, tendu de tapisseries à feuillages où se promenaient des oiseaux. Tout le meuble[3], en tapisserie au petit point[4], n'était que l'illus-

---

1. **Soupèrent** : prirent le repas à une heure tardive.
2. **Une race** : tous les membres d'une même famille.
3. **Meuble** : mobilier.
4. **Tapisserie au petit point** : tissu brodé à la main, passe-temps des dames de la noblesse sous l'Ancien Régime, ainsi que de la bourgeoisie au XIXe siècle.

tration des *Fables* de La Fontaine[1] ; et Jeanne eut un tressaillement de plaisir en retrouvant une chaise qu'elle avait aimée, étant tout enfant, et qui représentait l'histoire du Renard et de la Cigogne[2].

À côté du salon s'ouvraient la bibliothèque, pleine de livres anciens, et deux autres pièces inutilisées ; à gauche, la salle à manger en boiseries neuves, la lingerie, l'office[3], la cuisine et un petit appartement contenant une baignoire.

Un corridor coupait en long tout le premier étage. Les dix portes des dix chambres s'alignaient sur cette allée. Tout au fond, à droite, était l'appartement de Jeanne. Ils y entrèrent. Le baron venait de le faire remettre à neuf, ayant employé simplement des tentures et des meubles restés sans usage dans les greniers.

Des tapisseries d'origine flamande, et très vieilles, peuplaient ce lieu de personnages singuliers.

Mais, en apercevant son lit, la jeune fille poussa des cris de joie. Aux quatre coins, quatre grands oiseaux de chêne, tout noirs et luisants de cire, portaient la couche et paraissaient en être les gardiens. Les côtés représentaient deux larges guirlandes de fleurs et de fruits sculptés ; et quatre colonnes finement cannelées[4], que terminaient des chapiteaux corinthiens[5], soulevaient une corniche de roses et d'amours[6] enroulés.

---

1. La Fontaine : Jean de La Fontaine (1621-1695), poète français de la période classique.

2. Renard et la Cigogne : « Le Renard et la Cigogne », fable de La Fontaine.

3. Office : pièce où l'on range la vaisselle et le linge de table, et où l'on conserve les provisions.

4. Cannelées : ornées de cannelures, c'est-à-dire de sillons en longueur creusés dans le bois.

5. Chapiteaux corinthiens : parties supérieures d'une colonne, sculptées en forme de feuilles d'une plante : l'acanthe. Il s'agit d'éléments architecturaux provenant de la Grèce ancienne.

6. Amours : motifs décoratifs représentant un ou plusieurs enfants, symboles des désirs de l'amour.

Il se dressait monumental, et tout gracieux, cependant malgré la sévérité du bois bruni par le temps.

Le couvre-pieds[1] et la tenture du ciel de lit[2] scintillaient
275 comme deux firmaments[3]. Ils étaient faits d'une soie antique d'un bleu foncé qu'étoilaient par places de grandes fleurs de lis brodées d'or.

Quand elle l'eut bien admiré, Jeanne, élevant sa lumière, examina les tapisseries pour en comprendre le sujet.

280 Un jeune seigneur et une jeune dame habillés en vert, en rouge et en jaune, de la façon la plus étrange, causaient sous un arbre bleu où mûrissaient des fruits blancs. Un gros lapin de même couleur broutait un peu d'herbe grise.

Juste au-dessus des personnages, dans un lointain[4] de conven-
285 tion[5], on apercevait cinq petites maisons rondes, aux toits aigus ; et là-haut, presque dans le ciel, un moulin à vent tout rouge.

De grands ramages[6], figurant des fleurs, circulaient dans tout cela.

Les deux autres panneaux ressemblaient beaucoup au
290 premier, sauf qu'on voyait sortir des maisons quatre petits bonshommes vêtus à la façon des Flamands et qui levaient les bras au ciel en signe d'étonnement et de colère extrêmes.

Mais la dernière tenture représentait un drame. Près du lapin qui broutait toujours, le jeune homme étendu semblait

---

1. Couvre-pieds : couvre-lit, dessus de lit.

2. Ciel de lit : ensemble d'ornements, généralement constitués de tissus, suspendus au-dessus d'un lit.

3. Firmaments : voir note 1, p. 17.

4. Lointain : plan le plus reculé d'un tableau ou d'un dessin, montrant les objets dans une vague perspective.

5. Convention : terme de beaux-arts indiquant un accord entre l'artiste et le spectateur pour admettre certaines représentations comme vraies.

6. Ramages : dessins représentant des rameaux, des feuilles, des fleurs.

295 mort. La jeune dame, le regardant, se perçait le sein d'une épée, et les fruits de l'arbre étaient devenus noirs.

Jeanne renonçait à comprendre quand elle découvrit dans un coin une bestiole microscopique, que le lapin, s'il eût vécu, aurait pu manger comme un brin d'herbe. Et cependant 300 c'était un lion.

Alors elle reconnut les malheurs de Pyrame et de Thisbé[1] ; et, quoiqu'elle sourît de la simplicité des dessins, elle se sentit heureuse d'être enfermée dans cette aventure d'amour qui parlerait sans cesse à sa pensée des espoirs chéris, et ferait 305 planer, chaque nuit, sur son sommeil, cette tendresse antique et légendaire.

Tout le reste du mobilier unissait les styles les plus divers. C'étaient ces meubles que chaque génération laisse dans la famille et qui font des anciennes maisons des sortes de musées 310 où tout se mêle. Une commode Louis XIV superbe, cuirassée de cuivres éclatants, était flanquée de deux fauteuils Louis XV encore vêtus de leur soie à bouquets. Un secrétaire en bois de rose faisait face à la cheminée qui présentait, sous un globe rond, une pendule de l'Empire.

315 C'était une ruche de bronze, suspendue par quatre colonnes de marbre au-dessus d'un jardin de fleurs dorées. Un mince balancier sortant de la ruche, par une fente allongée, promenait éternellement sur ce parterre une petite abeille[2] aux ailes d'émail.

320 Le cadran était en faïence peinte et encadré dans le flanc de la ruche.

---

1. Pyrame et Thisbé : amants légendaires et malheureux de la mythologie grecque et romaine dont le poète latin Ovide a notamment raconté l'histoire.
2. Abeille : emblème de l'Empire, tandis que le lys est celui de l'Ancien Régime.

Elle se mit à sonner onze heures. Le baron embrassa sa fille, et se retira chez lui.

Alors, Jeanne, avec regret, se coucha.

325 D'un dernier regard elle parcourut sa chambre, et puis éteignit sa bougie. Mais le lit, dont la tête seule s'appuyait à la muraille, avait une fenêtre sur sa gauche, par où entrait un flot de lune qui répandait à terre une flaque de clarté.

Des reflets rejaillissaient aux murs, des reflets pâles caressant 330 faiblement les amours immobiles de Pyrame et de Thisbé.

Par l'autre fenêtre, en face de ses pieds, Jeanne apercevait un grand arbre tout baigné de lumière douce. Elle se tourna sur le côté, ferma les yeux, puis, au bout de quelque temps, les rouvrit.

335 Elle croyait se sentir encore secouée par les cahots de la voiture dont le roulement continuait dans sa tête. Elle resta d'abord immobile, espérant que ce repos la ferait enfin s'endormir; mais l'impatience de son esprit envahit bientôt tout son corps.

340 Elle avait des crispations dans les jambes, une fièvre qui grandissait. Alors elle se leva, et, nu-pieds, nu-bras, avec sa longue chemise qui lui donnait l'aspect d'un fantôme, elle traversa la mare de lumière répandue sur son plancher, ouvrit sa fenêtre et regarda.

345 La nuit était si claire qu'on y voyait comme en plein jour; et la jeune fille reconnaissait tout ce pays aimé jadis dans sa première enfance.

C'était d'abord, en face d'elle, un large gazon, jaune comme du beurre sous la lumière nocturne. Deux arbres géants se 350 dressaient aux pointes, devant le château, un platane au nord, un tilleul au sud.

Tout au bout de la grande étendue d'herbe, un petit bois en bosquet terminait ce domaine, garanti des ouragans du large par cinq rangs d'ormes[1] antiques, tordus, rasés, rongés, taillés en pente comme un toit par le vent de mer toujours déchaîné.

Cette espèce de parc était borné, à droite et à gauche par deux longues avenues de peupliers démesurés, appelés *peuples* en Normandie, qui séparaient la résidence des maîtres des deux fermes y attenantes, occupées, l'une par la famille Couillard, l'autre par la famille Martin.

Ces *peuples* avaient donné leur nom au château. Au-delà de cet enclos, s'étendait une vaste plaine inculte[2], semée d'ajoncs, où la brise sifflait et galopait jour et nuit. Puis soudain la côte s'abattait en une falaise de cent mètres, droite et blanche, baignant son pied dans les vagues.

Jeanne regardait au loin la longue surface moirée[3] des flots qui semblaient dormir sous les étoiles.

Dans cet apaisement du soleil absent, toutes les senteurs de la terre se répandaient. Un jasmin grimpé autour des fenêtres d'en bas exhalait continuellement son haleine pénétrante qui se mêlait à l'odeur plus légère des feuilles naissantes. De lentes rafales passaient apportant les saveurs fortes de l'air salin et de la sueur visqueuse des varechs[4].

La jeune fille s'abandonna au bonheur de respirer : et le repos de la campagne la calma comme un bain frais.

---

1. Ormes : grands arbres.
2. Inculte : qui n'est pas cultivée.
3. Moirée : qui possède des reflets changeants, brillants comme la moire, un tissu.
4. Varechs : algues laissées sur le rivage aux marées basses.

Toutes les bêtes qui s'éveillent quand vient le soir, et cachent leur existence obscure dans la tranquillité des nuits, emplissaient les demi-ténèbres d'une agitation silencieuse. De grands oiseaux qui ne criaient point fuyaient dans l'air comme des taches, comme des ombres ; des bourdonnements d'insectes invisibles effleuraient l'oreille ; des courses muettes traversaient l'herbe pleine de rosée ou le sable des chemins déserts.

Seuls quelques crapauds mélancoliques poussaient vers la lune leur note courte et monotone.

Il semblait à Jeanne que son cœur s'élargissait, plein de murmures comme cette soirée claire, fourmillant soudain de mille désirs rôdeurs, pareils à ces bêtes nocturnes dont le frémissement l'entourait. Une affinité l'unissait à cette poésie vivante ; et dans la molle blancheur de la nuit elle sentait courir des frissons surhumains, palpiter des espoirs insaisissables, quelque chose comme un souffle de bonheur.

Et elle se mit à rêver d'amour.

L'amour ! Il l'emplissait depuis deux années de l'anxiété croissante de son approche. Maintenant elle était libre d'aimer ; elle n'avait plus qu'à le rencontrer, lui !

Comment serait-il ? Elle ne le savait pas au juste et ne se le demandait même pas. *Il* serait *lui*, voilà tout.

Elle savait seulement qu'elle l'adorerait de toute son âme et qu'il la chérirait de toute sa force. Ils se promèneraient par les soirs pareils à celui-ci, sous la cendre lumineuse qui tombait des étoiles. Ils iraient, les mains dans les mains, serrés l'un contre l'autre, entendant battre leurs cœurs, sentant la chaleur de leurs épaules, mêlant leur amour à la simplicité suave[1] des nuits d'été, tellement unis qu'ils pénétreraient aisément, par la seule puissance de leur tendresse, jusqu'à leurs plus secrètes pensées.

410 Et cela continuerait indéfiniment, dans la sérénité d'une affection indescriptible.

Et il lui sembla soudain qu'elle le sentait là, contre elle ; et brusquement un vague frisson de sensualité lui courut des pieds à la tête. Elle serra ses bras contre sa poitrine, d'un 415 mouvement inconscient, comme pour étreindre son rêve ; et sur sa lèvre tendue vers l'inconnu quelque chose passa qui la fit presque défaillir, comme si l'haleine du printemps lui eût donné un baiser d'amour.

Tout à coup, là-bas, derrière le château, sur la route elle 420 entendit marcher dans la nuit. Et dans un élan de son âme affolée, dans un transport de foi à l'impossible, aux hasards providentiels, aux pressentiments divins, aux romanesques combinaisons du sort, elle pensa : « Si c'était lui ? » Elle écoutait anxieusement le pas rythmé du marcheur, sûre qu'il allait 425 s'arrêter à la grille pour demander l'hospitalité.

Lorsqu'il fut passé, elle se sentit triste comme après une déception. Mais elle comprit l'exaltation de son espoir et sourit à sa démence.

Alors, un peu calmée, elle laissa flotter son esprit au 430 courant d'une rêverie plus raisonnable, cherchant à pénétrer l'avenir, échafaudant son existence.

Avec lui elle vivrait ici, dans ce calme château qui dominait la mer. Elle aurait sans doute deux enfants, un fils pour lui, une fille pour elle. Et elle les voyait courant sur l'herbe entre

---

1. Suave : d'une douceur extrême.

435 le platane et le tilleul, tandis que le père et la mère les suivaient d'un œil ravi, en échangeant par-dessus leurs têtes des regards pleins de passion.

Et elle resta longtemps, longtemps, à rêvasser ainsi tandis que la lune, achevant son voyage à travers le ciel, allait dispa-
440 raître dans la mer. L'air devenait plus frais. Vers l'Orient, l'horizon pâlissait. Un coq chanta dans la ferme de droite ; d'autres répondirent dans la ferme de gauche. Leurs voix enrouées semblaient venir de très loin à travers la cloison des poulaillers ; et dans l'immense voûte du ciel, blanchie insen-
445 siblement, les étoiles disparaissaient.

Un petit cri d'oiseau s'éveilla quelque part. Des gazouille-ments, timides d'abord, sortirent des feuilles ; puis ils s'enhar-dirent, devinrent vibrants, joyeux, gagnant de branche en branche, d'arbre en arbre.

450 Jeanne, soudain, se sentit dans une clarté ; et, levant la tête qu'elle avait cachée en ses mains, elle ferma les yeux, éblouie par le resplendissement de l'aurore.

Une montagne de nuages empourprés, cachés en partie derrière une grande allée de peuples[1], jetait des lueurs de sang
455 sur la terre réveillée.

Et lentement, crevant les nuées éclatantes, criblant de feu les arbres, les plaines, l'Océan, tout l'horizon, l'immense globe flamboyant parut.

Et Jeanne se sentait devenir folle de bonheur. Une joie
460 délirante, un attendrissement infini devant la splendeur des choses noya son cœur qui défaillait. C'était son soleil ! son aurore ! le commencement de sa vie ! le lever de ses espé-

---

1. **Peuples** : voir note 1, p. 12.

rances ! Elle tendit les bras vers l'espace rayonnant, avec une
envie d'embrasser le soleil ; elle voulait parler, crier quelque
465 chose de divin comme cette éclosion du jour ; mais elle
demeurait paralysée dans un enthousiasme impuissant. Alors,
posant son front dans ses mains, elle sentit ses yeux pleins de
larmes ; et elle pleura délicieusement.

Lorsqu'elle releva la tête, le décor superbe du jour naissant
470 avait déjà disparu. Elle se sentit elle-même apaisée, un peu
lasse, comme refroidie. Sans fermer sa fenêtre, elle alla
s'étendre sur son lit, rêva encore quelques minutes, et s'endormit si profondément qu'à huit heures elle n'entendit point
les appels de son père et se réveilla seulement lorsqu'il entra
475 dans sa chambre.

Il voulait lui montrer l'embellissement du château, de *son*
château.

La façade qui donnait sur l'intérieur des terres était séparée
du chemin par une vaste cour plantée de pommiers. Ce
480 chemin, dit vicinal[1], courant entre les enclos des paysans,
joignait, une demi-lieue[2] plus loin, la grande route du Havre
à Fécamp.

Une allée droite venait de la barrière de bois jusqu'au
perron. Les communs, petits bâtiments en caillou de mer,
485 coiffés de chaume, s'alignaient des deux côtés de la cour, le
long des fossés des deux fermes.

Les couvertures étaient refaites à neuf ; toute la menuiserie
avait été restaurée, les murs réparés, les chambres retapissées,
tout l'intérieur repeint. Et le vieux manoir terni portait,

---

1. **Vicinal** : qui met en relation deux villages.
2. **Demi-lieue** : distance égale à environ deux kilomètres.

490 comme des taches, ses contrevents[1] frais, d'un blanc d'argent, et ses replâtrages récents sur sa grande façade grisâtre.

L'autre façade, celle où s'ouvrait une des fenêtres de Jeanne, regardait au loin la mer, par-dessus le bosquet et la muraille d'ormes[2] rongés du vent.

495 Jeanne et le baron, bras dessus bras dessous, visitèrent tout, sans omettre un coin ; puis ils se promenèrent lentement dans les longues avenues de peupliers, qui enfermaient ce qu'on appelait le parc. L'herbe avait poussé sous les arbres, étalant son tapis vert. Le bosquet, tout au bout, était charmant,
500 mêlait ses petits chemins tortueux, séparés par des cloisons de feuilles. Un lièvre partit brusquement, qui fit peur à la jeune fille, puis il sauta le talus et détala dans les joncs marins vers la falaise.

Après le déjeuner, comme Mme Adélaïde, encore exténuée,
505 déclarait qu'elle allait se reposer, le baron proposa de descendre jusqu'à Yport.

Ils partirent, traversant d'abord le hameau d'Étouvent[3], où se trouvaient les Peuples. Trois paysans les saluèrent comme s'ils les eussent connus de tout temps.

510 Ils entrèrent dans les bois en pente qui s'abaissent jusqu'à la mer en suivant une vallée tournante.

Bientôt apparut le village d'Yport. Des femmes qui raccommodaient des hardes[4], assises sur le seuil de leurs demeures, les regardaient passer. La rue inclinée, avec un
515 ruisseau dans le milieu et des tas de débris traînant devant les

---

1. Contrevents : volets de bois placés à l'extérieur d'une fenêtre.
2. Ormes : voir note 1, p. 23.
3. Étouvent : village imaginaire.
4. Hardes : vêtements usés, déchirés.

portes, exhalait une odeur forte de saumure[1]. Les filets bruns, où restaient de place en place des écailles luisantes pareilles à des piécettes d'argent, séchaient contre les portes des taudis *hovels* d'où sortaient les senteurs des familles nombreuses grouillant *swarming*

520 dans une seule pièce.

Quelques pigeons se promenaient au bord du ruisseau, cherchant leur vie.

Jeanne regardait tout cela qui lui semblait curieux et nouveau comme un décor de théâtre.

525 Mais, brusquement, en tournant un mur, elle aperçut la mer, d'un bleu opaque et lisse, s'étendant à perte de vue.

Ils s'arrêtèrent, en face de la plage, à regarder. Des voiles, blanches comme des ailes d'oiseaux, passaient au large. À droite comme à gauche, la falaise énorme se dressait. Une

530 sorte de cap arrêtait le regard d'un côté, tandis que de l'autre la ligne des côtes se prolongeait indéfiniment jusqu'à n'être plus qu'un trait insaisissable.

Un port et des maisons apparaissaient dans une de ces déchirures prochaines ; et de tout petits flots qui faisaient à la mer

535 une frange d'écume roulaient sur le galet avec un bruit léger.

Les barques du pays, halées[2] sur la pente de cailloux ronds, reposaient sur le flanc, tendant au soleil leurs joues rondes vernies de goudron. Quelques pêcheurs les préparaient pour la marée du soir.

540 Un matelot s'approcha pour offrir du poisson, et Jeanne acheta une barbue qu'elle voulait rapporter elle-même aux Peuples.

---

1. **Saumure :** préparation salée utilisée pour conserver les aliments.
2. **Halées :** tirées, remorquées.

Alors l'homme proposa ses services pour des promenades en mer, répétant son nom coup sur coup afin de le faire bien entrer dans les mémoires : « Lastique, Joséphin Lastique. »

Le baron promit de ne pas l'oublier.

Ils reprirent le chemin du château.

Comme le gros poisson fatiguait Jeanne, elle lui passa dans les ouïes la canne de son père, dont chacun d'eux prit un bout ; et ils allaient gaiement en remontant la côte, bavardant comme deux enfants, le front au vent et les yeux brillants, tandis que la barbue, qui lassait peu à peu leurs bras, balayait l'herbe de sa queue grasse.

II

Une vie charmante et libre commença pour Jeanne. Elle lisait, rêvait et vagabondait, toute seule, aux environs. Elle errait à pas lents le long des routes, l'esprit parti dans les rêves ; ou bien, elle descendait, en gambadant, les petites vallées tortueuses, dont les deux croupes portaient, comme une chape[1] d'or, une toison[2] de fleurs d'ajoncs. Leur odeur forte et douce, exaspérée par la chaleur, la grisait à la façon d'un vin parfumé ; et, au bruit lointain des vagues roulant sur une plage, une houle berçait son esprit.

Une mollesse parfois la faisait s'étendre sur l'herbe drue d'une pente ; et parfois, lorsqu'elle apercevait tout à coup au détour du val, dans un entonnoir de gazon, un triangle de mer bleue étincelante au soleil, avec une voile à l'horizon, il lui venait des joies désordonnées, comme à l'approche mystérieuse de bonheurs planant sur elle.

Un amour de la solitude l'envahissait dans la douceur de ce frais pays, et dans le calme des horizons arrondis ; et elle restait si longtemps assise sur le sommet des collines que des petits lapins sauvages passaient en bondissant à ses pieds.

---

1. Chape : cape.
2. Toison : pelage frisé et laineux des moutons et brebis.

20   Elle se mettait souvent à courir sur la falaise, fouettée par l'air léger des côtes, toute vibrante d'une jouissance exquise à se mouvoir sans fatigue, comme les poissons dans l'eau ou les hirondelles dans l'air.

    Elle semait partout des souvenirs comme on jette des
25 graines en terre, de ces souvenirs dont les racines tiennent jusqu'à la mort. Il lui semblait qu'elle jetait un peu de son cœur à tous les plis de ces vallons.

    Elle se mit à prendre des bains avec passion. Elle nageait à perte de vue, étant forte et hardie et sans conscience du
30 danger. Elle se sentait bien dans cette eau froide, limpide et bleue qui la portait en la balançant. Lorsqu'elle était loin du rivage, elle se mettait sur le dos, les bras croisés sur sa poitrine, les yeux perdus dans l'azur profond du ciel que traversait vite un vol d'hirondelle, ou la silhouette blanche d'un oiseau de
35 mer. On n'entendait plus aucun bruit que le murmure éloigné du flot contre le galet et une vague rumeur de la terre glissant encore sur les ondulations des vagues, mais confuse, presque insaisissable. Et puis Jeanne se redressait et, dans un affole-ment de joie, poussait des cris aigus en battant l'eau de ses
40 deux mains.

    Quelquefois, quand elle s'aventurait trop loin, une barque venait la chercher.

    Elle rentrait au château, pâle de faim, mais légère, alerte, du sourire à la lèvre et du bonheur plein les yeux.

45   Le baron de son côté méditait de grandes entreprises agri-coles ; il voulait faire des essais, organiser le progrès, expéri-menter des instruments nouveaux, acclimater des races étran-gères ; et il passait une partie de ses journées en conversation avec les paysans qui hochaient la tête, incrédules à ses tentatives.

50   Souvent aussi, il allait en mer avec les matelots d'Yport. Quand il eut visité les grottes, les fontaines et les aiguilles[1] des environs, il voulut pêcher comme un simple marin.

    Dans les jours de brise, lorsque la voile pleine de vent fait courir sur le dos des vagues la coque joufflue des barques, et
55 que, par chaque bord, traîne jusqu'au fond de la mer la grande ligne fuyante que poursuivent les hordes de maquereaux, il tenait dans sa main tremblante d'anxiété la petite corde qu'on sent vibrer sitôt qu'un poisson pris se débat.

    Il partait au clair de lune pour lever les filets posés la veille.
60 Il aimait à entendre craquer le mât, à respirer les rafales sifflantes et fraîches de la nuit ; et, après avoir longtemps louvoyé pour retrouver les bouées en se guidant sur une crête de roche, le toit d'un clocher et le phare de Fécamp, il jouissait à demeurer immobile sous les premiers feux du soleil levant
65 qui faisait reluire sur le pont du bateau le dos gluant des larges raies en éventail et le ventre gras des turbots.

    À chaque repas, il racontait avec enthousiasme ses promenades ; et petite mère à son tour lui disait combien de fois elle avait parcouru la grande allée de peuples, celle de droite,
70 contre la ferme des Couillard, l'autre n'ayant pas assez de soleil.

    Comme on lui avait recommandé de « prendre du mouvement », elle s'acharnait à marcher. Dès que la fraîcheur de la nuit s'était dissipée, elle descendait appuyée sur le bras de Rosalie, enveloppée d'une mante[2] et de deux châles, et la
75 tête étouffée d'une capeline[3] noire que recouvrait encore un tricot rouge.

---

1. Aiguilles : montagnes de forme plus ou moins effilée.
2. Mante : vêtement ample et sans manches, le plus souvent avec un capuchon.
3. Capeline : capuche pour femme ou fillette couvrant la tête et les épaules.

Alors, traînant son pied gauche, un peu plus lourd et qui avait déjà tracé, dans toute la longueur du chemin, l'un à l'aller, l'autre au retour, deux sillons poudreux où l'herbe était
80 morte, elle recommençait sans fin un interminable voyage en ligne droite depuis l'encoignure[1] du château jusqu'aux premiers arbustes du bosquet. Elle avait fait placer un banc à chaque extrémité de cette piste ; et toutes les cinq minutes elle s'arrêtait, disant à la pauvre bonne patiente qui la soute-
85 nait : « Asseyons-nous, ma fille, je suis un peu lasse. »

Et à chaque arrêt elle laissait sur un des bancs tantôt le tricot qui lui couvrait la tête, tantôt un châle, et puis l'autre, puis la capeline, puis la mante ; et tout cela faisait, aux deux bouts de l'allée, deux gros paquets de vêtements que Rosalie
90 rapportait sur son bras libre quand on rentrait pour déjeuner.

Et dans l'après-midi la baronne recommençait d'une allure plus molle, avec des repos plus allongés, sommeillant même une heure de temps en temps sur une chaise longue qu'on lui roulait dehors.

95 Elle appelait cela faire « son exercice », comme elle disait « mon hypertrophie ».

Un médecin consulté dix ans auparavant parce qu'elle éprouvait des étouffements avait parlé d'hypertrophie. Depuis lors ce mot, dont elle ne comprenait guère la signifi-
100 cation, s'était établi dans sa tête. Elle faisait tâter obstinément au baron, à Jeanne ou à Rosalie son cœur que personne ne sentait plus, tant il était enseveli sous la bouffissure[2] de sa poitrine ; mais elle refusait avec énergie de se laisser examiner

---

1. **Encoignure** : angle intérieur formé par deux pans de mur.
2. **Bouffissure** : enflure.

par aucun nouveau médecin, de peur qu'on lui découvrît
105 d'autres maladies ; et elle parlait de « son » hypertrophie à
tout propos et si souvent qu'il semblait que cette affection lui
fût spéciale, lui appartînt comme une chose unique sur
laquelle les autres n'avaient aucun droit.

Le baron disait « l'hypertrophie de ma femme » et Jeanne
110 « l'hypertrophie de maman », comme ils auraient dit « la
robe, le chapeau, ou le parapluie ».

Elle avait été fort jolie dans sa jeunesse et plus mince qu'un
roseau. Après avoir valsé dans les bras de tous les uniformes
de l'Empire, elle avait lu *Corinne*[1] qui l'avait fait pleurer ; elle
115 était demeurée depuis comme marquée de ce roman.

À mesure que sa taille s'était épaissie, son âme avait pris
des élans plus poétiques ; et quand l'obésité l'eut clouée sur
un fauteuil, sa pensée vagabonda à travers des aventures
tendres dont elle se croyait l'héroïne. Elle en avait de préférées
120 qu'elle faisait toujours revenir dans ses rêves, comme une
boîte à musique dont on remonte la manivelle répète inter-
minablement le même air. Toutes les romances langoureuses
où l'on parle de captives et d'hirondelles lui mouillaient
infailliblement les paupières ; et elle aimait même certaines
125 chansons grivoises[2] de Béranger[3] à cause des regrets qu'elles
expriment.

Elle demeurait souvent pendant des heures immobile,
éloignée dans ses songeries ; et son habitation des Peuples lui
plaisait infiniment parce qu'elle prêtait un décor aux romans
130 de son âme, lui rappelant et par les bois d'alentour, et par la

1. *Corinne* : *Corinne ou l'Italie* (1807), roman de Mme de Staël (1766-1817).
2. Grivoises : osées, au caractère licencieux.
3. Béranger : chansonnier français (1780-1857).

lande déserte, et par le voisinage de la mer, les livres de Walter
Scott[1] qu'elle lisait depuis quelques mois.

Dans les jours de pluie elle restait enfermée en sa chambre
à visiter ce qu'elle appelait ses « reliques[2] ». C'étaient toutes
135   ses anciennes lettres, les lettres de son père et de sa mère, les
lettres du baron quand elle était sa fiancée, et d'autres encore.

Elle les avait enfermées dans un secrétaire d'acajou portant
à ses angles des sphinx de cuivre ; et elle disait d'une voix
particulière : « Rosalie, ma fille, apporte-moi le tiroir aux
140   *souvenirs*. »

La petite bonne ouvrait le meuble, prenait le tiroir, le
posait sur une chaise à côté de sa maîtresse qui se mettait à lire
lentement, une à une, ces lettres, en laissant tomber une larme
dessus de temps en temps.

145   Jeanne parfois remplaçait Rosalie et promenait petite mère
qui lui racontait des souvenirs d'enfance. La jeune fille se
retrouvait dans ces histoires d'autrefois, s'étonnant de la simi-
litude de leurs pensées, de la parenté de leurs désirs ; car
chaque cœur s'imagine ainsi avoir tressailli avant tout autre
150   sous une foule de sensations qui ont fait battre ceux des
premières créatures et feront palpiter encore ceux des derniers
hommes et des dernières femmes.

Leur marche lente suivait la lenteur du récit que des
oppressions[3] parfois interrompaient quelques secondes ; et la
155   pensée de Jeanne alors, bondissant par-dessus les aventures

---

1. Walter Scott : écrivain écossais (1771-1832). Ses romans historiques
connaissent un très grand succès dans la France du XIXᵉ siècle.
2. Reliques : objets auxquels on attache une grande valeur sentimentale, et que
l'on garde en souvenir. Le terme a une connotation religieuse.
3. Oppressions : difficultés à respirer, gêne ressentie au niveau de la poitrine.

commencées, s'élançait vers l'avenir peuplé de joies, se roulait dans les espérances.

Un après-midi, comme elles se reposaient sur le banc du fond, elles aperçurent tout à coup, au bout de l'allée, un gros
160 prêtre qui s'en venait vers elles.

Il salua de loin, prit un air souriant, salua de nouveau quand il fut à trois pas et s'écria: «Eh bien, madame la baronne, comment allons-nous? » C'était le curé du pays.

Petite mère, née dans le siècle des philosophes[1], élevée par
165 un père peu croyant, aux jours de la Révolution, ne fréquentait guère l'église, bien qu'elle aimât les prêtres par une sorte d'instinct religieux de femme.

Elle avait totalement oublié l'abbé Picot, son curé, et rougit en le voyant. Elle s'excusa de n'avoir point prévenu sa
170 démarche[2]. Mais le bonhomme n'en semblait point froissé; il regarda Jeanne, la complimenta sur sa bonne mine, s'assit, mit son tricorne[3] sur ses genoux et s'épongea le front. Il était fort gros, fort rouge, et suait à flots. Il tirait de sa poche à tout instant un énorme mouchoir à carreaux imbibé de transpira-
175 tion, et se le passait sur le visage et le cou; mais à peine le linge humide était-il rentré dans les profondeurs noires de sa robe que de nouvelles gouttes poussaient sur sa peau, et, tombant sur la soutane rebondie au ventre, fixaient en petites taches rondes la poussière volante des chemins.

180 Il était gai, vrai prêtre campagnard, tolérant, bavard et brave homme. Il raconta des histoires, parla des gens du pays,

---

1. **Siècle des philosophes**: le XVIIIe siècle, siècle des Lumières (Voltaire, Diderot, Monstesquieu et Rousseau notamment).
2. **N'avoir point prévenu sa démarche**: de n'avoir pas devancé sa visite.
3. **Tricorne**: chapeau dont les bords relevés forment trois cornes ou pointes.

ne sembla pas s'être aperçu que ses deux paroissiennes n'étaient pas encore venues aux offices[1], la baronne accordant son indolence[2] avec sa foi confuse, et Jeanne trop heureuse d'être délivrée du couvent où elle avait été repue de cérémonies pieuses.

Le baron parut. Sa religion panthéiste[3] le laissait indifférent aux dogmes[4]. Il fut aimable pour l'abbé qu'il connaissait de loin, et le retint à dîner.

Le prêtre sut plaire grâce à cette astuce inconsciente que le maniement des âmes donne aux hommes les plus médiocres appelés par le hasard des événements à exercer un pouvoir sur leurs semblables.

La baronne le choya[5], attirée peut-être par une de ces affinités qui rapprochent les natures semblables, la figure sanguine et l'haleine courte du gros homme plaisant à son obésité soufflante.

Vers le dessert il eut une verve[6] de curé en goguette[7], ce laisser aller familier des fins de repas joyeuses.

Et tout à coup il s'écria comme si une idée heureuse lui eût traversé l'esprit : « Mais j'ai un nouveau paroissien qu'il faut que je vous présente, M. le vicomte de Lamare ! »

La baronne, qui connaissait sur le bout du doigt tout l'armorial[8] de la province, demanda : « Est-il de la famille de Lamare de l'Eure ? »

---

1. **Offices** : messes.
2. **Indolence** : nonchalance, mollesse.
3. **Panthéiste** : qui considère, comme les philosophes du siècle des Lumières, que tout ce qui existe est identifié à Dieu.
4. **Dogmes** : points de doctrine établis comme fondamentaux et incontestables.
5. **Choya** : entoura de tendresse et d'attention.
6. **Verve** : façon de parler avec brio.
7. **En goguette** : un peu ivre, décidé à faire la fête.
8. **Armorial** : relatif aux armoiries, emblèmes des familles nobles.

Le prêtre s'inclina : « Oui, madame, c'est le fils du vicomte
205 Jean de Lamare, mort l'an dernier. » Alors madame Adélaïde,
qui aimait par-dessus tout la noblesse, posa une foule de questions, et apprit que, les dettes du père payées, le jeune
homme, ayant vendu son château de famille, s'était organisé
un petit pied-à-terre dans une des trois fermes qu'il possédait
210 dans la commune d'Étouvent. Ces biens représentaient en
tout cinq à six mille livres de rente ; mais le vicomte était
d'humeur économe et sage et comptait vivre simplement
pendant deux ou trois ans dans ce modeste pavillon afin
d'amasser de quoi faire figure dans le monde pour se marier
215 avec avantage[1] sans contracter de dettes ou hypothéquer ses
fermes.

Le curé ajouta : « C'est un bien charmant garçon ; et si
rangé, si paisible. Mais il ne s'amuse guère dans le pays. »

Le baron dit : « Amenez-le chez nous, monsieur l'abbé, cela
220 pourra le distraire de temps en temps. »

Et on parla d'autre chose.

Quand on passa dans le salon, après avoir pris le café, le
prêtre demanda la permission de faire un tour dans le jardin,
ayant l'habitude d'un peu d'exercice après ses repas. Le baron
225 l'accompagna. Ils se promenaient lentement tout le long de
la façade blanche du château pour revenir ensuite sur leurs
pas. Leurs ombres, l'une maigre, l'autre ronde et coiffée d'un
champignon, allaient et venaient tantôt devant eux, tantôt
derrière eux, selon qu'ils marchaient vers la lune ou qu'ils lui
230 tournaient le dos. Le curé mâchonnait une sorte de cigarette
qu'il avait tirée de sa poche. Il en expliqua l'utilité avec le

---

1. Se marier avec avantage : épouser une jeune fille qui a une dot importante.

franc parler des hommes de campagne : « C'est pour favoriser les renvois, parce que j'ai les digestions un peu lourdes. »

Puis, soudain, regardant le ciel où voyageait l'astre clair, il prononça : « On ne se lasse jamais de ce spectacle-là. »

Et il rentra prendre congé des dames.

III

Le dimanche suivant, la baronne et Jeanne allèrent à la messe, poussées par un délicat sentiment de déférence[1] pour leur curé.

Elles l'attendirent après l'office afin de l'inviter à déjeuner pour le jeudi. Il sortit de la sacristie avec un grand jeune homme élégant qui lui donnait le bras familièrement. Dès qu'il aperçut les deux femmes, il fit un geste de surprise joyeuse et s'écria: «Comme ça tombe! Permettez-moi, madame la baronne et mademoiselle Jeanne, de vous présenter votre voisin, M. le vicomte de Lamare.»

Le vicomte s'inclina, dit son désir ancien déjà de faire la connaissance de ces dames et se mit à causer avec aisance, en homme comme il faut, ayant vécu. Il possédait une de ces figures heureuses dont rêvent les femmes et qui sont désagréables à tous les hommes. Ses cheveux noirs et frisés ombraient son front lisse et bruni; et deux grands sourcils réguliers comme s'ils eussent été artificiels rendaient profonds et tendres ses yeux sombres dont le blanc semblait un peu teinté de bleu.

Ses cils serrés et longs prêtaient à son regard cette éloquence[2] passionnée qui trouble, dans les salons la belle

---

1. Déférence: respect.
2. Éloquence: manière de s'exprimer avec aisance.

dame hautaine, et fait se retourner la fille en bonnet[1] qui porte un panier par les rues.

Le charme langoureux de cet œil faisait croire à la profondeur de la pensée et donnait de l'importance aux moindres
paroles.

La barbe drue, luisante et fine, cachait une mâchoire un peu
trop forte.

On se sépara après beaucoup de compliments.

M. de Lamare, deux jours après, fit sa première visite.

Il arriva comme on essayait un banc rustique posé le matin
même sous le grand platane en face des fenêtres du salon. Le
baron voulait qu'on en plaçât un autre, pour faire pendant[2],
sous le tilleul ; petite mère, ennemie de la symétrie, ne voulait
pas. Le vicomte consulté fut de l'avis de la baronne.

Puis il parla du pays, qu'il déclarait très « pittoresque »,
ayant trouvé, dans ses promenades solitaires, beaucoup de
« sites » ravissants. De temps en temps ses yeux, comme par
hasard, rencontraient ceux de Jeanne ; et elle éprouvait une
sensation singulière de ce regard brusque, vite détourné, où
apparaissaient une admiration caressante et une sympathie
éveillée.

M. de Lamare le père, mort l'année précédente, avait justement connu un intime ami de M. des Cultaux dont petite
mère était fille ; et la découverte de cette connaissance enfanta
une conversation d'alliances, de dates, de parentés interminable. La baronne faisait des tours de force de mémoire, réta-
blissant les ascendances et les descendances d'autres familles,

---

1. Fille en bonnet : domestique ou paysanne qui, à la différence de sa maîtresse,
ne porte pas de chapeau.

2. Faire pendant : créer un rapport de symétrie.

circulant, sans jamais se perdre, dans le labyrinthe compliqué
des généalogies.

« Dites-moi, vicomte, avez-vous entendu parler des Saunoy
de Varfleur ? le fils aîné, Gontran, avait épousé une demoiselle
de Coursil, une Coursil-Courville, et le cadet, une de mes
cousines, mademoiselle de la Roche-Aubert qui était alliée
aux Crisange. Or M. de Crisange fut l'intime de mon père et
a dû connaître aussi le vôtre.

– Oui, madame. N'est-ce pas ce M. de Crisange qui
émigra[1] et dont le fils s'est ruiné ?

– Lui-même. Il avait demandé en mariage ma tante, après
la mort de son mari, le comte d'Éretry ; mais elle ne voulut
pas de lui parce qu'il prisait[2]. Savez-vous, à ce propos, ce que
sont devenus les Viloise ? Ils ont quitté la Touraine vers 1813,
à la suite de revers de fortune, pour se fixer en Auvergne, et je
n'en ai plus entendu parler.

– Je crois, madame, que le vieux marquis est mort d'une
chute de cheval, laissant une fille mariée avec un Anglais, et
l'autre avec un certain Basolle, un commerçant, riche dit-on,
et qui l'avait séduite. »

Et des noms appris et retenus dès l'enfance dans les conver-
sations des vieux parents revenaient. Et les mariages de ces
familles égales prenaient dans leurs esprits l'importance des
grands événements publics. Ils parlaient de gens qu'ils
n'avaient jamais vus comme s'ils les connaissaient beaucoup ;
et ces gens-là, dans d'autres contrées, parlaient d'eux de la
même façon ; et ils se sentaient familiers de loin, presque

---

1. Émigra : lors de la Révolution de 1789, beaucoup de nobles quittèrent la
France.
2. Prisait : aspirait du tabac par le nez.

amis, presque alliés, par le seul fait d'appartenir à la même classe, à la même caste, d'être d'un sang équivalent.

Le baron, d'une nature assez sauvage et d'une éducation qui ne s'accordait point avec les croyances et les préjugés des gens de son monde, ne connaissait guère les familles des environs, il interrogea sur elles le vicomte.

M. de Lamare répondit : « Oh ! il n'y a pas beaucoup de noblesse dans l'arrondissement », du même ton dont il aurait déclaré qu'il y avait peu de lapins sur les côtes ; et il donna des détails. Trois familles seulement se trouvaient dans un rayon assez rapproché : le marquis de Coutelier, une sorte de chef de l'aristocratie normande ; le vicomte et la vicomtesse de Briseville, des gens d'excellente race[1], mais se tenant assez isolés ; enfin le comte de Fourville, sorte de croquemitaine[2] qui passait pour faire mourir sa femme de chagrin et qui vivait en chasseur dans son château de la Vrillette, bâti sur un étang.

Quelques parvenus[3] qui frayaient[4] entre eux avaient acheté des domaines par-ci, par-là. Le vicomte ne les connaissait point.

Il prit congé ; et son dernier regard fut pour Jeanne, comme s'il lui eût adressé un adieu particulier, plus cordial et plus doux.

La baronne le trouva charmant et surtout très comme il faut. Petit père répondit : « Oui, certes, c'est un garçon très bien élevé. »

---

1. D'excellente race : d'excellente famille.
2. Croquemitaine : monstre imaginaire, fantastique et effrayant, de certains contes de fées.
3. Parvenus : personnes ayant acquis une position sociale supérieure sans en avoir pris les manières.
4. Frayaient : se fréquentaient.

On l'invita à dîner la semaine suivante. Il vint alors régulièrement.

Il arrivait le plus souvent vers quatre heures de l'après-midi, rejoignait petite mère dans « son allée » et lui offrait le bras pour faire « son exercice ». Quand Jeanne n'était point sortie, elle soutenait la baronne de l'autre côté, et tous trois marchaient lentement d'un bout à l'autre du grand chemin tout droit, allant et revenant sans cesse. Il ne parlait guère à la jeune fille. Mais son œil, qui semblait en velours noir, rencontrait souvent l'œil de Jeanne, qu'on aurait dit en agate bleue.

Plusieurs fois ils descendirent tous les deux à Yport avec le baron.

Comme ils se trouvaient sur la plage, un soir, le père Lastique les aborda, et, sans quitter sa pipe, dont l'absence aurait étonné peut-être davantage que la disparition de son nez, il prononça : « Avec ce vent-là m'sieu l'baron, y aurait d'quoi aller d'main jusqu'Étretat, et r'venir sans s'donner d'peine. »

Jeanne joignit les mains : « Oh ! papa, si tu voulais ? » Le baron se tourna vers M. de Lamare :

« En êtes-vous, vicomte ? Nous irions déjeuner là-bas. »

Et la partie fut tout de suite décidée.

Dès l'aurore, Jeanne était debout. Elle attendit son père plus lent à s'habiller, et ils se mirent à marcher dans la rosée, traversant d'abord la plaine, puis le bois tout vibrant de chants d'oiseaux. Le vicomte et le père Lastique étaient assis sur un cabestan[1].

---

1. **Cabestan** : appareil destiné à tirer ou à lever des charges sur un bateau.

Deux autres marins aidèrent au départ. Les hommes, appuyant leurs épaules aux bordages, poussaient de toute leur force. On avançait avec peine sur la plate-forme de galet. Lastique glissait sous la quille[1] des rouleaux de bois graissés, puis, reprenant sa place, modulait d'une voix traînante son interminable « Ohée hop ! » qui devait régler l'effort commun.

Mais lorsqu'on parvint à la pente, le canot tout d'un coup partit, dévala sur les cailloux ronds avec un grand bruit de toile déchirée. Il s'arrêta net à l'écume des petites vagues, et tout le monde prit place sur les bancs ; puis les deux matelots restés à terre le mirent à flot.

Une brise légère et continue, venant du large, effleurait et ridait la surface de l'eau. La voile fut hissée, s'arrondit un peu, et la barque s'en alla paisiblement, à peine bercée par la mer.

On s'éloigna d'abord. Vers l'horizon, le ciel se baissant se mêlait à l'Océan. Vers la terre, la haute falaise droite faisait une grande ombre à son pied, et des pentes de gazon pleines de soleil l'échancraient par endroits. Là-bas, en arrière, des voiles brunes sortaient de la jetée blanche de Fécamp, et là-bas, en avant, une roche d'une forme étrange, arrondie et percée à jour, avait à peu près la figure d'un éléphant énorme enfonçant sa trompe dans les flots. C'était la petite porte d'Étretat.

Jeanne, tenant le bordage d'une main, un peu étourdie par le bercement des vagues, regardait au loin ; et il lui semblait que trois seules choses étaient vraiment belles dans la création : la lumière, l'espace et l'eau.

---

1. Quille : dans la marine à voile, pièce de charpente de base à partir de laquelle la coque est construite.

Personne ne parlait. Le père Lastique, qui tenait la barre et l'écoute, buvait un coup de temps en temps à même une bouteille cachée sous son banc ; et il fumait, sans repos, son moignon de pipe qui semblait inextinguible. Il en sortait toujours un mince filet de fumée bleue tandis qu'un autre tout pareil s'échappait du coin de sa bouche. Et on ne voyait jamais le matelot rallumer le fourneau de terre plus noir que l'ébène, ou le remplir de tabac. Quelquefois il le prenait d'une main, l'ôtait de ses lèvres, et du même coin d'où sortait la fumée lançait à la mer un long jet de salive brune.

Le baron, assis à l'avant, surveillait la voile, tenant la place d'un homme. Jeanne et le vicomte se trouvaient côte à côte, un peu troublés tous les deux. Une force inconnue faisait se rencontrer leurs yeux qu'ils levaient au même moment comme si une affinité les eût avertis ; car entre eux flottait déjà cette subtile et vague tendresse qui naît si vite entre deux jeunes gens, lorsque le garçon n'est pas laid et que la fille est jolie. Ils se sentaient heureux l'un près de l'autre, peut-être parce qu'ils pensaient l'un à l'autre.

Le soleil montait comme pour considérer de plus haut la vaste mer étendue sous lui ; mais elle eut comme une coquetterie et s'enveloppa d'une brume légère qui la voilait à ses rayons. C'était un brouillard transparent, très bas, doré, qui ne cachait rien, mais rendait les lointains plus doux. L'astre dardait ses flammes, faisait fondre cette nuée brillante ; et, lorsqu'il fut dans toute sa force, la buée s'évapora, disparut ; et la mer, lisse comme une glace, se mit à miroiter dans la lumière.

Jeanne, tout émue, murmura : « Comme c'est beau ! » Le vicomte répondit : « Oh oui, c'est beau. » La clarté sereine de cette matinée faisait s'éveiller comme un écho dans leurs cœurs.

Et soudain on découvrit les grandes arcades d'Étretat, pareilles à deux jambes de la falaise marchant dans la mer, 190 hautes à servir d'arche à des navires ; tandis qu'une aiguille de roche blanche et pointue se dressait devant la première.

On aborda, et pendant que le baron, descendu le premier, retenait la barque au rivage en tirant sur une corde, le vicomte prit dans ses bras Jeanne pour la déposer à terre sans qu'elle se 195 mouillât les pieds ; puis ils montèrent la dure banque de galet, côte à côte, émus tous deux de ce rapide enlacement, et ils entendirent tout à coup le père Lastique disant au baron : « M'est avis que ça ferait un joli couple tout de même. »

Dans une petite auberge, près de la plage, le déjeuner fut 200 charmant. L'Océan, engourdissant la voix et la pensée, les avait rendus silencieux ; la table les fit bavards, et bavards comme des enfants en vacance.

Les choses les plus simples leur donnaient d'interminables gaietés.

205 Le père Lastique, en se mettant à table, cacha soigneusement dans son béret sa pipe qui fumait encore ; et l'on rit. Une mouche, attirée sans doute par son nez rouge, s'en vint à plusieurs reprises se poser dessus ; et, lorsqu'il l'avait chassée d'un coup de main trop lent pour la saisir, elle allait se poster 210 sur un rideau de mousseline, que beaucoup de ses sœurs avaient déjà maculé[1], et elle semblait guetter avidement le pif enluminé du matelot, car elle reprenait aussitôt son vol pour revenir s'y installer.

---

1. **Maculé** : taché.

À chaque voyage de l'insecte un rire fou jaillissait ; et, lorsque le vieux, ennuyé par ce chatouillement, murmura : « Elle est bougrement obstinée », Jeanne et le vicomte se mirent à pleurer de gaieté, se tordant, étouffant, la serviette sur la bouche pour ne pas crier.

Lorsqu'on eut pris le café : « Si nous allions nous promener », dit Jeanne. Le vicomte se leva ; mais le baron préférait faire son lézard au soleil sur le galet : « Allez-vous-en, mes enfants, vous me retrouverez ici dans une heure. »

Ils traversèrent en ligne droite les quelques chaumières du pays ; et, après avoir dépassé un petit château qui ressemblait à une grande ferme, ils se trouvèrent dans une vallée découverte allongée devant eux.

Le mouvement de la mer les avait alanguis[1], troublant leur équilibre ordinaire, le grand air salin les avait affamés, puis le déjeuner les avait étourdis et la gaieté les avait énervés. Ils se sentaient maintenant un peu fous avec des envies de courir éperdument dans les champs. Jeanne entendait bourdonner ses oreilles, toute remuée par des sensations nouvelles et rapides.

Un soleil dévorant tombait sur eux. Des deux côtés de la route les récoltes mûres se penchaient, pliées sous la chaleur. Les sauterelles s'égosillaient nombreuses comme les brins d'herbe, jetant partout, dans les blés, dans les seigles, dans les joncs[2] marins des côtes, leur cri maigre et assourdissant.

Aucune autre voix ne montait sous le ciel torride, d'un bleu miroitant et jauni comme s'il allait tout d'un coup devenir rouge, à la façon des métaux trop rapprochés d'un brasier.

---

1. Alanguis : affaiblis.
2. Joncs : plantes dont la tige est longue, droite et flexible.

Ayant aperçu un petit bois, plus loin, à droite, ils y allèrent.

Encaissée entre deux talus, une allée étroite s'avançait sous de grands arbres impénétrables au soleil. Une espèce de fraîcheur moisie les saisit en entrant, cette humidité qui fait
245 frissonner la peau et pénètre dans les poumons. L'herbe avait disparu, faute de jour et d'air libre ; mais une mousse cachait le sol.

Ils avançaient : « Tiens, là-bas, nous pourrons nous asseoir un peu », dit-elle. Deux vieux arbres étaient morts et, profi-
250 tant du trou fait dans la verdure, une averse de lumière tombait là, chauffait la terre, avait réveillé des germes de gazon, de pissenlits et de lianes, fait éclore des petites fleurs blanches, fines comme un brouillard, et des digitales[1] pareilles à des fusées. Des papillons, des abeilles, des frelons
255 trapus, des cousins[2] démesurés qui ressemblaient à des squelettes de mouches, mille insectes volants, des bêtes à bon Dieu[3] roses et tachetées, des bêtes d'enfer aux reflets verdâtres, d'autres noires avec des cornes, peuplaient ce puits lumineux et chaud, creusé dans l'ombre glacée des lourds feuillages.

260 Ils s'assirent, la tête à l'abri et les pieds dans la chaleur. Ils regardaient toute cette vie grouillante et petite qu'un rayon fait apparaître ; et Jeanne attendrie répétait : « Comme on est bien ! que c'est bon la campagne ! Il y a des moments où je voudrais être mouche ou papillon pour me cacher dans les
265 fleurs. »

Ils parlèrent d'eux, de leurs habitudes, de leurs goûts, sur ce ton plus bas, intime, dont on fait les confidences. Il se disait

---

1. Digitales : plantes à fleurs.
2. Cousins : insectes proches du moustique.
3. Bêtes à bon Dieu : coccinelles.

déjà dégoûté du monde, las de sa vie futile[1] ; c'était toujours la même chose ; on n'y rencontrait rien de vrai, rien de sincère.

270 Le monde ! elle aurait bien voulu le connaître ; mais elle était convaincue d'avance qu'il ne valait pas la campagne.

Et plus leurs cœurs se rapprochaient, plus ils s'appelaient avec cérémonie « monsieur et mademoiselle », plus aussi leurs regards se souriaient, se mêlaient ; et il leur semblait qu'une 275 bonté nouvelle entrait en eux, une affection plus épandue, un intérêt à mille choses dont ils ne s'étaient jamais souciés.

Ils revinrent ; mais le baron était parti à pied jusqu'à la Chambre-aux-Demoiselles, grotte suspendue dans une crête de falaise ; et ils l'attendirent à l'auberge.

280 Il ne reparut qu'à cinq heures du soir, après une longue promenade sur les côtes.

On remonta dans la barque. Elle s'en allait mollement, vent arrière, sans secousse aucune, sans avoir l'air d'avancer. La brise arrivait par souffles lents et tièdes qui tendaient la 285 voile une seconde, puis la laissaient retomber, flasque[2], le long du mât. L'onde opaque semblait morte ; et le soleil épuisé d'ardeurs, suivant sa route arrondie, s'approchait d'elle tout doucement.

L'engourdissement de la mer faisait de nouveau taire tout 290 le monde.

Jeanne dit enfin : « Comme j'aimerais voyager ! »

Le vicomte reprit : « Oui, mais c'est triste de voyager seul, il faut être au moins deux pour se communiquer ses impressions. »

---

1. **Futile** : sans intérêt.
2. **Flasque** : molle.

295 Elle réfléchit : « C'est vrai…, j'aime à me promener seule cependant… ; comme on est bien quand on rêve, toute seule… »

Il la regarda longuement : « On peut aussi rêver à deux. »

Elle baissa les yeux. Était-ce une allusion ? Peut-être. Elle
300 considéra l'horizon comme pour découvrir encore plus loin ; puis, d'une voix lente : « Je voudrais aller en Italie… ; et en Grèce… ah ! oui, en Grèce… et en Corse ! ce doit être si sauvage et si beau ! »

Il préférait la Suisse à cause des chalets et des lacs.

305 Elle disait : « Non, j'aimerais les pays tout neufs comme la Corse, ou les pays très vieux et pleins de souvenirs, comme la Grèce. Ce doit être si doux de retrouver les traces de ces peuples dont nous savons l'histoire depuis notre enfance, de voir les lieux où se sont accomplies les grandes choses. »

310 Le vicomte, moins exalté, déclara : « Moi, l'Angleterre m'attire beaucoup ; c'est une région fort instructive. »

Alors ils parcoururent l'univers, discutant les agréments de chaque pays, depuis les pôles jusqu'à l'équateur, s'extasiant sur des paysages imaginaires et les mœurs invraisemblables
315 de certains peuples comme les Chinois et les Lapons ; mais ils en arrivèrent à conclure que le plus beau pays du monde, c'était la France, avec son climat tempéré, frais l'été et doux l'hiver, ses riches campagnes, ses vertes forêts, ses grands fleuves calmes et ce culte des beaux-arts qui n'avait existé
320 nulle part ailleurs, depuis les grands siècles d'Athènes.

Puis ils se turent.

Le soleil, plus bas, semblait saigner ; et une large traînée lumineuse, une route éblouissante courait sur l'eau depuis la limite de l'Océan jusqu'au sillage de la barque.

325   Les derniers souffles de vent tombèrent ; toute ride s'aplanit ; et la voile immobile était rouge. Une accalmie illimitée semblait engourdir l'espace, faire le silence autour de cette rencontre d'éléments ; tandis que, cambrant sous le ciel son ventre luisant et liquide, la mer, fiancée monstrueuse,
330   attendait l'amant de feu qui descendait vers elle. Il précipitait sa chute, empourpré comme par le désir de leur embrassement[1]. Il la joignit ; et, peu à peu, elle le dévora.

    Alors de l'horizon une fraîcheur accourut ; un frisson plissa le sein mouvant de l'eau, comme si l'astre englouti eût jeté
335   sur le monde un soupir d'apaisement.

    Le crépuscule fut court ; la nuit se déploya criblée d'astres. Le père Lastique prit les rames ; et on s'aperçut que la mer était phosphorescente. Jeanne et le vicomte, côte à côte, regardaient ces lueurs mouvantes que la barque laissait derrière
340   elle. Ils ne songeaient presque plus, contemplant vaguement, aspirant le soir dans un bien-être délicieux ; et comme Jeanne avait une main appuyée sur le banc, un doigt de son voisin se posa, comme par hasard, contre sa peau ; elle ne remua point, surprise, heureuse, et confuse de ce contact si léger.

345   Quand elle fut rentrée le soir, dans sa chambre, elle se sentit étrangement remuée et tellement attendrie que tout lui donnait envie de pleurer. Elle regarda sa pendule, pensa que la petite abeille battait à la façon d'un cœur, d'un cœur ami ; qu'elle serait le témoin de toute sa vie, qu'elle accompagnerait
350   ses joies et ses chagrins de ce tic-tac vif et régulier ; et elle arrêta la mouche dorée pour mettre un baiser sur ses ailes.

---

1. Embrassement : action d'embrasser quelqu'un, c'est-à-dire, dans le vocabulaire de l'époque, de le prendre pour le serrer dans ses bras.

Elle aurait embrassé n'importe quoi. Elle se souvint d'avoir caché dans le fond d'un tiroir une vieille poupée d'autrefois ; elle la rechercha, la revit avec la joie qu'on a en retrouvant des
355 amies adorées ; et, la serrant contre sa poitrine, elle cribla de baisers ardents les joues peintes et la filasse[1] frisée du joujou.

Et, tout en le gardant en ses bras, elle songea.

Était-ce bien LUI l'époux promis par mille voix secrètes, qu'une Providence[2] souverainement bonne avait ainsi jeté sur
360 sa route ? Était-ce bien l'être créé pour elle, à qui elle dévouerait son existence ? Étaient-ils ces deux prédestinés[3] dont les tendresses se joignant devaient s'étreindre, se mêler indissolublement, engendrer l'AMOUR ?

Elle n'avait point encore ces élans tumultueux de tout son
365 être, ces ravissements fous, ces soulèvements profonds qu'elle croyait être la passion ; il lui semblait cependant qu'elle commençait à l'aimer ; car elle se sentait parfois toute défaillante en pensant à lui ; et elle y pensait sans cesse. Sa présence lui remuait le cœur ; elle rougissait et pâlissait en rencontrant
370 son regard, et frissonnait en entendant sa voix.

Elle dormit bien peu cette nuit-là.

Alors de jour en jour le troublant désir d'aimer l'envahit davantage. Elle se consultait sans cesse, consultait aussi les marguerites, les nuages, des pièces de monnaie jetées en l'air.
375 Or, un soir, son père lui dit : « Fais-toi belle, demain matin. » Elle demanda : « Pourquoi, papa ? » Il reprit : « C'est un secret. »

---

1. Filasse : amas de filaments tirés des tiges de certains végétaux textiles, notamment du chanvre.
2. Providence : puissance supérieure, divine, qui gouverne le monde et veille sur le destin des individus.
3. Prédestinés : personnes dont le destin est fixé d'avance.

Et quand elle descendit le lendemain toute fraîche dans une toilette claire, elle trouva la table du salon couverte de boîtes de bonbons ; et, sur une chaise, un énorme bouquet.

380 Une voiture entra dans la cour. On lisait dessus : « Lerat, pâtissier à Fécamp. Repas de noces » ; et Ludivine, aidée d'un marmiton, tirait d'une trappe ouvrant derrière la carriole beaucoup de grands paniers plats qui sentaient bon.

Le vicomte de Lamare parut. Son pantalon était tendu et
385 retenu sous de mignonnes bottes vernies qui faisaient voir la petitesse de son pied. Sa longue redingote serrée à la taille laissait sortir par l'échancrure sur la poitrine la dentelle de son jabot[1] ; et une cravate fine, à plusieurs tours, le forçait à porter haut sa belle tête brune empreinte d'une
390 distinction grave. Il avait un autre air que de coutume, cet aspect particulier que la toilette donne subitement aux visages les mieux connus. Jeanne, stupéfaite, le regardait comme si elle ne l'avait point encore vu ; elle le trouvait souverainement gentilhomme[2], grand seigneur de la tête
395 aux pieds.

Il s'inclina, en souriant : « Eh bien, ma commère[3], êtes-vous prête ? »

Elle balbutia : « Mais quoi ? Qu'y a-t-il donc ?

— Tu le sauras tout à l'heure », dit le baron.

400 La calèche attelée s'avança, madame Adélaïde descendit de sa chambre en grand apparat au bras de Rosalie, qui parut

---

1. Jabot : ornement en dentelle placé sur le devant d'une chemise au niveau du col.
2. Gentilhomme : autrefois, homme noble de naissance, à la différence de celui qui était anobli.
3. Commère : terme d'amitié utilisé pour une femme que l'on voit souvent. Employé ici aussi dans le sens de « marraine ».

tellement émue par l'élégance de M. de Lamare que petit
père murmura : « Dites donc, vicomte, je crois que notre
bonne vous trouve à son goût. » Il rougit jusqu'aux oreilles,
405 fit semblant de n'avoir pas entendu, et, s'emparant du gros
bouquet, le présenta à Jeanne. Elle le prit plus étonnée
encore. Tous les quatre montèrent en voiture ; et la cuisinière Ludivine, qui apportait à la baronne un bouillon froid
pour la soutenir, déclara : « Vrai, madame, on dirait une
410 noce. »

On mit pied à terre en entrant dans Yport et, à mesure
qu'on avançait à travers le village, les matelots dans leurs
hardes[1] neuves, dont les plis se voyaient, sortaient de leurs
maisons, saluaient, serraient la main du baron et se mettaient
415 à suivre comme derrière une procession.

Le vicomte avait offert son bras à Jeanne et marchait en tête
avec elle.

Lorsqu'on arriva devant l'église, on s'arrêta ; et la grande
croix d'argent parut, tenue droite par un enfant de chœur
420 précédant un autre gamin rouge et blanc qui portait l'urne
d'eau bénite où trempait le goupillon[2].

Puis passèrent trois vieux chantres[3] dont l'un boitait, puis
le serpent[4], puis le curé soulevant de son ventre pointu l'étole[5]
dorée, croisée dessus. Il dit bonjour d'un sourire et d'un signe
425 de tête ; puis, les yeux mi-clos, les lèvres remuées d'une prière,

---

1. Hardes : voir note 4, p. 28.
2. Goupillon : instrument servant à asperger d'eau bénite.
3. Chantres : personnes qui chantent pendant les services religieux.
4. Serpent : joueur de serpent, instrument de musique en forme de gros serpent
qui soutenait les voix dans les chœurs d'église.
5. Étole : large bande ornée que le prêtre porte autour du cou.

la barrette[1] enfoncée jusqu'au nez, il suivit son état-major en surplis[2] en se dirigeant vers la mer.

Sur la plage une foule attendait autour d'une barque neuve enguirlandée. Son mât, sa voile, ses cordages étaient couverts de longs rubans qui voltigeaient dans la brise, et son nom JEANNE apparaissait en lettres d'or, à l'arrière.

Le père Lastique, patron de ce bateau construit avec l'argent du baron, s'avança au-devant du cortège. Tous les hommes, d'un même mouvement, ôtèrent ensemble leurs coiffures ; et une rangée de dévotes[3], encapuchonnées sous de vastes mantes[4] noires à grands plis tombant des épaules, s'agenouillèrent en cercle à l'aspect de la croix.

Le curé, entre les deux enfants de chœur, s'en vint à l'un des bouts de l'embarcation, tandis qu'à l'autre, les trois vieux chantres, crasseux dans leur blanche vêture[5], le menton poileux[6], l'air grave, l'œil sur le livre de plain-chant[7], détonnaient à pleine gueule[8] dans la claire matinée.

Chaque fois qu'ils reprenaient haleine, le serpent tout seul continuait son mugissement ; et dans l'enflure de ses joues pleines de vent ses petits yeux gris disparaissaient. La peau

---

1. Barrette : bonnet à trois ou quatre cornes que portent les ecclésiastiques.
2. Surplis : vêtement blanc, souvent plissé, à manches amples et qui descend à mi-jambes, porté par le clergé, les chantres, les enfants de chœurs, par dessus les vêtements.
3. Dévotes : pieuses, très attachées aux pratiques religieuses.
4. Mantes : voir note 2, p. 33.
5. Vêture : habits.
6. Poileux : poilu.
7. Livre de plain-chant : livre de chants sacrés destinés à accompagner les cérémonies religieuses.
8. Détonnaient à pleine gueule : chantaient faux et à tue-tête.

du front même, et celle du cou, semblaient décollées de la chair tant il se gonflait en soufflant.

La mer immobile et transparente semblait assister, recueillie, au baptême de sa nacelle[1], roulant à peine, avec un
450 tout petit bruit de râteau grattant le galet, des vaguettes[2] hautes comme le doigt. Et les grandes mouettes blanches aux ailes déployées passaient en décrivant des courbes dans le ciel bleu, s'éloignaient, revenaient d'un vol arrondi au-dessus de la foule agenouillée, comme pour voir aussi ce qu'on faisait là.

455 Mais le chant s'arrêta après un amen hurlé cinq minutes ; et le prêtre, d'une voix empâtée, gloussa quelques mots latins dont on ne distinguait que les terminaisons sonores.

Il fit ensuite le tour de la barque en l'aspergeant d'eau bénite, puis il commença à murmurer des orémus[3] en se
460 tenant à présent le long d'un bordage[4] en face du parrain et de la marraine qui demeuraient immobiles, la main dans la main.

Le jeune homme gardait sa figure grave de beau garçon, mais la jeune fille, étranglée par une émotion soudaine, défail-
465 lante, se mit à trembler tellement, que ses dents s'entrecho-quaient. Le rêve qui la hantait depuis quelque temps venait de prendre tout à coup, dans une espèce d'hallucination, l'apparence d'une réalité. On avait parlé de noce, un prêtre était là, bénissant, des hommes en surplis psalmodiaient[5] des
470 prières ; n'était-ce pas elle qu'on mariait ?

---

1. **Nacelle** : petite embarcation.
2. **Vaguettes** : vaguelettes, petites vagues.
3. *Oremus* : (latin) « nous prions » et, par extension, « prières ».
4. **Bordage** : revêtement en planches épaisses qui recouvre la charpente d'un navire.
5. **Psalmodiaient** : récitaient des psaumes, chants sacrés.

Eut-elle dans les doigts une secousse nerveuse, l'obsession de son cœur avait-elle couru le long de ses veines jusqu'au cœur de son voisin ? Comprit-il, devina-t-il, fut-il comme elle envahi par une sorte d'ivresse d'amour ? ou bien, savait-il seulement par expérience qu'aucune femme ne lui résistait ? Elle s'aperçut soudain qu'il pressait sa main, doucement d'abord, puis plus fort, plus fort, à la briser. Et, sans que sa figure remuât, sans que personne s'en aperçût, il dit, oui certes, il dit très distinctement : « Oh Jeanne, si vous vouliez, ce seraient nos fiançailles. »

Elle baissa la tête d'un mouvement très lent qui peut-être voulait dire « oui ». Et le prêtre qui jetait encore de l'eau bénite leur en envoya quelques gouttes sur les doigts.

C'était fini. Les femmes se relevaient. Le retour fut une débandade. La croix, entre les mains de l'enfant de chœur, avait perdu sa dignité ; elle filait vite, oscillant de droite et de gauche, ou bien penchée en avant, prête à tomber sur le nez. Le curé, qui ne priait plus, galopait derrière ; les chantres et le serpent avaient disparu par une ruelle pour être plus tôt déshabillés, et les matelots, par groupes, se hâtaient. Une même pensée, qui mettait en leur tête comme une odeur de cuisine, allongeait les jambes, mouillait les bouches de salive, descendait jusqu'au fond des ventres où elle faisait chanter les boyaux. *guts*

Un bon déjeuner les attendait aux Peuples.

La grande table était mise dans la cour sous les pommiers. Soixante personnes y prirent place ; marins et paysans. La baronne, au centre, avait à ses côtés les deux curés, celui d'Yport et celui des Peuples. Le baron, en face, était flanqué du maire et de sa femme, maigre campagnarde déjà vieille, qui adressait de tous les côtés une multitude de petits saluts. Elle avait une figure étroite serrée dans son grand bonnet normand, une vraie tête de poule à huppe blanche, avec un œil tout rond et toujours étonné; et elle mangeait par petits coups rapides comme si elle eût picoté son assiette avec son nez.

Jeanne, à côté du parrain, voyageait dans le bonheur. Elle ne voyait plus rien, ne savait plus rien, et se taisait, la tête brouillée de joie.

Elle lui demanda: «Quel est donc votre petit nom?»

Il dit: «Julien. Vous ne saviez pas?»

Mais elle ne répondit point, pensant: «Comme je le répéterai souvent, ce nom-là!»

Quand le repas fut fini, on laissa la cour aux matelots et on passa de l'autre côté du château. La baronne se mit à faire son exercice, appuyée sur le baron, escortée de ses deux prêtres. Jeanne et Julien allèrent jusqu'au bosquet, entrèrent dans les petits chemins touffus; et tout à coup il lui saisit les mains: «Dites, voulez-vous être ma femme?»

Elle baissa encore la tête; et comme il balbutiait: «Répondez, je vous en supplie!» elle releva ses yeux vers lui, tout doucement; et il lut la réponse dans son regard.

IV

Le baron, un matin, entra dans la chambre de Jeanne avant qu'elle fût levée, et s'asseyant sur les pieds du lit : « M. le vicomte de Lamare nous a demandé ta main. »

Elle eut envie de cacher sa figure sous les draps.

Son père reprit : « Nous avons remis notre réponse à tantôt[1]. » Elle haletait étranglée par l'émotion. Au bout d'une minute le baron, qui souriait, ajouta : « Nous n'avons rien voulu faire sans t'en parler. Ta mère et moi ne sommes pas opposés à ce mariage, sans prétendre cependant t'y engager. Tu es beaucoup plus riche que lui, mais, quand il s'agit du bonheur d'une vie, on ne doit pas se préoccuper de l'argent. Il n'a plus aucun parent ; si tu l'épousais donc, ce serait un fils qui entrerait dans notre famille, tandis qu'avec un autre, c'est toi, notre fille, qui irais chez des étrangers. Le garçon nous plaît. Te plairait-il... à toi ? »

Elle balbutia, rouge jusqu'aux cheveux : « Je veux bien, papa. »

Et petit père, en la regardant au fond des yeux, et riant toujours, murmura : « Je m'en doutais un peu, mademoiselle. »

---

1. Tantôt : peu après dans la journée, se dit surtout de l'après-midi par rapport au matin.

Elle vécut jusqu'au soir comme si elle était grise[1], sans savoir ce qu'elle faisait, prenant machinalement des objets pour d'autres, et les jambes toutes molles de fatigue sans qu'elle eût marché.

25   Vers six heures, comme elle était assise avec petite mère sous le platane, le vicomte parut.

Le cœur de Jeanne se mit à battre follement. Le jeune homme s'avançait sans paraître ému. Lorsqu'il fut tout près, il prit les doigts de la baronne et les baisa, puis soulevant à
30   son tour la main frémissante de la jeune fille, il y déposa de toutes ses lèvres un long baiser tendre et reconnaissant.

Et la radieuse saison des fiançailles commença. Ils causaient seuls dans les coins du salon ou bien assis sur le talus au fond du bosquet devant la lande sauvage. Parfois, ils se
35   promenaient dans l'allée de petite mère, lui, parlant d'avenir, elle, les yeux baissés sur la trace poudreuse[2] du pied de la baronne.

Une fois la chose décidée, on voulut hâter le dénouement ; il fut donc convenu que la cérémonie aurait lieu dans six
40   semaines, au 15 août ; et que les jeunes mariés partiraient immédiatement pour leur voyage de noce. Jeanne consultée sur le pays qu'elle voulait visiter se décida pour la Corse où l'on devait être plus seuls que dans les villes d'Italie.

Ils attendaient le moment fixé pour leur union sans impa-
45   tience trop vive, mais enveloppés, roulés dans une tendresse délicieuse, savourant le charme exquis des insignifiantes caresses, des doigts pressés, des regards passionnés si longs

---

1. Grise : légèrement ivre.
2. Poudreuse : couverte de poussière.

que les âmes semblent se mêler ; et vaguement tourmentés par le désir indécis des grandes étreintes. *embraces*

50   On résolut de n'inviter personne au mariage, à l'exception de tante Lison, la sœur de la baronne, qui vivait comme dame pensionnaire[1] dans un couvent de Versailles.

Après la mort de leur père, la baronne avait voulu garder sa sœur avec elle ; mais la vieille fille, poursuivie par l'idée
55   qu'elle gênait tout le monde, qu'elle était inutile et importune, se retira dans une de ces maisons religieuses qui louent des appartements aux gens tristes et isolés dans l'existence.

Elle venait, de temps en temps, passer un mois ou deux dans sa famille.

60   C'était une petite femme qui parlait peu, s'effaçait toujours, apparaissait seulement aux heures des repas, et remontait ensuite dans sa chambre où elle restait enfermée sans cesse.

Elle avait un air bon et vieillot, bien qu'elle fût âgée seule-
65   ment de quarante-deux ans, un œil doux et triste ; elle n'avait jamais compté pour rien dans sa famille. Toute petite, comme elle n'était point jolie ni turbulente, on ne l'embrassait guère ; et elle restait tranquille et douce dans les coins. Depuis elle demeura toujours sacrifiée. Jeune fille, personne ne s'occupa
70   d'elle.

C'était quelque chose comme une ombre ou un objet familier, un meuble vivant qu'on est accoutumé à voir chaque jour, mais dont on ne s'inquiète jamais.

Sa sœur, par habitude prise dans la maison paternelle, la
75   considérait comme un être manqué, tout à fait insignifiant.

---

1. Dame pensionnaire : dame qui vit dans un couvent sans être religieuse.

On la traitait avec une familiarité sans gêne qui cachait une sorte de bonté méprisante. Elle s'appelait Lise et semblait gênée par ce nom pimpant[1] et jeune. Quand on avait vu qu'elle ne se mariait pas, qu'elle ne se marierait sans doute point, de Lise on avait fait Lison. Depuis la naissance de Jeanne, elle était devenue « tante Lison », une humble parente, proprette, affreusement timide, même avec sa sœur et son beau-frère qui l'aimaient pourtant, mais d'une affection vague participant d'une tendresse indifférente, d'une compassion[2] inconsciente et d'une bienveillance naturelle.

Quelquefois, quand la baronne parlait des choses lointaines de sa jeunesse, elle prononçait, pour fixer une date : « C'était à l'époque du coup de tête de Lison. »

On n'en disait jamais plus ; et « ce coup de tête » restait comme enveloppé de brouillard.

Un soir Lise, âgée alors de vingt ans, s'était jetée à l'eau sans qu'on sût pourquoi. Rien dans sa vie, dans ses manières, ne pouvait faire pressentir cette folie. On l'avait repêchée à moitié morte ; et ses parents, levant des bras indignés, au lieu de chercher la cause mystérieuse de cette action, s'étaient contentés de parler du « coup de tête », comme ils parlaient de l'accident du cheval « Coco », qui s'était cassé la jambe un peu auparavant dans une ornière[3] et qu'on avait été obligé d'abattre.

Depuis lors, Lise, bientôt Lison, fut considérée comme un esprit très faible. Le doux mépris qu'elle inspirait à ses proches s'infiltra lentement dans le cœur de tous les gens qui

---

1. Pimpant : coquet, gracieux.
2. Compassion : pitié.
3. Ornière : trace creusée dans un chemin par la roue d'un véhicule.

l'entouraient. La petite Jeanne elle-même, avec cette divination[1] naturelle des enfants, ne s'occupait point d'elle, ne
105 montait jamais l'embrasser dans son lit, ne pénétrait jamais
dans sa chambre. La bonne Rosalie, qui donnait à cette
chambre les quelques soins nécessaires, semblait seule savoir
où elle était située.

Quand tante Lison entrait dans la salle à manger pour le
110 déjeuner, la « Petite » allait, par habitude, lui tendre son
front ; et voilà tout.

Si quelqu'un voulait lui parler, on envoyait un domestique
la quérir[2] ; et, quand elle n'était pas là, on ne s'occupait jamais
d'elle, on ne songeait jamais à elle, on n'aurait jamais eu la
115 pensée de s'inquiéter, de demander : « Tiens, mais je n'ai pas
vu Lison, ce matin. »

Elle ne tenait point de place ; c'était un de ces êtres qui
demeurent inconnus même à leurs proches, comme inex-
plorés, et dont la mort ne fait ni trou ni vide dans une maison,
120 un de ces êtres qui ne savent entrer ni dans l'existence, ni dans
les habitudes, ni dans l'amour de ceux qui vivent à côté d'eux.

Quand on prononçait « tante Lison », ces deux mots n'éveillaient pour ainsi dire aucune affection en l'esprit de personne.
C'est comme si on avait dit : « la cafetière ou le sucrier ».

125 Elle marchait toujours à petits pas pressés et muets ; ne
faisait jamais de bruit, ne heurtait jamais rien, semblait
communiquer aux objets la propriété de ne rendre aucun
son. Ses mains paraissaient faites d'une espèce d'ouate[3],

---

1. Divination : faculté de deviner.
2. Quérir : chercher.
3. Ouate : textile (coton, soie ou laine) utilisé pour garnir les doublures des
vêtements, la literie, ou pour rembourrer les sièges.

tant elle maniait légèrement et délicatement ce qu'elle
touchait.

Elle arriva vers la mi-juillet, toute bouleversée par l'idée de
ce mariage. Elle apportait une foule de cadeaux qui, venant
d'elle, demeurèrent presque inaperçus.

Dès le lendemain de sa venue on ne remarqua plus qu'elle
était là.

Mais en elle fermentait une émotion extraordinaire, et ses
yeux ne quittaient point les fiancés. Elle s'occupa du trousseau[1] avec une énergie singulière, une activité fiévreuse,
travaillant comme une simple couturière dans sa chambre où
personne ne la venait voir.

À tout moment elle présentait à la baronne des mouchoirs
qu'elle avait ourlés[2] elle-même, des serviettes dont elle avait
brodé les chiffres[3], en demandant : « Est-ce bien comme ça,
Adélaïde ? » Et petite mère, tout en examinant nonchalam-
ment l'objet, répondait : « Ne te donne donc pas tant de mal,
ma pauvre Lison. »

Un soir, vers la fin du mois, après une journée de lourde
chaleur, la lune se leva dans une de ces nuits claires et tièdes,
qui troublent, attendrissent, font s'exalter, semblent éveiller
toutes les poésies secrètes de l'âme. Les souffles doux
des champs entraient dans le salon tranquille. La baronne et
son mari jouaient mollement une partie de cartes dans la
clarté ronde que l'abat-jour de la lampe dessinait sur la table ;
tante Lison, assise entre eux, tricotait ; et les jeunes gens

---

1. **Trousseau** : ensemble de linge et de vêtements que l'on donne à un enfant
qui entre en pension ou à une femme qui se marie.
2. **Ourlés** : bordés de replis cousus.
3. **Chiffres** : initiales entrelacées des mariés.

155 accoudés à la fenêtre ouverte regardaient le jardin plein de clarté.

Le tilleul et le platane semaient leur ombre sur le grand gazon qui s'étendait ensuite, pâle et luisant, jusqu'au bosquet tout noir.

160 Attirée invinciblement par le charme tendre de cette nuit, par cet éclairement vaporeux des arbres et des massifs, Jeanne se tourna vers ses parents : « Petit père, nous allons faire un tour là, sur l'herbe, devant le château. » Le baron dit, sans quitter son jeu : « Allez, mes enfants », et se remit à sa partie.

165 Ils sortirent et commencèrent à marcher lentement sur la grande pelouse blanche jusqu'au petit bois du fond.

L'heure avançait sans qu'ils songeassent à rentrer. La baronne fatiguée voulut monter à sa chambre : « Il faut rappeler les amoureux », dit-elle.

170 Le baron, d'un coup d'œil, parcourut le vaste jardin lumineux, où les deux ombres erraient doucement.

« Laisse-les donc, reprit-il, il fait si bon dehors ! Lison va les attendre ; n'est-ce pas, Lison ? »

La vieille fille releva ses yeux inquiets, et répondit de sa
175 voix timide : « Certainement, je les attendrai. »

Petit père souleva la baronne, et, lassé lui-même par la chaleur du jour : « Je vais me coucher aussi », dit-il. Et il partit avec sa femme.

Alors tante Lison à son tour se leva, et, laissant sur le bras
180 du fauteuil l'ouvrage commencé, sa laine et la grande aiguille, elle vint s'accouder à la fenêtre et contempla la nuit charmante.

Les deux fiancés allaient sans fin, à travers le gazon, du bosquet jusqu'au perron, du perron jusqu'au bosquet. Ils se

185 serraient les doigts et ne parlaient plus, comme sortis d'eux-mêmes, tout mêlés à la poésie visible qui s'exhalait de la terre.

Jeanne tout à coup aperçut dans le cadre de la fenêtre la silhouette de la vieille fille que dessinait la clarté de la lampe.

« Tiens, dit-elle, tante Lison qui nous regarde. »

190 Le vicomte releva la tête, et, de cette voix indifférente qui parle sans pensée :

« Oui, tante Lison nous regarde. »

Et ils continuèrent à rêver, à marcher lentement, à s'aimer. Mais la rosée couvrait l'herbe, ils eurent un petit frisson de
195 fraîcheur.

« Rentrons maintenant », dit-elle.

Et ils revinrent.

Lorsqu'ils pénétrèrent dans le salon, tante Lison s'était remise à tricoter ; elle avait le front penché sur son travail ; et
200 ses doigts maigres tremblaient un peu, comme s'ils eussent été très fatigués.

Jeanne s'approcha :

« Tante, on va dormir, à présent. »

La vieille fille tourna les yeux ; ils étaient rouges comme si
205 elle eût pleuré. Les amoureux n'y prirent point garde ; mais le jeune homme aperçut soudain les fins souliers de la jeune fille tout couverts d'eau. Il fut saisi d'inquiétude et demanda tendrement : « N'avez-vous point froid à vos chers petits pieds ? »

210 Et tout à coup les doigts de la tante furent secoués d'un tremblement si fort que son ouvrage s'en échappa ; la pelote de laine roula au loin sur le parquet ; et, cachant brusquement sa figure dans ses mains, elle se mit à pleurer par grands sanglots convulsifs.

215 Les deux fiancés la regardaient stupéfaits, immobiles. Jeanne brusquement se mit à ses genoux, écarta ses bras, bouleversée, répétant :

« Mais qu'as-tu, mais qu'as-tu, tante Lison ? »

Alors la pauvre femme, balbutiant, avec la voix toute
220 mouillée de larmes, et le corps crispé de chagrin, répondit :

« C'est quand il t'a demandé... N'avez-vous pas froid à... à... à vos chers petits pieds ?... on ne m'a jamais dit de ces choses-là... à moi... jamais... jamais... »

Jeanne, surprise, apitoyée, eut cependant envie de rire à la
225 pensée d'un amoureux débitant des tendresses à Lison ; et le vicomte s'était retourné pour cacher sa gaieté.

Mais la tante se leva soudain, laissa sa laine à terre et son tricot sur le fauteuil, et elle se sauva sans lumière dans l'escalier sombre, cherchant sa chambre à tâtons.

230 Restés seuls, les deux jeunes gens se regardèrent, égayés et attendris. Jeanne murmura : « Cette pauvre tante !... » Julien reprit : « Elle doit être un peu folle, ce soir. »

Ils se tenaient les mains sans se décider à se séparer, et doucement, tout doucement, ils échangèrent leur premier
235 baiser devant le siège vide que venait de quitter tante Lison.

Ils ne pensaient plus guère, le lendemain, aux larmes de la vieille fille.

Les deux semaines qui précédèrent le mariage laissèrent Jeanne assez calme et tranquille comme si elle eût été fatiguée
240 d'émotions douces.

Elle n'eut pas non plus le temps de réfléchir durant la matinée du jour décisif. Elle éprouvait seulement une grande sensation de vide en tout son corps, comme si sa chair, son sang, ses os se fussent fondus sous la peau ; et elle

245 s'apercevait, en touchant les objets, que ses doigts tremblaient beaucoup.

Elle ne reprit possession d'elle que dans le chœur de l'église
pendant l'office.

Mariée ! Ainsi elle était mariée ! La succession de choses, de
250 mouvements, d'événements accomplis depuis l'aube lui
paraissait un rêve, un vrai rêve. Il est de ces moments où tout
semble changé autour de nous ; les gestes même ont une signification nouvelle ; jusqu'aux heures, qui ne semblent plus à
leur place ordinaire.

255 Elle se sentait étourdie, étonnée surtout. La veille encore
rien n'était modifié dans son existence ; l'espoir constant de sa
vie devenait seulement plus proche, presque palpable. Elle
s'était endormie jeune fille ; elle était femme maintenant.

Donc elle avait franchi cette barrière qui semble cacher
260 l'avenir avec toutes ses joies, ses bonheurs rêvés. Elle sentait
comme une porte ouverte devant elle ; elle allait entrer dans
l'Attendu.

La cérémonie finissait. On passa dans la sacristie presque
vide ; car on n'avait invité personne ; puis on ressortit.

265 Quand ils apparurent sur la porte de l'église, un fracas
formidable fit faire un bond à la mariée et pousser un grand
cri à la baronne : c'était une salve de coups de fusil tirée par les
paysans ; et jusqu'aux Peuples les détonations ne cessèrent
plus.

270 Une collation[1] était servie pour la famille, le curé des
châtelains et celui d'Yport, le maire et les témoins choisis
parmi les gros cultivateurs des environs.

---

1. Collation : repas léger.

Puis on fit un tour dans le jardin pour attendre le dîner. Le baron, la baronne, tante Lison, le maire et l'abbé Picot se mirent
275 à parcourir l'allée de petite mère ; tandis que dans l'allée en face l'autre prêtre lisait son bréviaire[1] en marchant à grands pas.

On entendait, de l'autre côté du château, la gaieté bruyante des paysans qui buvaient du cidre sous les pommiers. Tout le pays endimanché emplissait la cour. Les gars et les filles se
280 poursuivaient.

Jeanne et Julien traversèrent le bosquet, puis montèrent sur le talus, et, muets tous deux, se mirent à regarder la mer. Il faisait un peu frais, bien qu'on fût au milieu d'août ; le vent du nord soufflait, et le grand soleil luisait durement dans le
285 ciel tout bleu.

Les jeunes gens, pour trouver de l'abri, traversèrent la lande en tournant à droite, voulant gagner la vallée ondulante et boisée qui descend vers Yport. Dès qu'ils eurent atteint les taillis, aucun souffle ne les effleura plus, et ils quittèrent le
290 chemin pour prendre un étroit sentier s'enfonçant sous les feuilles. Ils pouvaient à peine marcher de front ; alors elle sentit un bras qui se glissait lentement autour de sa taille.

Elle ne disait rien, haletante, le cœur précipité, la respiration coupée. Des branches basses leur caressaient les cheveux ;
295 ils se courbaient souvent pour passer. Elle cueillit une feuille ; deux bêtes à bon Dieu, pareilles à deux frêles coquillages rouges, étaient blotties dessous.

Alors elle dit, innocente et rassurée un peu : « Tiens, un ménage[2]. »

---

1. Bréviaire : livre de prières.
2. Ménage : couple.

300 Julien effleura son oreille de sa bouche : « Ce soir vous serez ma femme. »

Quoiqu'elle eût appris bien des choses dans son séjour aux champs, elle ne songeait encore qu'à la poésie de l'amour, et fut surprise. Sa femme ? ne l'était-elle pas déjà ?

305 Alors il se mit à l'embrasser à petits baisers rapides sur la tempe et sur le cou, là où frisaient les premiers cheveux. Saisie à chaque fois par ces baisers d'homme auxquels elle n'était point habituée, elle penchait instinctivement la tête de l'autre côté pour éviter cette caresse qui la ravissait 310 cependant.

Mais ils se trouvèrent soudain sur la lisière du bois. Elle s'arrêta, confuse d'être si loin. Qu'allait-on penser ? « Retournons », dit-elle.

Il retira le bras dont il serrait sa taille, et, en se tournant 315 tous deux, ils se trouvèrent face à face, si près qu'ils sentirent leurs haleines sur leurs visages ; et ils se regardèrent. Ils se regardèrent d'un de ces regards fixes, aigus, pénétrants, où deux âmes croient se mêler. Ils se cherchèrent dans leurs yeux, derrière leurs yeux, dans cet inconnu impénétrable de l'être ; 320 ils se sondèrent dans une muette et obstinée interrogation. Que seraient-ils l'un pour l'autre ? Que serait cette vie qu'ils commençaient ensemble ? Que se réservaient-ils l'un à l'autre de joies, de bonheurs ou de désillusions en ce long tête-à-tête indissoluble du mariage ? Et il leur sembla, à tous les deux, 325 qu'ils ne s'étaient pas encore vus.

Et tout à coup, Julien, posant ses deux mains sur les épaules de sa femme, lui jeta à pleine bouche un baiser profond comme elle n'en avait jamais reçu. Il descendit, ce baiser, il pénétra dans ses veines et dans ses moelles ; et elle en eut

330 une telle secousse mystérieuse qu'elle repoussa éperdument Julien de ses deux bras, et faillit tomber sur le dos.

« Allons-nous-en. Allons-nous-en », balbutia-t-elle.

Il ne répondit pas, mais il lui prit les mains qu'il garda dans les siennes.

335 Ils n'échangèrent plus un mot jusqu'à la maison. Le reste de l'après-midi sembla long.

On se mit à table à la nuit tombante.

Le dîner fut simple et assez court, contrairement aux usages normands. Une sorte de gêne paralysait les convives. Seuls les 340 deux prêtres, le maire et les quatre fermiers invités montrèrent un peu de cette grosse gaieté qui doit accompagner les noces.

Le rire semblait mort, un mot du maire le ranima. Il était neuf heures environ ; on allait prendre le café. Au dehors, sous les pommiers de la première cour, le bal champêtre commen- 345 çait. Par la fenêtre ouverte on apercevait toute la fête. Des lumignons[1] pendus aux branches donnaient aux feuilles des nuances de vert-de-gris. Rustres et rustaudes[2] sautaient en rond en hurlant un air de danse sauvage qu'accompagnaient faiblement deux violons et une clarinette juchés sur une 350 grande table de cuisine en estrade. Le chant tumultueux des paysans couvrait entièrement parfois la chanson des instru- ments ; et la frêle musique déchirée par les voix déchaînées semblait tomber du ciel en lambeaux, en petits fragments de quelques notes éparpillées.

355 Deux grandes barriques entourées de torches flambantes versaient à boire à la foule. Deux servantes étaient occupées

---

1. Lumignons : petites lampes qui éclairent très faiblement.
2. Rustres et rustaudes : (vieilli ou littéraire) paysans.

à rincer incessamment les verres et les bols dans un baquet, pour les tendre, encore ruisselants d'eau, sous les robinets d'où coulait le filet rouge du vin ou le filet d'or du cidre pur. Et les danseurs assoiffés, les vieux tranquilles, les filles en sueur se pressaient, tendaient les bras pour saisir à leur tour un vase quelconque et se verser à grands flots dans la gorge, en renversant la tête, le liquide qu'ils préféraient.

Sur une table on trouvait du pain, du beurre, du fromage et des saucisses. Chacun avalait une bouchée de temps en temps, et, sous le plafond de feuilles illuminées, cette fête saine et violente donnait aux convives mornes de la salle l'envie de danser aussi, de boire au ventre de ces grosses futailles[1] en mangeant une tranche de pain avec du beurre et un oignon cru.

Le maire qui battait la mesure avec son couteau, s'écria : « Sacristi ! ça va bien, c'est comme qui dirait les noces de Ganache[2]. »

Un frisson de rire étouffé courut. Mais l'abbé Picot, ennemi naturel de l'autorité civile, répliqua : « Vous voulez dire de Cana[3]. » L'autre n'accepta pas la leçon. « Non, monsieur le curé, je m'entends ; quand je dis Ganache, c'est Ganache. »[4]

On se leva et on passa dans le salon. Puis on alla se mêler un peu au populaire en goguette. Puis les invités se retirèrent.

Le baron et la baronne eurent à voix basse une sorte de querelle. Madame Adélaïde, plus essoufflée que jamais,

---

1. Futailles : tonneaux pour le vin, le cidre.
2. Noces de Ganache : allusion à un célèbre épisode du roman *Don Quichotte* de Cervantès (1547-1616) et qui désigne des noces fastueuses.
3. Cana : les noces de Cana, décrites dans l'Évangile, sont célèbres pour le miracle de Jésus. Mais elles sont peu fastueuses car le vin vient à manquer.
4. Ganache : se dit aussi d'une personne sans capacité ni talent.

semblait refuser ce que demandait son mari ; enfin elle dit, presque haut : « Non, mon ami, je ne peux pas, je ne saurais comment m'y prendre. »

385 Petit père alors, la quittant brusquement, s'approcha de Jeanne. « Veux-tu faire un tour avec moi, fillette ? » Tout émue, elle répondit : « Comme tu voudras, papa. » Ils sortirent.

Dès qu'ils furent devant la porte, du côté de la mer, un petit vent sec les saisit. Un de ces vents froids d'été, qui sentent 390 déjà l'automne.

Des nuages galopaient dans le ciel, voilant, puis redécouvrant les étoiles.

Le baron serrait contre lui le bras de sa fille en lui pressant tendrement la main. Ils marchèrent quelques minutes. Il 395 semblait indécis, troublé. Enfin il se décida.

« Mignonne, je vais remplir un rôle difficile qui devrait revenir à ta mère ; mais comme elle s'y refuse, il faut bien que je prenne sa place. J'ignore ce que tu sais des choses de l'existence. Il est des mystères qu'on cache soigneusement aux 400 enfants, aux filles surtout, aux filles qui doivent rester pures d'esprit, irréprochablement pures jusqu'à l'heure où nous les remettons entre les bras de l'homme qui prendra soin de leur bonheur. C'est à lui qu'il appartient de lever ce voile jeté sur le doux secret de la vie. Mais elles, si aucun soupçon ne les a 405 encore effleurées, se révoltent souvent devant la réalité un peu brutale cachée derrière les rêves. Blessées en leur âme, blessées même en leur corps, elles refusent à l'époux ce que la loi, la loi humaine et la loi naturelle lui accordent comme un droit absolu. Je ne puis t'en dire davantage, ma chérie ; mais 410 n'oublie point ceci, que tu appartiens tout entière à ton mari. »

Que savait-elle au juste ? que devinait-elle ? Elle s'était mise à trembler, oppressée d'une mélancolie accablante et douloureuse comme un pressentiment.

415 Ils rentrèrent. Une surprise les arrêta sur la porte du salon. Madame Adélaïde sanglotait sur le cœur de Julien. Ses pleurs, des pleurs bruyants poussés comme par un soufflet de forge, semblaient lui sortir en même temps du nez, de la bouche et des yeux ; et le jeune homme interdit, gauche, soutenait la
420 grosse femme abattue en ses bras pour lui recommander sa chérie, sa mignonne, son adorée fillette.

Le baron se précipita : « Oh ! pas de scène ; pas d'attendrissement, je vous prie » ; et, prenant sa femme, il l'assit dans un fauteuil pendant qu'elle s'essuyait le visage. Il se tourna
425 ensuite vers Jeanne : « Allons, petite, embrasse ta mère bien vite et va te coucher. »

Prête à pleurer aussi, elle embrassa ses parents rapidement et s'enfuit.

Tante Lison s'était déjà retirée en sa chambre. Le baron et
430 sa femme restèrent seuls avec Julien. Et ils demeuraient si gênés tous les trois qu'aucune parole ne leur venait, les deux hommes en tenue de soirée, debout, les yeux perdus, Madame Adélaïde abattue sur son siège avec des restes de sanglots dans la gorge. Leur embarras devenait intolérable, le baron se mit
435 à parler du voyage que les jeunes gens devaient entreprendre dans quelques jours.

Jeanne, dans sa chambre, se laissait déshabiller par Rosalie qui pleurait comme une source. Les mains errantes au hasard, elle ne trouvait plus ni les cordons ni les épingles et elle
440 semblait assurément plus émue encore que sa maîtresse. Mais Jeanne ne songeait guère aux larmes de sa bonne ; il lui

semblait qu'elle était entrée dans un autre monde, partie sur une autre terre, séparée de tout ce qu'elle avait connu, de tout ce qu'elle avait chéri. Tout lui semblait bouleversé dans sa vie
445 et dans sa pensée ; même cette idée étrange lui vint : « Aimait-elle son mari ? » Voilà qu'il lui apparaissait tout à coup comme un étranger qu'elle connaissait à peine. Trois mois auparavant elle ne savait point qu'il existait, et maintenant elle était sa femme. Pourquoi cela ? Pourquoi tomber si vite
450 dans le mariage comme dans un trou ouvert sous vos pas ?

Quand elle fut en toilette de nuit, elle se glissa dans son lit ; et ses draps un peu frais, faisant frissonner sa peau, augmentèrent cette sensation de froid, de solitude, de tristesse qui lui pesait sur l'âme depuis deux heures.

455 Rosalie s'enfuit, toujours sanglotant ; et Jeanne attendit. Elle attendit anxieuse, le cœur crispé, ce je ne sais quoi deviné, et annoncé en termes confus par son père, cette révélation mystérieuse de ce qui est le grand secret de l'amour.

Sans qu'elle eût entendu monter l'escalier, on frappa trois
460 coups légers contre sa porte. Elle tressaillit horriblement et ne répondit point. On frappa de nouveau, puis la serrure grinça. Elle se cacha la tête sous ses couvertures comme si un voleur eût pénétré chez elle. Des bottines craquèrent doucement sur le parquet ; et soudain on toucha son lit.

465 Elle eut un sursaut nerveux et poussa un petit cri ; et, dégageant sa tête, elle vit Julien debout devant elle, qui souriait en la regardant. « Oh ! que vous m'avez fait peur ! » dit-elle.

Il reprit : « Vous ne m'attendiez donc point ? » Elle ne répondit pas. Il était en grande toilette, avec sa figure grave
470 de beau garçon ; et elle se sentit affreusement honteuse d'être couchée ainsi devant cet homme si correct.

Ils ne savaient que dire, que faire, n'osant même pas se regarder à cette heure sérieuse et décisive d'où dépend l'intime bonheur de toute la vie.

475 Il sentait vaguement peut-être quel danger offre cette bataille, et quelle souple possession de soi, quelle rusée tendresse il faut pour ne froisser aucune des subtiles pudeurs, des infinies délicatesses d'une âme virginale et nourrie de rêves.

480 Alors, doucement, il lui prit la main qu'il baisa, et, s'agenouillant auprès du lit comme devant un autel[1], il murmura d'une voix aussi légère qu'un souffle : « Voudrez-vous m'aimer ? » Elle, rassurée tout à coup, souleva sur l'oreiller sa tête ennuagée de dentelles, et elle sourit : « Je vous aime déjà, 485 mon ami. »

Il mit en sa bouche les petits doigts fins de sa femme et la voix changée par ce bâillon de chair : « Voulez-vous me prouver que vous m'aimez ? »

Elle répondit, troublée de nouveau, sans bien comprendre 490 ce qu'elle disait, sous le souvenir des paroles de son père : « Je suis à vous, mon ami. »

Il couvrit son poignet de baisers mouillés, et, se redressant lentement, il approchait de son visage qu'elle recommençait à cacher.

495 Soudain, jetant un bras en avant par-dessus le lit, il enlaça sa femme à travers les draps, tandis que, glissant son autre bras sous l'oreiller, il le soulevait avec la tête : et, tout bas, tout bas il demanda : « Alors, vous voulez bien me faire une toute petite place à côté de vous ? »

---

1. **Autel** : table sur laquelle on déposait les offrandes à la divinité.

500　　Elle eut peur, une peur d'instinct, et balbutia : « Oh, pas encore, je vous en prie. »

Il sembla désappointé[1], un peu froissé, et il reprit d'un ton toujours suppliant, mais plus brusque : « Pourquoi plus tard puisque nous finirons toujours par là ? »

505　　Elle lui en voulut de ce mot ; mais, soumise et résignée, elle répéta pour la deuxième fois : « Je suis à vous, mon ami. »

Alors il disparut bien vite dans le cabinet de toilette ; et elle entendait distinctement ses mouvements avec des froissements d'habits défaits, un bruit d'argent dans la poche, la
510　chute successive des bottines.

Et tout à coup, en caleçon, en chaussettes, il traversa vivement la chambre pour aller déposer sa montre sur la cheminée. Puis il retourna, en courant, dans la petite pièce voisine, remua quelque temps encore, et Jeanne se retourna rapide-
515　ment de l'autre côté en fermant les yeux, quand elle sentit qu'il arrivait.

Elle fit un soubresaut, comme pour se jeter à terre lorsque glissa vivement contre sa jambe une autre jambe froide et velue ; et, la figure dans ses mains, éperdue[2], prête à crier de
520　peur et d'effarement, elle se blottit tout au fond du lit.

Aussitôt il la prit en ses bras, bien qu'elle lui tournât le dos, et il baisait voracement son cou, les dentelles flottantes de sa coiffure de nuit et le col brodé de sa chemise.

Elle ne remuait pas, raidie dans une horrible anxiété
525　sentant une main forte qui cherchait sa poitrine cachée entre ses coudes. Elle haletait bouleversée sous cet attouchement

---

1. Désappointé : déçu.
2. Éperdue : en proie à une vive émotion.

brutal ; et elle avait surtout envie de se sauver, de courir par la maison, de s'enfermer quelque part, loin de cet homme.

Il ne bougeait plus. Elle recevait sa chaleur dans son dos. Alors son effroi s'apaisa encore et elle pensa brusquement qu'elle n'aurait qu'à se retourner pour l'embrasser.

À la fin il parut s'impatienter, et, d'une voix attristée : « Vous ne voulez donc point être ma petite femme ? » Elle murmura à travers ses doigts : « Est-ce que je ne la suis pas ? » Il répondit avec une nuance de mauvaise humeur : « Mais non, ma chère, voyons, ne vous moquez pas de moi. »

Elle se sentit toute remuée par le ton mécontent de sa voix ; et elle se tourna tout à coup vers lui pour lui demander pardon.

Il la saisit à bras le corps, rageusement, comme affamé d'elle ; et il parcourait de baisers rapides, de baisers mordants, de baisers fous, toute sa face et le haut de sa gorge, l'étourdissant de caresses. Elle avait ouvert les mains et restait inerte sous ses efforts, ne sachant plus ce qu'elle faisait, ce qu'il faisait, dans un trouble de pensée qui ne lui laissait rien comprendre. Mais une souffrance aiguë la déchira soudain ; et elle se mit à gémir, tordue dans ses bras, pendant qu'il la possédait violemment.

Que se passa-t-il ensuite ? Elle n'en eut guère le souvenir, car elle avait perdu la tête ; il lui sembla seulement qu'il lui jetait sur les lèvres une grêle de petits baisers reconnaissants.

Puis il dut lui parler et elle dut lui répondre. Puis il fit d'autres tentatives qu'elle repoussa avec épouvante ; et comme elle se débattait, elle rencontra sur sa poitrine ce poil épais qu'elle avait déjà senti sur sa jambe et elle se recula de saisissement.

Las enfin de la solliciter sans succès, il demeura immobile sur le dos.

Alors elle songea ; elle se dit, désespérée jusqu'au fond de son âme, dans la désillusion d'une ivresse rêvée si différente, d'une chère attente détruite, d'une félicité crevée[1] : « Voilà donc ce qu'il appelle être sa femme ; c'est cela ! c'est cela ! »

Et elle resta longtemps ainsi, désolée, l'œil errant sur les tapisseries du mur, sur la vieille légende d'amour qui enveloppait sa chambre.

Mais, comme Julien ne parlait plus, ne remuait plus, elle tourna lentement son regard vers lui, et elle s'aperçut qu'il dormait ! Il dormait, la bouche entrouverte, le visage calme ! Il dormait !

Elle ne le pouvait croire, se sentant indignée, plus outragée par ce sommeil que par sa brutalité, traitée comme la première venue. Pouvait-il dormir une nuit pareille ? Ce qui s'était passé entre eux n'avait donc pour lui rien de surprenant ? Oh ! Elle eût mieux aimé être frappée, violentée encore, meurtrie de caresses odieuses jusqu'à perdre connaissance.

Elle resta immobile, appuyée sur un coude, penchée vers lui, écoutant entre ses lèvres passer un léger souffle qui, parfois, prenait une apparence de ronflement.

Le jour parut, terne d'abord, puis clair, puis rose, puis éclatant. Julien ouvrit les yeux, bâilla, étendit ses bras, regarda sa femme, sourit, et demanda : « As-tu bien dormi, ma chérie ? »

Elle s'aperçut qu'il lui disait « tu » maintenant, et elle répondit, stupéfaite : « Mais oui. Et vous ? » Il dit : « Oh ! moi, fort bien. » Et, se tournant vers elle, il l'embrassa, puis se mit

---

1. Félicité crevée : bonheur détruit.

585   à causer tranquillement. Il lui développait des projets de vie, avec des idées d'économie; et ce mot revenu plusieurs fois étonnait Jeanne. Elle l'écoutait sans bien saisir le sens des paroles, le regardait, songeait à mille choses rapides qui passaient, effleurant à peine son esprit.

590   Huit heures sonnèrent. « Allons, il faut nous lever, dit-il, nous serions ridicules en restant tard au lit », et il descendit le premier. Quand il eut fini sa toilette, il aida gentiment sa femme en tous les menus détails de la sienne, ne permettant pas qu'on appelât Rosalie.

595   Au moment de sortir, il l'arrêta. « Tu sais, entre nous, nous pouvons nous tutoyer maintenant, mais devant tes parents il vaut mieux attendre encore. Ce sera tout naturel en revenant de notre voyage de noces. »

   Elle ne se montra qu'à l'heure du déjeuner. Et la journée
600   s'écoula ainsi qu'à l'ordinaire comme si rien de nouveau n'était survenu. Il n'y avait qu'un homme de plus dans la maison.

V

Quatre jours plus tard arriva la berline[1] qui devait les emporter à Marseille.

Après l'angoisse du premier soir, Jeanne s'était habituée déjà au contact de Julien, à ses baisers, à ses caresses tendres, bien que sa répugnance n'eût pas diminué pour leurs rapports plus intimes.

Elle le trouvait beau, elle l'aimait; elle se sentait de nouveau heureuse et gaie.

Les adieux furent courts et sans tristesse. La baronne seule semblait émue; et elle mit, au moment où la voiture allait partir, une grosse bourse lourde comme du plomb dans la main de sa fille: «C'est pour tes petites dépenses de jeune femme», dit-elle.

Jeanne la jeta dans sa poche; et les chevaux détalèrent.

Vers le soir, Julien lui dit: «Combien ta mère t'a-t-elle donné dans cette bourse?» Elle n'y pensait plus et elle la versa sur ses genoux. Un flot d'or se répandit: deux mille francs. Elle battit des mains. «Je ferai des folies», et elle resserra[2] l'argent.

Après huit jours de route, par une chaleur terrible, ils arrivèrent à Marseille.

---

1. Berline: voir note 2, p. 14.
2. Resserra: remit à sa place.

Et le lendemain le *Roi-Louis*, un petit paquebot qui allait à Naples en passant par Ajaccio, les emportait vers la Corse.

La Corse! les maquis[1]! les bandits! les montagnes! la
25 patrie de Napoléon! Il semblait à Jeanne qu'elle sortait de la réalité pour entrer, tout éveillée, dans un rêve.

Côte à côte sur le pont du navire, ils regardaient courir les falaises de la Provence. La mer immobile, d'un azur puissant, comme figée, comme durcie dans la lumière ardente qui
30 tombait du soleil, s'étalait sous le ciel infini, d'un bleu presque exagéré.

Elle dit: « Te rappelles-tu notre promenade dans le bateau du père Lastique ? »

Au lieu de répondre, il lui jeta rapidement un baiser dans
35 l'oreille.

Les roues du vapeur battaient l'eau, troublant son épais sommeil; et par derrière une longue trace écumeuse, une grande traînée pâle où l'onde remuée moussait comme du champagne, allongeait jusqu'à perte de vue le sillage tout
40 droit du bâtiment,

Soudain, vers l'avant, à quelques brasses seulement, un énorme poisson, un dauphin, bondit hors de l'eau, puis y replongea la tête la première et disparut. Jeanne toute saisie eut peur, poussa un cri, et se jeta sur la poitrine de Julien. Puis
45 elle se mit à rire de sa frayeur, et regarda, anxieuse, si la bête n'allait pas reparaître. Au bout de quelques secondes elle jaillit de nouveau comme un gros joujou mécanique. Puis elle retomba, ressortit encore; puis elles furent deux, puis trois, puis six qui semblaient gambader autour du lourd bateau,

---

1. **Maquis**: végétation dense et peu accessible des régions méditerranéennes.

50 faire escorte à leur frère monstrueux, le poisson de bois aux nageoires de fer. Elles passaient à gauche, revenaient à droite du navire, et tantôt ensemble, tantôt l'une après l'autre, comme dans un jeu, dans une poursuite gaie, elles s'élançaient en l'air par un grand saut qui décrivait une courbe, puis elles
55 replongeaient à la queue leu leu.

Jeanne battait des mains, tressaillait, ravie, à chaque apparition des énormes et souples nageurs. Son cœur bondissait comme eux dans une joie folle et enfantine.

Tout à coup ils disparurent. On les aperçut encore une fois,
60 très loin, vers la pleine mer ; puis on ne les vit plus, et Jeanne ressentit, pendant quelques secondes, un chagrin de leur départ.

Le soir venait, un soir calme, radieux, plein de clarté, de paix heureuse. Pas un frisson dans l'air ou sur l'eau ; et ce repos illimité de la mer et du ciel s'étendait aux âmes engourdies où
65 pas un frisson non plus ne passait.

Le grand soleil s'enfonçait doucement là-bas, vers l'Afrique invisible, l'Afrique, la terre brûlante dont on croyait déjà sentir les ardeurs ; mais une sorte de caresse fraîche, qui n'était cependant pas même une apparence de brise, effleura les
70 visages lorsque l'astre eut disparu.

Ils ne voulurent pas rentrer dans leur cabine où l'on sentait toutes les horribles odeurs des paquebots ; et ils s'étendirent tous les deux sur le pont, flanc contre flanc, roulés dans leurs manteaux. Julien s'endormit tout de suite ; mais Jeanne
75 restait les yeux ouverts, agitée par l'inconnu du voyage. Le bruit monotone des roues la berçait ; et elle regardait au-dessus d'elle ces légions[1] d'étoiles si claires, d'une lumière

---

1. Légions : grande quantité, multitude.

aiguë, scintillante et comme mouillée, dans ce ciel pur du Midi.

80   Vers le matin cependant elle s'assoupit. Des bruits, des voix la réveillèrent. Les matelots, en chantant, faisaient la toilette du navire. Elle secoua son mari, immobile dans le sommeil, et ils se levèrent.

Elle buvait avec exaltation la saveur de la brume salée qui
85   lui pénétrait jusqu'au bout des doigts. Partout la mer. Pourtant, vers l'avant, quelque chose de gris, de confus encore dans l'aube naissante, une sorte d'accumulation de nuages singuliers, pointus, déchiquetés, semblait posée sur les flots.

Puis cela apparut plus distinct ; les formes se marquèrent
90   davantage sur le ciel éclairci ; une grande ligne de montagnes cornues et bizarres surgit : la Corse, enveloppée dans une sorte de voile léger.

Et le soleil se leva derrière, dessinant toutes les saillies des crêtes[1] en ombres noires ; puis tous les sommets s'allumèrent
95   tandis que le reste de l'île demeurait embrumé de vapeur.

Le capitaine, un vieux petit homme tanné[2], séché, raccourci, racorni, rétréci par les vents durs et salés apparut sur le pont, et, d'une voix enrouée par trente ans de commandement, usée par les cris poussés dans les bourrasques, il dit à Jeanne :

100   « La sentez-vous, cette gueuse[3]-là ? »

Elle sentait en effet une forte et singulière odeur de plantes, d'arômes sauvages.

---

1. **Les saillies des crêtes** : reliefs du sommet des montagnes.
2. **Tanné** : bronzé.
3. **Gueuse** : femme de mauvaise vie. L'emploi ici n'est pas péjoratif mais affectueux, amical.

Le capitaine reprit :

« C'est la Corse qui fleure[1] comme ça, madame ; c'est son
odeur de jolie femme, à elle. Après vingt ans d'absence, je la
reconnaîtrais à cinq milles au large. J'en suis. Lui, là-bas, à
Sainte-Hélène[2], il en parle toujours, paraît-il, de l'odeur de
son pays. Il est de ma famille. »

Et le capitaine, ôtant son chapeau, salua la Corse, salua
là-bas, à travers l'Océan, le grand empereur prisonnier qui
était de sa famille.

Jeanne fut tellement émue qu'elle faillit pleurer.

Puis le marin tendit le bras vers l'horizon : « Les
Sanguinaires[3] ! » dit-il.

Julien, debout près de sa femme, la tenait par la taille, et
tous deux regardaient au loin pour découvrir le point indiqué.

Ils aperçurent enfin quelques rochers en forme de pyramides,
que le navire contourna bientôt pour entrer dans un golfe
immense et tranquille, entouré d'un peuple de hauts sommets
dont les pentes basses semblaient couvertes de mousses.

Le capitaine indiqua cette verdure : « Le maquis. »

À mesure qu'on avançait, le cercle des monts semblait se
refermer derrière le bâtiment qui nageait avec lenteur dans un
lac d'azur si transparent qu'on en voyait parfois le fond.

Et la ville apparut soudain, toute blanche, au fond du golfe,
au bord des flots, au pied des montagnes.

Quelques petits bateaux italiens étaient à l'ancre dans le
port. Quatre ou cinq barques s'en vinrent rôder autour du
Roi-Louis pour chercher ses passagers.

---

1. Fleure : sent.
2. Sainte-Hélène : île où Napoléon Ier a été exilé (1815 - 1821, date de sa mort).
3. Les Sanguinaires : archipel situé à l'entrée du golfe d'Ajaccio.

130 Julien, qui réunissait les bagages, demanda tout bas à sa femme : « C'est assez, n'est-ce pas, de donner vingt sous à l'homme de service ? »

Depuis huit jours il posait à tout moment la même question, dont elle souffrait chaque fois. Elle répondit avec un peu
135 d'impatience : « Quand on n'est pas sûr de donner assez, on donne trop. »

Sans cesse il discutait avec les maîtres et les garçons d'hôtel, avec les voituriers, avec les vendeurs de n'importe quoi, et quand il avait, à force d'arguties[1], obtenu un rabais quel-
140 conque, il disait à Jeanne en se frottant les mains : « Je n'aime pas être volé. »

Elle tremblait en voyant venir les notes, sûre d'avance des observations qu'il allait faire sur chaque article, humiliée par ces marchandages, rougissant jusqu'aux cheveux sous
145 le regard méprisant des domestiques qui suivaient son mari de l'œil en gardant au fond de la main son insuffisant pourboire.

Il eut encore une discussion avec le batelier qui les mit à terre.

150 Le premier arbre qu'elle vit fut un palmier !

Ils descendirent dans un grand hôtel vide, à l'encoignure[2] d'une vaste place, et se firent servir à déjeuner.

Lorsqu'ils eurent fini le dessert, au moment où Jeanne se levait pour aller vagabonder par la ville, Julien, la prenant
155 dans ses bras, lui murmura tendrement à l'oreille : « Si nous nous couchions un peu, ma chatte ? »

---

1. Arguties : raisonnements marqués par une subtilité excessive.
2. Encoignure : voir note 1, p. 34.

Elle resta surprise : « Nous coucher ? Mais je ne me sens pas fatiguée. »

Il l'enlaça. « J'ai envie de toi. Tu comprends ? Depuis deux
160   jours !... »

Elle s'empourpra[1], honteuse, balbutiant : « Oh ! maintenant ! Mais que dirait-on ? Comment oserais-tu demander une chambre en plein jour ? Oh ! Julien, je t'en supplie. »

Mais il l'interrompit : « Je m'en moque un peu de ce que
165   peuvent dire et penser des gens d'hôtel. Tu vas voir comme ça me gêne. »

Et il sonna.

Elle ne disait plus rien, les yeux baissés, révoltée toujours dans son âme et dans sa chair devant ce désir incessant de
170   l'époux, n'obéissant qu'avec dégoût, résignée, mais humiliée, voyant là quelque chose de bestial, de dégradant, une saleté enfin.

Ses sens dormaient encore, et son mari la traitait maintenant comme si elle eût partagé ses ardeurs.

175   Quand le garçon fut arrivé, Julien lui demanda de les conduire à leur chambre. L'homme, un vrai Corse velu jusque dans les yeux, ne comprenait pas, affirmait que l'appartement serait préparé pour la nuit.

Julien impatienté s'expliqua : « Non, tout de suite. Nous
180   sommes fatigués du voyage, nous voulons nous reposer. »

Alors un sourire glissa dans la barbe du valet et Jeanne eut envie de se sauver.

Quand ils redescendirent, une heure plus tard, elle n'osait plus passer devant les gens qu'elle rencontrait, persuadée

---

1. Elle s'empourpra : sa peau se colora de pourpre, elle rougit.

185 qu'ils allaient rire et chuchoter derrière son dos. Elle en
voulait en son cœur à Julien de ne pas comprendre cela, de
n'avoir point ces fines pudeurs, ces délicatesses d'instinct ; et
elle sentait entre elle et lui comme un voile, un obstacle,
s'apercevant pour la première fois que deux personnes ne se
190 pénètrent jamais jusqu'à l'âme, jusqu'au fond des pensées,
qu'elles marchent côte à côte, enlacées parfois, mais non
mêlées, et que l'être moral de chacun de nous reste éternellement seul par la vie.

Ils demeurèrent trois jours dans cette petite ville cachée au
195 fond de son golfe bleu, chaude comme une fournaise derrière
son rideau de montagnes qui ne laisse jamais le vent souffler
jusqu'à elle.

Puis un itinéraire fut arrêté pour leur voyage, et, afin de ne
reculer devant aucun passage difficile, ils décidèrent de louer
200 des chevaux. Ils prirent donc deux petits étalons corses à l'œil
furieux, maigres et infatigables, et se mirent en route un
matin au lever du jour. Un guide monté sur une mule les
accompagnait et portait les provisions, car les auberges sont
inconnues en ce pays sauvage.

205 La route suivait d'abord le golfe pour s'enfoncer bientôt
dans une vallée peu profonde allant vers les grands monts.
Souvent on traversait des torrents presque secs ; une apparence
de ruisseau remuait encore sous les pierres, comme une bête
cachée, faisait un glouglou timide. Le pays inculte[1] semblait
210 tout nu. Les flancs des côtes étaient couverts de hautes herbes,
jaunes en cette saison brûlante. Parfois on rencontrait un
montagnard soit à pied, soit sur son petit cheval, soit à cali-

---

1. Inculte : voir note 2, p. 23.

astride

fourchon sur un âne gros comme un chien. Et tous avaient sur le dos le fusil chargé, vieilles armes rouillées, redoutables en leurs mains.

formidable

Le mordant parfum des plantes aromatiques dont l'île est couverte semblait épaissir l'air ; et la route allait s'élevant lentement au milieu des longs replis des monts.

Les sommets de granit rose ou bleu donnaient au vaste paysage des tons de féerie ; et, sur les pentes plus basses, des forêts de châtaigniers immenses avaient l'air de buissons verts tant les vagues de la terre soulevée sont géantes en ce pays.

Quelquefois le guide, tendant la main vers les hauteurs escarpées, disait un nom. Jeanne et Julien regardaient, ne voyaient rien, puis découvraient enfin quelque chose de gris pareil à un amas de pierres tombées du sommet. C'était un village, un petit hameau de granit accroché là, cramponné, comme un vrai nid d'oiseau, presque invisible sur l'immense montagne.

Ce long voyage au pas énervait Jeanne. « Courons un peu », dit-elle. Et elle lança son cheval. Puis, comme elle n'entendait pas son mari galoper près d'elle, elle se retourna et se mit à rire d'un rire fou en le voyant accourir, pâle, tenant la crinière de la bête et bondissant étrangement. Sa beauté même, sa figure de *beau cavalier* rendaient plus drôles sa maladresse et sa peur.

Ils se mirent alors à trotter doucement. La route maintenant s'étendait entre deux interminables taillis qui couvraient toute la côte, comme un manteau.

C'était le maquis, l'impénétrable maquis, formé de chênes verts, de genévriers, d'arbousiers, de lentisques, d'alaternes, de bruyères, de lauriers-thyms, de myrtes et de buis que reliaient entre eux, les mêlant comme des chevelures, des clématites enlaçantes, des fougères monstrueuses, des chèvre-feuilles, des cystes, des romarins, des lavandes, des ronces[1], jetant sur le dos des monts une inextricable toison.

Ils avaient faim. Le guide les rejoignit et les conduisit auprès d'une de ces sources charmantes, si fréquentes dans les pays escarpés, fil mince et rond d'eau glacée qui sort d'un petit trou dans la roche et coule au bout d'une feuille de châtaignier disposée par un passant pour amener le courant menu jusqu'à la bouche.

Jeanne se sentait tellement heureuse qu'elle avait grand-peine à ne point jeter des cris d'allégresse[2].

Ils repartirent et commencèrent à descendre, en contournant le golfe de Sagone.

Vers le soir ils traversèrent Cargèse, le village grec fondé là jadis par une colonie de fugitifs chassés de leur patrie. De grandes belles filles, aux reins élégants, aux mains longues, à la taille fine, singulièrement gracieuses, formaient un groupe auprès d'une fontaine. Julien leur ayant crié « Bonsoir », elles répondirent d'une voix chantante dans la langue harmonieuse du pays abandonné.

En arrivant à Piana, il fallut demander l'hospitalité comme dans les temps anciens et dans les contrées perdues. Jeanne frissonnait de joie en attendant que s'ouvrît la porte où Julien avait frappé. Oh! c'était bien un voyage, cela! avec tout l'imprévu des routes inexplorées.

---

1. Chênes verts […] ronces : dans ce paragraphe sont énumérés d'abord une série d'arbustes différents puis de plantes variées.
2. Allégresse : joie très vive exprimée ouvertement.

Ils s'adressaient justement à un jeune ménage[1]. On les
270 reçut comme les patriarches[2] devaient recevoir l'hôte envoyé
de Dieu, et ils dormirent sur une paillasse de maïs, dans une
vieille maison vermoulue[3] dont toute la charpente piquée de
vers, parcourue par les longs tarets[4] mangeurs de poutres,
bruissait, semblait vivre et soupirer.

275 Ils partirent au soleil levant et bientôt ils s'arrêtèrent en face
d'une forêt, d'une vraie forêt de granit pourpré. C'étaient des
pics, des colonnes, des clochetons, des figures surprenantes
modelées par le temps, le vent rongeur et la brume de mer.

Hauts jusqu'à trois cents mètres, minces, ronds, tortus[5],
280 crochus, difformes, imprévus, fantastiques, ces surprenants
rochers semblaient des arbres, des plantes, des bêtes, des
monuments, des hommes, des moines en robe, des diables
cornus, des oiseaux démesurés, tout un peuple monstrueux,
une ménagerie de cauchemar pétrifiée par le vouloir de
285 quelque Dieu extravagant.

Jeanne ne parlait plus, le cœur serré, et elle prit la main de
Julien qu'elle étreignit, envahie d'un besoin d'aimer devant
cette beauté des choses.

Et soudain, sortant de ce chaos, ils découvrirent un nouveau
290 golfe ceint[6] tout entier d'une muraille sanglante de granit
rouge. Et dans la mer bleue ces roches écarlates se reflétaient.

---

1. Ménage : voir note 2, p. 71.
2. Patriarches : dans la Bible, grands ancêtres de l'humanité.
3. Vermoulue : mangée par des larves d'insectes.
4. Tarets : termites, vers qui rongent le bois.
5. Tortus : tordus.
6. Ceint : entouré.

Jeanne balbutia: «Oh! Julien!» sans trouver d'autres mots, attendrie d'admiration, la gorge étranglée; et deux larmes coulèrent de ses yeux. Il la regardait, stupéfait, deman-

295 dant: «Qu'as-tu, ma chatte?»

Elle essuya ses joues, sourit et, d'une voix un peu tremblante: «Ce n'est rien… C'est nerveux… Je ne sais pas… J'ai été saisie. Je suis si heureuse que la moindre chose me bouleverse le cœur.»

300 Il ne comprenait pas ces énervements de femme, les secousses de ces êtres vibrants affolés d'un rien, qu'un enthousiasme remue comme une catastrophe, qu'une sensation insaisissable révolutionne, affole de joie ou désespère.

Ces larmes lui semblaient ridicules, et, tout entier à la
305 préoccupation du mauvais chemin: «Tu ferais mieux, dit-il, de veiller à ton cheval.»

Par une route presque impraticable, ils descendirent au fond de ce golfe, puis tournèrent à droite pour gravir le sombre val d'Ota.

310 Mais le sentier s'annonçait horrible. Julien proposa: «Si nous montions à pied?» Elle ne demandait pas mieux, ravie de marcher, d'être seule avec lui après l'émotion de tout à l'heure.

Le guide partit en avant avec la mule et les chevaux, et ils allèrent à petits pas.

315 La montagne, fendue du haut en bas, s'entrouvrait. Le sentier s'enfonce dans cette brèche. Il suit le fond entre deux prodigieuses murailles; et un gros torrent parcourt cette crevasse. L'air est glacé, le granit paraît noir et tout là-haut ce qu'on voit du ciel bleu étonne et engourdit.

320 Un bruit soudain fit tressaillir Jeanne. Elle leva les yeux; un énorme oiseau s'envolait d'un trou: c'était un aigle.

Ses ailes ouvertes semblaient toucher les deux parois du puits et il monta jusqu'à l'azur où il disparut.

Plus loin, la fêlure du mont se dédouble ; le sentier grimpe
325 entre les deux ravins, en zigzags brusques. Jeanne légère et folle allait la première, faisant rouler des cailloux sous ses pieds, intrépide, se penchant sur les abîmes. Il la suivait, un peu essoufflé, les yeux à terre par crainte du vertige.

Tout à coup le soleil les inonda ; ils crurent sortir de l'enfer.
330 Ils avaient soif, une trace humide les guida, à travers un chaos de pierres, jusqu'à une source toute petite canalisée dans un bâton creux pour l'usage des chevriers[1]. Un tapis de mousse couvrait le sol alentour. Jeanne s'agenouilla pour boire ; et Julien en fit autant.

335 Et comme elle savourait la fraîcheur de l'eau, il lui prit la taille et tâcha de lui voler sa place au bout du conduit de bois. Elle résista ; leurs lèvres se battaient, se rencontraient, se repoussaient. Dans les hasards de la lutte ils saisissaient tour à tour la mince extrémité du tube et la mordaient pour ne
340 point lâcher. Et le filet d'eau froide, repris et quitté sans cesse, se brisait et se renouait, éclaboussait les visages, les cous, les habits, les mains. Des gouttelettes pareilles à des perles luisaient dans leurs cheveux. Et des baisers coulaient dans le courant.

345 Soudain Jeanne eut une inspiration d'amour. Elle emplit sa bouche du clair liquide, et, les joues gonflées comme des outres[2], fit comprendre à Julien que, lèvre à lèvre, elle voulait le désaltérer.

---

1. **Chevriers** : personnes qui mènent et gardent les chèvres.
2. **Outres** : récipients à eau cousus dans des peaux de bête.

Il tendit sa gorge, souriant, la tête en arrière, les bras
350 ouverts ; et il but d'un trait à cette source de chair vive qui lui
versa dans les entrailles un désir enflammé.

Jeanne s'appuyait sur lui avec une tendresse inusitée[1] ; son
cœur palpitait ; ses seins se soulevaient ; ses yeux semblaient
amollis, trempés d'eau. Elle murmura tout bas : « Julien… je
355 t'aime ! » et, l'attirant à son tour, elle se renversa et cacha dans
ses mains son visage empourpré de honte.

Il s'abattit sur elle, l'étreignant avec emportement. Elle
haletait dans une attente énervée ; et tout à coup elle poussa
un cri, frappée, comme de la foudre, par la sensation qu'elle
360 appelait.

Ils furent longtemps à gagner le sommet de la montée tant
elle demeurait palpitante et courbaturée, et ils n'arrivèrent à
Évisa que le soir, chez un parent de leur guide, Paoli
Palabretti.

365 C'était un homme de grande taille, un peu voûté, avec l'air
morne d'un phtisique[2]. Il les conduisit dans leur chambre,
une triste chambre de pierre nue, mais belle pour ce pays, où
toute élégance reste ignorée ; et il exprimait en son langage,
patois corse, bouillie de français et d'italien, son plaisir à les
370 recevoir, quand une voix claire l'interrompit ; et une petite
femme brune, avec de grands yeux noirs, une peau chaude de
soleil, une taille étroite, des dents toujours dehors dans un rire
continu, s'élança, embrassa Jeanne, secoua la main de Julien
en répétant : « Bonjour, madame, bonjour, monsieur, ça va
375 bien ? »

---

1. Inusitée : inhabituelle.
2. Phtisique : atteint de phtisie, tuberculose pulmonaire.

Elle enleva les chapeaux, les châles, rangea tout avec un seul bras, car elle portait l'autre en écharpe, puis elle fit sortir tout le monde, en disant à son mari : « Va les promener jusqu'au dîner. »

380 M. Palabretti obéit aussitôt, se plaça entre les deux jeunes gens et leur fit voir le village. Il traînait ses pas et ses paroles, toussant fréquemment, et répétant à chaque quinte[1] : « C'est l'air du Val qui est fraîche, qui m'est tombée sur la poitrine. »

385 Il les guida, par un sentier perdu, sous des châtaigniers démesurés. Soudain il s'arrêta, et, de son accent monotone : « C'est ici que mon cousin Jean Rinaldi fut tué par Mathieu Lori. Tenez, j'étais là, tout près de Jean, quand Mathieu parut à dix pas de nous. "Jean, cria-t-il, ne va pas à Albertacce ; n'y 390 va pas Jean, ou je te tue, je te le dis."

« Je pris le bras de Jean : "N'y va pas, Jean, il le ferait."

« C'était pour une fille qu'ils suivaient tous deux, Paulina Sinacoupi.

« Mais Jean se mit à crier : "J'irai, Mathieu ; ce n'est pas toi 395 qui m'empêcheras."

« Alors Mathieu abaissa son fusil, avant que j'aie pu ajuster le mien, et il tira.

« Jean fit un grand saut des deux pieds comme un enfant qui danse à la corde, oui, monsieur, et il me retomba en plein 400 sur le corps, si bien que mon fusil m'échappa et roula jusqu'au gros châtaignier là-bas.

« Jean avait la bouche grande ouverte, mais il ne dit plus un mot, il était mort. »

---

1. **Quinte** : accès de toux.

Les jeunes gens regardaient, stupéfaits, le tranquille témoin
405 de ce crime. Jeanne demanda : « Et l'assassin ? »

Paoli Palabretti toussa longtemps, puis il reprit :
« Il a gagné la montagne. C'est mon frère qui l'a tué, l'an
suivant. Vous savez bien, mon frère Philippi Palabretti, le
bandit. »

410 Jeanne frissonna : « Votre frère ? un bandit ? »

Le Corse placide[1] eut un éclair de fierté dans l'œil. « Oui,
madame, c'était un célèbre, celui-là. Il a mis à bas six
gendarmes. Il est mort avec Nicolas Morali, lorsqu'ils ont été
cernés dans le Niolo, après six jours de lutte, et qu'ils allaient
415 périr de faim. »

Puis il ajouta, d'un air résigné : « C'est le pays qui veut ça »,
du même ton qu'il prenait pour dire : « C'est l'air du Val qui
est fraîche. »

Puis ils rentrèrent dîner, et la petite Corse les traita comme
420 si elle les eût connus depuis vingt ans.

Mais une inquiétude poursuivait Jeanne. Retrouverait-elle
encore entre les bras de Julien cette étrange et véhémente[2]
secousse des sens qu'elle avait ressentie sur la mousse de la
fontaine ?

425 Lorsqu'ils furent seuls dans la chambre, elle tremblait de
rester encore insensible sous ses baisers. Mais elle se rassura
bien vite ; et ce fut sa première nuit d'amour.

Et, le lendemain, à l'heure de partir, elle ne se décidait plus
à quitter cette humble maison où il lui semblait qu'un
430 bonheur nouveau avait commencé pour elle.

---

1. **Placide** : calme, serein.
2. **Véhémente** : ardente, violente.

Elle attira dans sa chambre la petite femme de son hôte et, tout en établissant bien qu'elle ne voulait point lui faire de cadeau, elle insista, se fâchant même, pour lui envoyer de Paris, dès son retour, un souvenir, un souvenir auquel elle attachait une idée presque superstitieuse.

La jeune Corse résista longtemps, ne voulant point accepter. Enfin elle consentit : « Eh bien, dit-elle, envoyez-moi un petit pistolet, un tout petit. »

Jeanne ouvrit de grands yeux. L'autre ajouta tout bas, près de l'oreille, comme on confie un doux et intime secret : « C'est pour tuer mon beau-frère. » Et, souriant, elle déroula vivement les bandes qui enveloppaient le bras dont elle ne se servait point, puis, montrant sa chair ronde et blanche, traversée de part en part d'un coup de stylet[1] presque cicatrisé : « Si je n'avais pas été aussi forte que lui, dit-elle, il m'aurait tuée. Mon mari n'est pas jaloux, lui, il me connaît ; et puis il est malade, vous savez ; et cela lui calme le sang. D'ailleurs, je suis une honnête femme, moi, Madame ; mais mon beau-frère croit tout ce qu'on lui dit. Il est jaloux pour mon mari ; et il recommencera certainement. Alors, j'aurais un petit pistolet, je serais tranquille, et sûre de me venger. »

Jeanne promit d'envoyer l'arme, embrassa tendrement sa nouvelle amie, et continua sa route.

Le reste de son voyage ne fut plus qu'un songe, un enlacement sans fin, une griserie[2] de caresses. Elle ne vit rien, ni les paysages, ni les gens, ni les lieux où elle s'arrêtait. Elle ne regardait plus que Julien.

---

1. **Stylet** : petit poignard dont la lame est effilée.
2. **Griserie** : ivresse.

Alors commença l'intimité enfantine et charmante des niaiseries d'amour, des petits mots bêtes et délicieux, le baptême
avec des noms mignards[1] de tous les détours et contours, et replis de leurs corps où se plaisaient leurs bouches.

Comme Jeanne dormait sur le côté droit, son téton du côté gauche était souvent à l'air au réveil. Julien, l'ayant remarqué, appelait celui-là : « monsieur de Couche-dehors » et l'autre « monsieur Lamoureux », parce que la fleur rosée du sommet semblait plus sensible aux baisers.

La route profonde entre les deux devint « l'allée de petite mère » parce qu'il s'y promenait sans cesse ; et une autre route plus secrète fut dénommée le « chemin de Damas[2] » en souvenir du val d'Ota.

En arrivant à Bastia, il fallut payer le guide. Julien fouilla dans ses poches. Ne trouvant point ce qu'il lui fallait, il dit à Jeanne : « Puisque tu ne te sers pas des deux mille francs de ta mère, donne-les-moi donc à porter. Ils seront plus en sûreté dans ma ceinture ; et cela m'évitera de faire de la monnaie. »

Et elle lui tendit sa bourse.

Ils gagnèrent Livourne, visitèrent Florence, Gênes, toute la Corniche.

Par un matin de mistral, ils se retrouvèrent à Marseille.

---

1. Mignards : gracieux, délicats. Ici, l'emploi péjoratif renvoie à une délicatesse recherchée, ridicule.
2. Chemin de Damas : dans la Bible, chemin situé en Syrie où saint Paul se convertit au christianisme.

Deux mois s'étaient écoulés depuis leur départ des Peuples. On était au 15 octobre.

Jeanne, saisie par le grand vent froid qui semblait venir de là-bas, de la lointaine Normandie, se sentait triste. Julien, depuis quelque temps, semblait changé, fatigué, indifférent; et elle avait peur sans savoir de quoi.

Elle retarda de quatre jours encore leur voyage de rentrée, ne pouvant se décider à quitter ce bon pays du soleil. Il lui semblait qu'elle venait d'accomplir le tour du bonheur.

Ils s'en allèrent enfin.

Ils devaient faire à Paris tous leurs achats pour leur installation définitive aux Peuples; et Jeanne se réjouissait de rapporter des merveilles, grâce au cadeau de petite mère; mais la première chose à laquelle elle songea fut le pistolet promis à la jeune Corse d'Évisa.

Le lendemain de leur arrivée, elle dit à Julien:

« Mon chéri, veux-tu me rendre l'argent de maman parce que je vais faire mes emplettes ? »

Il se tourna vers elle avec un visage mécontent.

« Combien te faut-il ? »

Elle fut surprise et balbutia:

« Mais... ce que tu voudras. »

Il reprit: « Je vais te donner cent francs; surtout ne les gaspille pas. »

Elle ne savait plus que dire, interdite et confuse.

Enfin elle prononça en hésitant: « Mais... je... t'avais remis cet argent pour... »

Il ne la laissa pas achever.

« Oui, parfaitement. Que ce soit dans ta poche ou dans la mienne, qu'importe, du moment que nous avons la même bourse. Je ne t'en refuse point, n'est-ce pas, puisque je te donne cent francs. »

Elle prit les cinq pièces d'or, sans ajouter un mot ; mais elle n'osa plus en demander d'autres et n'acheta rien que le pistolet.

Huit jours plus tard, ils se mirent en route pour rentrer aux Peuples.

VI

Devant la barrière blanche aux piliers de brique, la famille et les domestiques attendaient. La chaise de poste[1] s'arrêta, et les embrassades furent longues. Petite mère pleurait ; Jeanne attendrie essuya deux larmes ; père, nerveux, allait et venait.

Puis, pendant qu'on déchargeait les bagages, le voyage fut raconté devant le feu du salon. Les paroles abondantes coulaient des lèvres de Jeanne ; et tout fut dit, tout, en une demi-heure, sauf peut-être quelques petits détails oubliés dans ce récit rapide.

Puis la jeune femme alla défaire ses paquets. Rosalie, tout émue aussi, l'aidait. Quand ce fut fini, quand le linge, les robes, les objets de toilette eurent été mis en place, la petite bonne quitta sa maîtresse ; et Jeanne, un peu lasse, s'assit.

Elle se demanda ce qu'elle allait faire maintenant cherchant une occupation pour son esprit, une besogne pour ses mains. Elle n'avait point envie de redescendre au salon auprès de sa mère qui sommeillait ; et elle songeait à une promenade mais la campagne semblait si triste qu'elle sentait en son cœur, rien qu'à la regarder par la fenêtre, une pesanteur de mélancolie.

Alors elle s'aperçut qu'elle n'avait plus rien à faire, plus jamais rien à faire. Toute sa jeunesse au couvent avait été

---

1. Chaise de poste : voiture de voyage traînée par un ou plusieurs chevaux.

préoccupée de l'avenir, affairée de songeries[1]. La continuelle
agitation de ses espérances emplissait, en ce temps-là, ses
heures sans qu'elle les sentît passer. Puis, à peine sortie des
25   murs austères où ses illusions étaient écloses, son attente
d'amour se trouvait tout de suite accomplie. L'homme espéré,
rencontré, aimé, épousé en quelques semaines, comme on
épouse en ces brusques déterminations, l'emportait dans ses
bras sans la laisser réfléchir à rien.

30   Mais voilà que la douce réalité des premiers jours allait
devenir la réalité quotidienne qui fermait la porte aux espoirs
indéfinis, aux charmantes inquiétudes de l'inconnu. Oui,
c'était fini d'attendre.

Alors plus rien à faire, aujourd'hui, ni demain ni jamais.
35   Elle sentait tout cela vaguement à une certaine désillusion, à
un affaissement de ses rêves.

Elle se leva et vint coller son front aux vitres froides. Puis,
après avoir regardé quelque temps le ciel où roulaient des
nuages sombres, elle se décida à sortir.

40   Étaient-ce la même campagne, la même herbe, les mêmes
arbres qu'au mois de mai ? Qu'étaient donc devenues la gaieté
ensoleillée des feuilles, et la poésie verte du gazon où flambaient
les pissenlits, où saignaient les coquelicots, où rayonnaient les
marguerites, où frétillaient, comme au bout de fils invisibles,
45   les fantasques papillons jaunes ? Et cette griserie[2] de l'air chargé
de vie, d'arômes, d'atomes fécondants n'existait plus.

Les avenues détrempées par les continuelles averses d'automne s'allongeaient, couvertes d'un épais tapis de feuilles

---

1. Songeries : rêveries.
2. Griserie : voir note 2, p. 99.

mortes, sous la maigreur grelottante des peupliers presque
nus. Les branches grêles tremblaient au vent, agitant encore
quelque feuillage prêt à s'égrener dans l'espace. Et sans cesse,
tout le long du jour, comme une pluie incessante et triste à
faire pleurer, ces dernières feuilles, toutes jaunes maintenant,
pareilles à de larges sous d'or, se détachaient, tournoyaient,
voltigeaient et tombaient.

Elle alla jusqu'au bosquet. Il était lamentable comme la
chambre d'un mourant. La muraille verte qui séparait et
faisait secrètes les gentilles allées sinueuses s'était éparpillée.
Les arbustes emmêlés, comme une dentelle de bois fin, heur-
taient les unes aux autres leurs maigres branches ; et le
murmure des feuilles tombées et sèches que la brise poussait,
remuait, amoncelait en tas par endroits, semblait un douloureux soupir d'agonie.

De tout petits oiseaux sautaient de place en place avec un
léger cri frileux, cherchant un abri.

Garantis cependant par l'épais rideau des ormes[1] jetés en
avant-garde contre le vent de mer, le tilleul et le platane
encore couverts de leur parure d'été semblaient vêtus l'un de
velours rouge, l'autre de soie orange, teints ainsi par les
premiers froids selon la nature de leurs sèves.

Jeanne allait et venait à pas lents dans l'avenue de petite
mère, le long de la ferme des Couillard. Quelque chose l'appe-
santissait comme le pressentiment des longs ennuis de la vie
monotone qui commençait.

Puis elle s'assit sur le talus où Julien, pour la première fois,
lui avait parlé d'amour ; et elle resta là, rêvassant, presque sans

---

1. Ormes : voir note 1, p. 23.

songer, alanguie jusqu'au cœur, avec une envie de se coucher, de dormir pour échapper à la tristesse de ce jour.

80 Tout à coup elle aperçut une mouette qui traversait le ciel, emportée dans une rafale ; et elle se rappela cet aigle qu'elle avait vu, là-bas, en Corse, dans le sombre val d'Ota. Elle reçut au cœur la vive secousse que donne le souvenir d'une chose bonne et finie ; et elle revit brusquement l'île radieuse avec son parfum sauvage, son soleil qui mûrit les oranges et les
85 cédrats[1], ses montagnes aux sommets roses, ses golfes d'azur, et ses ravins où roulent des torrents.

Alors l'humide et dur paysage qui l'entourait, avec la chute lugubre des feuilles, et les nuages gris entraînés par le vent, l'enveloppa d'une telle épaisseur de désolation qu'elle rentra
90 pour ne point sangloter.

Petite mère, engourdie devant la cheminée, sommeillait, accoutumée à la mélancolie des journées, ne la sentant plus. Père et Julien étaient partis se promener en causant de leurs affaires. Et la nuit vint, semant de l'ombre morne dans le vaste
95 salon, qu'éclairaient par éclats les reflets du feu.

Au dehors, par les fenêtres, un reste de jour laissait distinguer encore cette nature sale de fin d'année, et le ciel grisâtre, comme frotté de boue lui-même.

Le baron bientôt parut, suivi de Julien ; dès qu'il eut
100 pénétré dans la pièce enténébrée[2], il sonna, criant : « Vite, vite, de la lumière ! il fait triste ici. »

Et il s'assit devant la cheminée. Pendant que ses pieds mouillés fumaient près de la flamme et que la crotte de ses

---

1. **Cédrats** : variété de citron, fruit du cédratier.
2. **Enténébrée** : plongée dans l'obscurité.

semelles tombait, séchée par la chaleur, il se frottait gaiement
105   les mains : « Je crois bien, dit-il, qu'il va geler ; le ciel s'éclaircit
au nord ; c'est pleine lune ce soir ; ça piquera ferme[1] cette nuit. »

Puis, se tournant vers sa fille : « Eh bien, petite, es-tu
contente d'être revenue dans ton pays, dans ta maison, auprès
des vieux ? »

110   Cette simple question bouleversa Jeanne. Elle se jeta dans
les bras de son père, les yeux pleins de larmes, l'embrassa
nerveusement, comme pour se faire pardonner ; car, malgré
ses efforts de cœur pour être gaie, elle se sentait triste à
défaillir. Elle songeait pourtant à la joie qu'elle s'était promise
115   en retrouvant ses parents ; et elle s'étonnait de cette froideur
qui paralysait sa tendresse, comme si, lorsqu'on a beaucoup
pensé de loin aux gens qu'on aime, et perdu l'habitude de les
voir à toute heure, on éprouvait, en les retrouvant, une sorte
d'arrêt d'affection jusqu'à ce que les liens de la vie commune
120   fussent renoués.

Le dîner fut long ; on ne parla guère. Julien semblait avoir
oublié sa femme.

Au salon, ensuite, elle se laissa engourdir par le feu, en face
de petite mère qui dormait tout à fait ; et, un moment
125   réveillée par la voix des deux hommes qui discutaient, elle se
demanda, en essayant de secouer son esprit, si elle allait aussi
être saisie par cette léthargie[2] morne des habitudes que rien
n'interrompt.

La flamme de la cheminée, molle et rougeâtre pendant le
130   jour, devenait vive, claire, crépitante. Elle jetait de grandes

---

1. Ça piquera ferme : il fera très froid.
2. Léthargie : assoupissement, engourdissement, torpeur.

lueurs subites sur les tapisseries ternies *dull* des fauteuils, sur le renard et la cigogne, sur le héron mélancolique, sur la cigale et la fourmi.

Le baron se rapprocha, souriant et tendant ses doigts
135   ouverts aux tisons[1] vifs : « Ah ah ! ça flambe bien, ce soir. Il gèle, mes enfants, il gèle. »

Puis il posa sa main sur l'épaule de Jeanne, et, montrant le feu : « Vois-tu, fillette, voilà ce qu'il y a de meilleur au monde : le foyer, le foyer avec les siens autour. Rien ne vaut
140   ça. Mais si on allait se coucher. Vous devez être exténués, les enfants ? »

Remontée en sa chambre, la jeune femme se demandait comment deux retours aux mêmes lieux qu'elle croyait aimer pouvaient être si différents. Pourquoi se sentait-elle comme
145   meurtrie, pourquoi cette maison, ce pays cher, tout ce qui, jusque-là, faisait frémir son cœur, lui semblaient-ils aujourd'hui si navrants ?

Mais son œil soudain tomba sur sa pendule. La petite abeille voltigeait toujours de gauche à droite, et de droite à
150   gauche, du même mouvement rapide et continu, au-dessus des fleurs de vermeil[2]. Alors, brusquement, Jeanne fut traversée par un élan d'affection, remuée jusqu'aux larmes devant cette petite mécanique qui semblait vivante, qui lui chantait l'heure et palpitait comme une poitrine.

155   Certes elle n'avait pas été aussi émue en embrassant père et mère. Le cœur a des mystères qu'aucun raisonnement ne pénètre.

---

1. Tisons : restes encore brûlants d'un morceau de bois consumé.
2. Vermeil : métal précieux alliant l'argent et l'or.

Pour la première fois depuis son mariage elle était seule en son lit, Julien, sous prétexte de fatigue, ayant pris une autre chambre. Il était convenu d'ailleurs que chacun aurait la sienne.

Elle fut longtemps à s'endormir, étonnée de ne plus sentir un corps contre le sien, déshabituée du sommeil solitaire, et troublée par le vent hargneux du nord qui s'acharnait contre le toit.

Elle fut réveillée au matin par une grande lueur qui teignait son lit de sang; et ses carreaux, tout barbouillés de givre, étaient rouges comme si l'horizon entier brûlait.

S'enveloppant d'un grand peignoir, elle courut à sa fenêtre et l'ouvrit.

Une brise glacée, saine et piquante, s'engouffra dans sa chambre, lui cinglant la peau d'un froid aigu qui fit pleurer ses yeux; et, au milieu d'un ciel empourpré, un gros soleil rutilant et bouffi comme une figure d'ivrogne apparaissait derrière les arbres. La terre, couverte de gelée blanche, dure et sèche à présent, sonnait sous les pieds des gens de ferme. En cette seule nuit toutes les branches encore garnies des peupliers s'étaient dépouillées; et derrière la lande apparaissait la grande ligne verdâtre des flots tout parsemés de traînées blanches.

Le platane et le tilleul se dévêtaient rapidement sous les rafales. À chaque passage de la brise glacée des tourbillons de feuilles détachées par la brusque gelée s'éparpillaient dans le vent comme un envolement d'oiseaux. Jeanne s'habilla, sortit, et, pour faire quelque chose, alla voir les fermiers.

Les Martin levèrent les bras, et la maîtresse l'embrassa sur les joues; puis on la contraignit à boire un petit verre de noyau[1]. Et elle se rendit à l'autre ferme. Les Couillard levèrent les bras ; la maîtresse la bécota sur les oreilles, et il fallut avaler 190 un petit verre de cassis.

Après quoi elle rentra déjeuner.

Et la journée s'écoula comme celle de la veille, froide, au lieu d'être humide. Et les autres jours de la semaine ressemblèrent à ces deux-là ; et toutes les semaines du mois ressem-195 blèrent à la première.

Peu à peu, cependant, son regret des contrées lointaines s'affaiblit. L'habitude mettait sur sa vie une couche de résignation pareille au revêtement de calcaire que certaines eaux déposent sur les objets. Et une sorte d'intérêt pour les mille 200 choses insignifiantes de l'existence quotidienne, un souci des simples et médiocres occupations régulières renaquit en son cœur. En elle se développait une espèce de mélancolie méditante, un vague désenchantement de vivre. Que lui eût-il fallu ? Que désirait-elle ? Elle ne le savait pas. Aucun besoin 205 mondain ne la possédait ; aucune soif de plaisirs, aucun élan même vers des joies possibles ; lesquelles, d'ailleurs ? Ainsi que les vieux fauteuils du salon ternis par le temps, tout se décolorait doucement à ses yeux, tout s'effaçait, prenait une nuance pâle et morne.

210 Ses relations avec Julien avaient changé complètement. Il semblait tout autre depuis le retour de leur voyage de noce, comme un acteur qui a fini son rôle et reprend sa figure ordinaire. C'est à peine s'il s'occupait d'elle, s'il lui parlait même ; toute trace d'amour avait subitement disparu ; et les nuits 215 étaient rares où il pénétrait dans sa chambre.

---

1. Noyau : liqueur à base de noyaux d'amande.

Il avait pris la direction de la fortune et de la maison, révisait les baux[1], harcelait les paysans, diminuait les dépenses ; et ayant revêtu lui-même des allures de fermier gentilhomme, il avait perdu son vernis et son élégance de fiancé.

220 Il ne quittait plus, bien qu'il fût tigré de taches, un vieil habit de chasse en velours, garni de boutons de cuivre, retrouvé dans sa garde-robe de jeune homme, et, envahi par la négligence des gens qui n'ont plus besoin de plaire, il avait cessé de se raser, de sorte que sa barbe longue, mal coupée, 225 l'enlaidissait incroyablement. Ses mains n'étaient plus soignées ; et il buvait, après chaque repas, quatre ou cinq petits verres de cognac.

Jeanne ayant essayé de lui faire quelques tendres reproches, il avait répondu si brusquement : « Tu vas me laisser tran 230 quille, n'est-ce pas ? » qu'elle ne se hasarda plus à lui donner des conseils.

Elle avait pris son parti de[2] ces changements d'une façon qui l'étonnait elle-même. Il était devenu un étranger pour elle, un étranger dont l'âme et le cœur lui restaient fermés. 235 Elle y songeait souvent, se demandant d'où venait qu'après s'être rencontrés ainsi, aimés, épousés dans un élan de tendresse, ils se retrouvaient tout à coup presque aussi inconnus l'un à l'autre que s'ils n'avaient pas dormi côte à côte.

240 Et comment ne souffrait-elle pas davantage de son abandon ? Était-ce ainsi, la vie ? S'étaient-ils trompés ? N'y avait-il plus rien pour elle dans l'avenir ?

---

1. Baux : contrats de location d'un bien.
2. Avait pris son parti de : avait accepté.

Si Julien était demeuré beau, soigné, élégant, séduisant, peut-être eût-elle beaucoup souffert ?

245 Il était convenu qu'après le jour de l'an les nouveaux mariés resteraient seuls ; et que père et petite mère retourneraient passer quelques mois dans leur maison de Rouen. Les jeunes gens, cet hiver-là, ne devaient point quitter les Peuples, pour achever de s'installer, de s'habituer et de se plaire aux lieux où 250 allait s'écouler toute leur vie. Ils avaient quelques voisins d'ailleurs, à qui Julien présenterait sa femme. C'étaient les Briseville, les Coutelier et les Fourville.

Mais les jeunes gens ne pouvaient encore commencer leurs visites, parce qu'il avait été impossible jusque-là de faire venir 255 le peintre pour changer les armoiries[1] de la calèche.

La vieille voiture de famille avait été cédée en effet à son gendre par le baron ; et Julien, pour rien au monde, n'aurait consenti à se présenter dans les châteaux voisins si l'écusson *badge* des de Lamare n'avait été écartelé[2] avec celui des Le Perthuis 260 des Vauds.

Or un seul homme dans le pays conservait la spécialité des ornements héraldiques[3], c'était un peintre de Bolbec[4], nommé Bataille, appelé tour à tour dans tous les castels[5] normands pour fixer les précieux ornements sur les portières 265 des véhicules.

---

1. Armoiries : ensemble d'emblèmes qui distinguent une famille noble.
2. Écartelé : partagé.
3. Héraldiques : relatifs aux blasons et aux armoiries, signes symboliques qui distinguent une famille noble.
4. Bolbec : ville normande, située à une trentaine de kilomètres d'Yport.
5. Castels : châteaux.

Enfin, un matin de décembre, vers la fin du déjeuner, on vit un individu ouvrir la barrière et s'avancer dans le chemin droit. Il portait une boîte sur son dos. C'était Bataille.

On le fit entrer dans la salle et on lui servit à manger comme s'il eût été un monsieur, car sa spécialité, ses rapports incessants avec toute l'aristocratie du département, sa connaissance des armoiries, des termes consacrés, des emblèmes[1], en avaient fait une sorte d'homme-blason à qui les gentilshommes serraient la main.

On fit apporter aussitôt un crayon et du papier, et, pendant qu'il mangeait, le baron et Julien esquissèrent leurs écussons écartelés. La baronne, toute secouée dès qu'il s'agissait de ces choses, donnait son avis ; et Jeanne elle-même prenait part à la discussion, comme si quelque mystérieux intérêt se fût soudain éveillé en elle.

Bataille, tout en déjeunant, indiquait son opinion, prenait parfois le crayon, traçait un projet, citait des exemples, décrivait toutes les voitures seigneuriales de la contrée, semblait apporter avec lui, dans son esprit, dans sa voix même, une sorte d'atmosphère de noblesse.

C'était un petit homme à cheveux gris et ras, aux mains souillées de couleurs, et qui sentait l'essence. Il avait eu autrefois, disait-on, une vilaine affaire de mœurs ; mais la considération générale de toutes les familles titrées[2] avait depuis longtemps effacé cette tache.

Dès qu'il eut fini son café, on le conduisit sous la remise et on enleva la toile cirée qui recouvrait la voiture. Bataille l'exa-

---

1. Emblèmes : figures symboliques représentant des personnes ou des familles nobles.

2. Titrées : qui portent un titre de dignité, de noblesse.

mina, puis il se prononça gravement sur les dimensions qu'il croyait nécessaire de donner à son dessin ; et, après un nouvel
295 échange d'idées, il se mit à la besogne.

Malgré le froid, la baronne fit apporter un siège afin de le regarder travailler ; puis elle demanda une chaufferette[1] pour ses pieds qui se glaçaient : et elle se mit tranquillement à causer avec le peintre, l'interrogeant sur des alliances qu'elle
300 ignorait, sur les morts et les naissances nouvelles, complétant par ces renseignements l'arbre des généalogies qu'elle portait en sa mémoire.

Julien était demeuré près de sa belle-mère, à cheval sur une chaise. Il fumait sa pipe, crachait par terre, écoutait, et suivait
305 de l'œil la mise en couleur de sa noblesse.

Bientôt le père Simon, qui se rendait au potager avec sa bêche sur l'épaule, s'arrêta lui-même pour considérer le travail ; et l'arrivée de Bataille ayant pénétré dans les deux fermes, les deux fermières ne tardèrent point à se présenter. Elles s'exta-
310 siaient, debout aux deux côtés de la baronne, répétant : « Faut d'l'adresse tout d'même pour fignoler ces machines-là. »

Les écussons[2] des deux portières ne purent être terminés que le lendemain, vers onze heures. Tout le monde aussitôt fut présent ; et on tira la calèche dehors pour mieux juger.

315 C'était parfait. On complimenta Bataille qui repartit avec sa boîte accrochée au dos. Et le baron, sa femme, Jeanne et Julien tombèrent d'accord sur ce point que le peintre était un garçon de grands moyens qui, si les circonstances l'avaient permis, serait devenu, sans aucun doute, un artiste.

---

1. Chaufferette : récipient à couvercle percé de trous dans lequel on met des braises pour réchauffer les pieds.
2. Écussons : écus d'armoiries.

320 Mais, par mesure d'économie, Julien avait accompli des réformes, qui nécessitaient des modifications nouvelles.

Le vieux cocher était devenu jardinier, le vicomte se chargeant de conduire lui-même et ayant vendu[1] les carrossiers[2] pour n'avoir plus à payer leur nourriture. Puis, comme il 325 fallait quelqu'un pour tenir les bêtes quand les maîtres seraient descendus, il avait fait un petit domestique d'un jeune vacher[3] nommé Marius.

Enfin, pour se procurer des chevaux, il introduisit dans le bail des Couillard et des Martin, une clause spéciale contraignant les deux fermiers à fournir chacun un cheval, un jour 330 chaque mois, à la date fixée par lui, moyennant quoi ils demeuraient dispensés des redevances de volailles.

Donc les Couillard ayant amené une grande rosse[4] à poil jaune, et les Martin un petit animal blanc à poil long, les deux 335 bêtes furent attelées côte à côte ; et Marius, noyé dans une ancienne livrée[5] du père Simon, amena devant le perron du château cet équipage.

Julien nettoyé, la taille cambrée, avait retrouvé un peu de son élégance passée ; mais sa barbe longue lui donnait malgré 340 tout un aspect commun.

Il considéra l'attelage, la voiture et le petit domestique, et les jugea satisfaisants, les armoiries repeintes ayant seules pour lui de l'importance.

---

1. **Vendu** : congédié.
2. **Carrossiers** : cochers ou domestiques qui gardent le carrosse.
3. **Vacher** : personne qui garde les vaches.
4. **Rosse** : mauvais cheval.
5. **Livrée** : habits des domestiques rappelant les dessins et la couleur des armoiries de la famille aristocratique pour qui ils travaillent.

La baronne descendue de sa chambre au bras de son mari
345 monta avec peine, et s'assit, le dos soutenu par des coussins.
Jeanne à son tour parut. Elle rit d'abord de l'accouplement
des chevaux, le blanc, disait-elle, était le petit-fils du jaune ;
puis, quand elle aperçut Marius, la face ensevelie dans son
chapeau à cocarde[1], dont son nez seul limitait la descente, et
350 les mains disparues dans la profondeur des manches, et les
deux jambes enjuponnées[2] dans les basques[3] de sa livrée,
dont ses pieds, chaussés de souliers énormes, sortaient étrangement par le bas ; et quand elle le vit renverser la tête en
arrière pour regarder, lever le genou pour faire un pas, comme
355 s'il allait enjamber un fleuve, et s'agiter comme un aveugle
pour obéir aux ordres, perdu tout entier, disparu dans l'ampleur de ses vêtements, elle fut saisie d'un rire invincible[4],
d'un rire sans fin.

Le baron se retourna, considéra le petit homme abasourdi,
360 et, cédant aussitôt à la contagion, il éclata, appelant sa femme,
ne pouvant plus parler. « Re-re-garde Ma-Ma-Marius ! Est-il
drôle ! Mon Dieu, est-il drô-drôle. »

Alors la baronne, s'étant penchée par la portière et l'ayant
considéré, fut secouée d'une telle crise de gaieté que toute la
365 calèche dansait sur ses ressorts, comme soulevée par des
cahots.

Mais Julien, la face pâle, demanda : « Qu'est-ce que vous
avez à rire comme ça ; il faut que vous soyez fous ! »

---

1. Chapeau à cocarde : chapeau orné d'une rosace de ruban.
2. Enjuponnées : qui disparaissaient dans un tissu large comme un jupon.
3. Basques : parties d'une veste qui partent de la taille et descendent vers les
hanches.
4. Invincible : que l'on ne peut dominer, que l'on ne parvient pas à arrêter.

Jeanne, malade, convulsée, impuissante à se calmer, s'assit
370 sur une marche du perron. Le baron en fit autant ; et, dans la
calèche, des éternuements convulsifs, une sorte de glousse-
ment continu, disaient que la baronne étouffait. Et soudain la
redingote de Marius se mit à palpiter. Il avait compris sans
doute, car il riait lui-même de toute sa force au fond de sa
375 coiffure.

Alors Julien exaspéré s'élança. D'une gifle il sépara la tête
du gamin et le chapeau géant qui s'envola sur le gazon ; puis,
s'étant retourné vers son beau-père, il balbutia d'une voix
tremblante de colère : « Il me semble que ce n'est pas à vous
380 de rire. Nous n'en serions pas là si vous n'aviez gaspillé votre
fortune et mangé votre avoir[1]. À qui la faute si vous êtes
ruiné ? »

Toute la gaieté fut glacée, cessa net. Et personne ne dit un
mot. Jeanne, prête à pleurer maintenant, monta sans bruit
385 près de sa mère. Le baron, surpris et muet, s'assit en face des
deux femmes ; et Julien s'installa sur le siège, après avoir hissé
près de lui l'enfant larmoyant et dont la joue enflait.

La route fut triste et parut longue. Dans la voiture on se
taisait. Mornes et gênés tous trois, ils ne voulaient point
390 s'avouer ce qui préoccupait leurs cœurs. Ils sentaient bien
qu'ils n'auraient pu parler d'autre chose, tant cette pensée
douloureuse les obsédait, et ils aimaient mieux se taire tristement que de toucher à ce sujet pénible.

Au trot inégal des deux bêtes, la calèche longeait les cours
395 des fermes, faisait fuir à grands pas des poules noires effrayées
qui plongeaient et disparaissaient dans les haies, était parfois

---

1. **Avoir** : biens mobiliers et immobiliers, fortune.

suivie d'un chien-loup hurlant, qui regagnait ensuite sa maison, le poil hérissé, en se retournant encore pour aboyer vers la voiture. Un gars en sabots crottés, à longues jambes nonchalantes, qui allait, les mains au fond des poches, la blouse bleue gonflée par le vent dans le dos, se rangeait pour laisser passer l'équipage, et retirait gauchement sa casquette, laissant voir ses cheveux plats collés au crâne.

Et, entre chaque ferme, les plaines recommençaient avec d'autres fermes, au loin de place en place.

Enfin, on pénétra dans une grande avenue de sapins aboutissant à la route. Les ornières[1] boueuses et profondes faisaient se pencher la calèche et pousser des cris à petite mère. Au bout de l'avenue, une barrière blanche était fermée ; Marius courut l'ouvrir et on contourna un immense gazon pour arriver, par un chemin arrondi, devant un haut, vaste et triste bâtiment dont les volets étaient clos.

La porte du milieu soudain s'ouvrit ; et un vieux domestique paralysé, vêtu d'un gilet rouge rayé de noir que recouvrait en partie son tablier de service, descendit à petits pas obliques les marches du perron. Il prit le nom des visiteurs et les introduisit dans un spacieux salon dont il ouvrit péniblement les persiennes[2] toujours fermées. Les meubles étaient voilés de housses, la pendule et les candélabres[3] enveloppés de linge blanc ; et un air moisi, un air d'autrefois, glacé, humide, semblait imprégner les poumons, le cœur et la peau de tristesse.

Tout le monde s'assit et on attendit. Quelques pas entendus dans le corridor au-dessus annonçaient un empressement

---

1. Ornières : voir note 3, p. 64.
2. Persiennes : volets.
3. Candélabres : grands chandeliers à plusieurs branches.

inaccoutumé. Les châtelains surpris s'habillaient au plus vite.
Ce fut long. Une sonnette tinta plusieurs fois. D'autres pas
descendirent un escalier, puis remontèrent.

La baronne, saisie par le froid pénétrant, éternuait coup sur
coup. Julien marchait de long en large. Jeanne, morne, restait
assise auprès de sa mère. Et le baron, adossé au marbre de la
cheminée, demeurait le front bas.

Enfin, une des hautes portes tourna, découvrant le vicomte
et la vicomtesse de Briseville. Ils étaient tous les deux petits,
maigrelets, sautillants, sans âge appréciable, cérémonieux
et embarrassés. La femme, en robe de soie ramagée[1], coiffée
d'un petit bonnet douairière[2] à rubans, parlait vite de sa voix
aigrelette.

Le mari serré dans une redingote pompeuse saluait avec un
ploiement des genoux. Son nez, ses yeux, ses dents déchaussées[3], ses cheveux qu'on aurait dits enduits de cire et son beau
vêtement d'apparat[4] luisaient comme luisent les choses dont
on prend grand soin.

Après les premiers compliments de bienvenue et les poli-
tesses de voisinage, personne ne trouva plus rien à dire. Alors on
se félicita de part et d'autre sans raison. On continuerait, espé-
rait-on des deux côtés, ces excellentes relations. C'était une
ressource de se voir quand on habitait toute l'année la campagne.

Et l'atmosphère glaciale du salon pénétrait les os, enrouait
les gorges. La baronne toussait maintenant sans avoir cessé

---

1. Ramagée : ornée de ramages (voir note 6, p. 20).
2. Bonnet douairière : bonnet que portaient les vieilles dames de la haute
société.
3. Déchaussées : dont la racine n'est plus couverte par la gencive.
4. D'apparat : de grande cérémonie.

tout à fait d'éternuer. Alors le baron donna le signal du
450 départ. Les Briseville insistèrent. « Comment ? si vite ? Restez
donc encore un peu. » Mais Jeanne s'était levée malgré les
signes de Julien qui trouvait trop courte la visite.

On voulut sonner le domestique pour faire avancer la
voiture. La sonnette ne marchait plus. Le maître du logis se
455 précipita, puis vint annoncer qu'on avait mis les chevaux à
l'écurie.

Il fallut attendre. Chacun cherchait une phrase, un mot à
dire. On parla de l'hiver pluvieux. Jeanne, avec d'involontaires
frissons d'angoisse, demanda ce que pouvaient faire leurs hôtes,
460 tous deux seuls, toute l'année. Mais les Briseville s'étonnèrent
de la question ; car ils s'occupaient sans cesse, écrivant beaucoup à leurs parents nobles semés par toute la France, passant
leurs journées en des occupations microscopiques, cérémonieux
l'un vis-à-vis de l'autre comme en face des étrangers, et causant
465 majestueusement des affaires les plus insignifiantes.

Et sous le haut plafond noirci du vaste salon inhabité, tout
empaqueté en des linges, l'homme et la femme si petits, si
propres, si corrects, semblaient à Jeanne des conserves de
noblesse.

470 Enfin la voiture passa devant les fenêtres avec ses deux
bidets[1] inégaux. Mais Marius avait disparu. Se croyant libre
jusqu'au soir, il était sans doute parti faire un tour dans la
campagne.

Julien furieux pria qu'on le renvoyât à pied ; et, après
475 beaucoup de saluts de part et d'autre, on reprit le chemin
des Peuples.

---

1. **Bidets** : petits chevaux, trapus et vigoureux.

Dès qu'ils furent enfermés dans la calèche, Jeanne et son père, malgré l'obsession pesante qui leur restait de la brutalité de Julien, se remirent à rire en contrefaisant[1] les gestes et les intonations des Briseville. Le baron imitait le mari, Jeanne faisait la femme, mais la baronne, un peu froissée dans ses respects, leur dit : « Vous avez tort de vous moquer ainsi, ce sont des gens très comme il faut, appartenant à d'excellentes familles. » On se tut pour ne point contrarier petite mère, mais de temps en temps, malgré tout, père et Jeanne recommençaient en se regardant. Il saluait avec cérémonie, et, d'un ton solennel : « Votre château des Peuples doit être bien froid, Madame, avec ce grand vent de mer qui le visite tout le jour ? » Elle prenait un air pincé, et minaudant[2] avec un petit frétillement de la tête pareil à celui d'un canard qui se baigne : « Oh ! ici, Monsieur, j'ai de quoi m'occuper toute l'année. Puis nous possédons tant de parents à qui écrire. Et M. de Briseville se décharge de tout sur moi. Il s'occupe de recherches savantes avec l'abbé Pelle. Ils font ensemble l'histoire religieuse de la Normandie. »

La baronne souriait à son tour, contrariée et bienveillante, et répétait : « Ce n'est pas bien de se moquer ainsi des gens de notre classe. »

Mais soudain la voiture s'arrêta ; et Julien criait, appelant quelqu'un par derrière. Alors Jeanne et le baron, s'étant penchés aux portières, aperçurent un être singulier qui semblait rouler vers eux. Les jambes embarrassées dans la jupe flottante de sa livrée, aveuglé par sa coiffure qui chavirait sans

---

1. **En contrefaisant :** en imitant, dans le but de se moquer.
2. **Minaudant :** prenant des poses, adoptant des manières affectées.

cesse, agitant ses manches comme des ailes de moulin, patau-
geant dans les larges flaques d'eau qu'il traversait éperdument, trébuchant contre toutes les pierres de la route, se
trémoussant, bondissant et couvert de boue, Marius suivait la
calèche de toute la vitesse de ses pieds.

Dès qu'il l'eut rattrapée, Julien, se penchant, l'empoigna
par le collet, l'amena près de lui et, lâchant les rênes, se mit à
cribler de coups de poing le chapeau qui s'enfonça jusqu'aux
épaules du gamin en sonnant comme un tambour. Le gars
hurlait là-dedans, essayait de fuir, de sauter du siège, tandis
que son maître, le maintenant d'une main, frappait toujours
avec l'autre.

Jeanne, éperdue, balbutiait : « Père… Oh ! père ! » et la
baronne soulevée d'indignation serrait le bras de son
mari. « Mais empêchez-le donc, Jacques. » Alors brusquement le baron abaissa la vitre de devant, et, attrapant la
manche de son gendre, lui jeta d'une voix frémissante :
« Avez-vous bientôt fini de frapper cet enfant ? »

Julien stupéfait se retourna : « Vous ne voyez donc pas dans
quel état le bougre a mis sa livrée ? »

Mais le baron, la tête sortie entre les deux : « Eh, que
m'importe ! on n'est pas brutal à ce point. » Julien se fâchait
de nouveau : « Laissez-moi tranquille, s'il vous plaît, cela ne
vous regarde pas ! » et il levait encore la main ; mais son beau-
père la saisit brusquement et l'abaissa avec tant de force qu'il
la heurta contre le bois du siège, et il cria si violemment : « Si
vous ne cessez pas, je descends et je saurai bien vous arrêter,
moi ! » que le vicomte se calma soudain, et, haussant les
épaules sans répondre, il fouetta les bêtes qui partirent au
grand trot.

Les deux femmes, livides[1], ne remuaient point, et on entendait distinctement les coups pesants du cœur de la baronne.

Au dîner Julien fut plus charmant que de coutume, comme
si rien ne s'était passé. Jeanne, son père et madame Adélaïde,
qui oubliaient vite en leur sereine bienveillance, attendris de
le voir aimable, se laissaient aller à la gaieté avec la sensation
de bien-être des convalescents ; et, comme Jeanne reparlait
des Briseville, son mari lui-même plaisanta, mais il ajouta
bien vite : « C'est égal, ils ont grand air. »

On ne fit point d'autres visites, chacun craignant de raviver
la question Marius. Il fut seulement décidé qu'on enverrait
aux voisins des cartes au jour de l'an, et qu'on attendrait, pour
les aller voir, les premiers jours tièdes du printemps prochain.

La Noël vint. On eut à dîner le curé, le maire et sa femme.
On les invita de nouveau pour le jour de l'an. Ce furent les
seules distractions qui rompirent le monotone enchaînement
des jours.

Père et petite mère devaient quitter les Peuples le
9 janvier ; Jeanne les voulait retenir, mais Julien ne s'y prêtait
guère[2], et le baron, devant la froideur grandissante de son
gendre, fit venir de Rouen une chaise de poste[3].

La veille de leur départ, les paquets étant finis, comme il
faisait une claire gelée, Jeanne et son père se résolurent à
descendre jusqu'à Yport où ils n'avaient point été depuis le
retour de Corse.

Ils traversèrent le bois qu'elle avait parcouru le jour de son
mariage, toute mêlée à celui dont elle devenait pour toujours

---

1. **Livides** : très pâles.
2. **Ne s'y prêtait guère** : n'y consentait guère.
3. **Chaise de poste** : voir note 1, p. 103.

la compagne, le bois où elle avait reçu sa première caresse, tressailli du premier frisson, pressenti cet amour sensuel qu'elle ne devait connaître enfin que dans le vallon sauvage d'Ota, auprès de la source où ils avaient bu, mêlant leurs baisers à l'eau.

Plus de feuilles, plus d'herbes grimpantes, rien que le bruit des branches, et cette rumeur sèche qu'ont en hiver les taillis dépouillés.

Ils entrèrent dans le petit village. Les rues vides, silencieuses, gardaient une odeur de mer, de varech[1] et de poisson. Les vastes filets tannés[2] séchaient toujours, accrochés devant les portes ou bien étendus sur le galet. La mer grise et froide avec son éternelle et grondante écume commençait à descendre, découvrant, vers Fécamp, les rochers verdâtres au pied des falaises. Et le long de la plage les grosses barques échouées sur le flanc semblaient de vastes poissons morts. Le soir tombait et les pêcheurs s'en venaient par groupes au perret[3], marchant lourdement avec leurs grandes bottes marines, le cou enveloppé de laine, un litre d'eau-de-vie d'une main, la lanterne du bateau de l'autre. Longtemps ils tournèrent autour des embarcations inclinées ; ils mettaient à bord, avec la lenteur normande, leurs filets, leurs bouées, un gros pain, un pot de beurre, un verre et la bouteille de trois-six[4]. Puis ils poussaient vers l'eau la barque redressée qui dévalait à grand bruit sur le galet, fendait l'écume, montait

---

1. Varech : voir note 4, p. 23.

2. Tannés : teints et imperméabilisés après avoir été trempés dans un liquide à base de tan, une écorce séchée de chêne ou de châtaignier.

3. Perret : nom dérivé du mot pierre désignant la partie du bord de mer couverte de galets.

4. Trois-six : eau-de-vie très forte.

sur la vague, se balançait quelques instants, ouvrait ses ailes brunes et disparaissait dans la nuit avec son petit feu au bout du mât.

Et les grandes femmes des matelots dont les dures carcasses saillaient sous les robes minces, restées jusqu'au départ du dernier pêcheur, rentraient dans le village assoupi, troublant de leurs voix criardes le lourd sommeil des rues noires.

Le baron et Jeanne, immobiles, contemplaient l'éloignement dans l'ombre de ces hommes qui s'en allaient ainsi chaque nuit risquer la mort pour ne point crever de faim, et si misérables cependant qu'ils ne mangeaient jamais de viande.

Le baron, s'exaltant devant l'Océan, murmura : « C'est terrible et beau. Comme cette mer sur qui tombent les ténèbres, sur qui tant d'existences sont en péril, c'est superbe ! n'est-ce pas, Jeannette ? »

Elle répondit avec un sourire gelé : « Ça ne vaut point la Méditerranée. » Mais son père, s'indignant : « La Méditerranée ! de l'huile, de l'eau sucrée, l'eau bleue d'un baquet de lessive. Regarde donc celle-ci comme elle est effrayante avec ses crêtes d'écume ! Et songe à tous ces hommes, partis là-dessus, et qu'on ne voit déjà plus. »

Jeanne avec un soupir consentit : « Oui, si tu veux. » Mais ce mot qui lui était venu aux lèvres, « la Méditerranée », l'avait de nouveau pincée au cœur, rejetant toute sa pensée vers ces contrées lointaines où gisaient ses rêves.

Le père et la fille alors, au lieu de revenir par les bois, gagnèrent la route et montèrent la côte à pas alentis[1]. Ils ne parlaient guère, tristes de la séparation prochaine.

---

1. Alentis : lents.

Parfois en longeant les fossés des fermes, une odeur de
615 pommes pilées, cette senteur de cidre frais qui semble flotter
en cette saison sur toute la campagne normande, les frappait
au visage, ou bien un gras parfum d'étable, cette bonne et
chaude puanteur qui s'exhale du fumier de vaches. Une petite
fenêtre éclairée indiquait au fond de la cour la maison d'habi-
620 tation.

Et il semblait à Jeanne que son âme s'élargissait, comprenait des choses invisibles ; et ces petites lueurs éparses dans les
champs lui donnèrent soudain la sensation vive de l'isolement
de tous les êtres que tout désunit, que tout sépare, que tout
625 entraîne loin de ce qu'ils aimeraient.

Alors, d'une voix résignée, elle dit : « Ça n'est pas toujours
gai, la vie. »

Le baron soupira : « Que veux-tu, fillette, nous n'y pouvons
rien. »

630 Et le lendemain, père et petite mère étant partis, Jeanne et
Julien restèrent seuls.

VII

Les cartes entrèrent alors dans la vie des jeunes gens. Chaque jour, après le déjeuner, Julien, tout en fumant sa pipe et se gargarisant[1] avec du cognac dont il buvait peu à peu six ou huit verres, faisait plusieurs parties de bésigue[2] avec sa femme. Elle montait ensuite en sa chambre, s'asseyait près de la fenêtre, et, pendant que la pluie battait les vitres ou que le vent les secouait, elle brodait obstinément une garniture[3] de jupon. Parfois, fatiguée, elle levait les yeux, et contemplait au loin la mer sombre qui moutonnait. Puis, après quelques minutes de ce regard vague, elle reprenait son ouvrage.

Elle n'avait d'ailleurs rien autre chose à faire, Julien ayant pris toute la direction de la maison, pour satisfaire pleinement ses besoins d'autorité et ses démangeaisons d'économie. Il se montrait d'une parcimonie[4] féroce, ne donnait jamais de pourboires, réduisait la nourriture au strict nécessaire ; et comme Jeanne, depuis qu'elle était venue aux Peuples, se faisait faire chaque matin par le boulanger une petite galette normande, il supprima cette dépense et la condamna au pain grillé.

---

1. **Se gargarisant** : se lavant la gorge avec un liquide, ici le cognac.
2. **Bésigue** : jeu de cartes.
3. **Garniture** : ornement.
4. **Parcimonie** : épargne, économie minutieuse.

20   Elle ne disait rien afin d'éviter les explications, les discussions et les querelles ; mais elle souffrait comme de coups d'aiguille à chaque nouvelle manifestation d'avarice de son mari. Cela lui semblait bas et odieux, à elle, élevée dans une famille où l'argent comptait pour rien. Combien souvent elle

25   avait entendu dire à petite mère : « Mais c'est fait pour être dépensé, l'argent. » Julien maintenant répétait : « Tu ne pourras donc jamais t'habituer à ne pas jeter l'argent par les fenêtres ? » Et chaque fois qu'il avait rogné[1] quelques sous sur un salaire ou une note, il prononçait, avec un sourire, en glis-

30   sant la monnaie dans sa poche : « Les petits ruisseaux font les grandes rivières. »

Et certains jours cependant Jeanne se reprenait à rêver. Elle s'arrêtait doucement de travailler et, les mains molles, le regard éteint, elle refaisait un de ses romans de petite fille,

35   partie en des aventures charmantes. Mais soudain, la voix de Julien qui donnait un ordre au père Simon l'arrachait à ce bercement de songerie ; et elle reprenait son patient ouvrage en se disant : « C'est fini, tout ça » ; et une larme tombait sur ses doigts qui poussaient l'aiguille.

40   Rosalie aussi, autrefois si gaie et toujours chantant, était changée. Ses joues rebondies avaient perdu leur vernis rouge, et, presque creuses maintenant, semblaient parfois frottées de terre.

Souvent Jeanne lui demandait : « Es-tu malade, ma fille ? »

45   La petite bonne répondait toujours : « Non, madame. » Un peu de sang lui montait aux pommettes et elle se sauvait bien vite.

---

1. Rogné : économisé petitement.

Au lieu de courir comme autrefois, elle traînait ses pieds avec peine et ne paraissait même plus coquette, n'achetait
50 plus rien aux marchands voyageurs qui lui montraient en vain leurs rubans de soie et leurs corsets et leurs parfumeries variées.

Et la grande maison avait l'air de sonner le creux, toute morne, avec sa face que les pluies maculaient de longues traî-
55 nées grises.

À la fin de janvier les neiges arrivèrent. On voyait de loin les gros nuages venir du nord au-dessus de la mer sombre ; et la blanche descente des flocons commença. En une nuit toute la plaine fut ensevelie, et les arbres apparurent au matin
60 drapés dans cette écume de glace.

Julien, chaussé de hautes bottes, l'air hirsute[1], passait son temps au fond du bosquet, embusqué[2] derrière le fossé donnant sur la lande, à guetter les oiseaux émigrants. De temps en temps un coup de fusil crevait le silence gelé des
65 champs ; et des bandes de corbeaux noirs effrayés s'envolaient des grands arbres en tournoyant.

Jeanne, succombant à l'ennui, descendait parfois sur le perron. Des bruits de vie venaient de fort loin répercutés sur la tranquillité dormante de cette nappe livide[3] et morne.

70 Puis elle n'entendait plus rien qu'une sorte de ronflement des flots éloignés et le glissement vague et continu de cette poussière d'eau gelée tombant toujours.

Et la couche de neige s'élevait sans cesse sous la chute infinie de cette mousse épaisse et légère.

---

1. Hirsute : qui a un aspect désordonné.
2. Embusqué : caché.
3. Livide : voir note 1, p. 123.

75 Par une de ces pâles matinées, Jeanne immobile chauffait ses pieds au feu de sa chambre, pendant que Rosalie, plus changée de jour en jour, faisait lentement le lit. Soudain elle entendit derrière elle un douloureux soupir. Sans tourner la tête, elle demanda : « Qu'est-ce que tu as donc ? »

80 La bonne, comme toujours, répondit : « Rien, Madame », mais sa voix semblait brisée, expirante.

Jeanne déjà songeait à autre chose quand elle remarqua qu'elle n'entendait plus remuer la jeune fille. Elle appela : « Rosalie ! » Rien ne bougea. Alors, la croyant sortie sans

85 bruit, elle cria plus fort : « Rosalie ! » et elle allait allonger le bras pour sonner quand un profond gémissement, poussé tout près d'elle, la fit se dresser avec un frisson d'angoisse.

La petite servante, livide, les yeux hagards[1], était assise par terre, les jambes allongées, le dos appuyé contre le bois

90 du lit.

Jeanne s'élança : « Qu'est-ce que tu as, qu'est-ce que tu as ? »

L'autre ne dit pas un mot, ne fit pas un geste ; elle fixait sur sa maîtresse un regard fou, et haletait, comme déchirée par une effroyable douleur. Puis, soudain, tendant tout son corps,

95 elle glissa sur le dos, étouffant entre ses dents serrées un cri de détresse.

Alors sous sa robe collée à ses cuisses ouvertes quelque chose remua. Et de là partit aussitôt un bruit singulier, un clapotement, un souffle de gorge étranglée qui suffoque ; puis

100 soudain ce fut un long miaulement de chat, une plainte frêle et déjà douloureuse, le premier appel de souffrance de l'enfant entrant dans la vie.

---

1. **Hagards** : égarés, affolés.

Jeanne brusquement comprit, et, la tête égarée, courut à l'escalier criant : « Julien, Julien ! »

105 Il répondit d'en bas : « Qu'est-ce que tu veux ? »

Elle eut grand-peine à prononcer : « C'est… c'est Rosalie qui… »

Julien s'élança, gravit les marches deux par deux, et, entrant brusquement dans la chambre, il releva d'un seul 110 coup les vêtements de la fillette et découvrit un affreux petit morceau de chair, plissé, geignant, crispé et tout gluant, qui s'agitait entre deux jambes nues.

Il se redressa, la face méchante, et, poussant dehors sa femme éperdue : « Ça ne te regarde pas. Va-t'en. Envoie-moi 115 Ludivine et le père Simon. »

Jeanne, toute tremblante, descendit à la cuisine, puis, n'osant plus remonter, elle entra dans le salon qui restait sans feu depuis le départ de ses parents, et elle attendit anxieusement des nouvelles.

120 Elle vit bientôt le domestique qui sortait en courant. Cinq minutes après il rentra avec la veuve Dentu, la sage-femme du pays.

Alors ce fut dans l'escalier un grand remuement comme si on portait un blessé ; et Julien vint dire à Jeanne qu'elle 125 pouvait remonter chez elle.

Elle tremblait comme si elle venait d'assister à quelque sinistre accident. Elle s'assit de nouveau devant son feu, puis demanda : « Comment va-t-elle ? »

Julien, préoccupé, nerveux, marchait à travers l'apparte-130 ment ; et une colère semblait le soulever. Il ne répondit point d'abord ; puis, au bout de quelques secondes, s'arrêtant : « Qu'est-ce que tu comptes faire de cette fille ? »

Elle ne comprenait pas et regardait son mari : « Comment ? Que veux-tu dire ? Je ne sais pas, moi. »

135 Et soudain il cria comme s'il s'emportait : « Nous ne pouvons pourtant pas garder un bâtard dans la maison ! »

Alors Jeanne demeura très perplexe ; puis, au bout d'un long silence : « Mais, mon ami, peut-être pourrait-on le mettre en nourrice ? »

140 Il ne la laissa pas achever : « Et qui est-ce qui payera ? Toi sans doute ? »

Elle réfléchit encore longtemps, cherchant une solution ; enfin elle dit : « Mais le père s'en chargera, de cet enfant ; et, s'il épouse Rosalie, il n'y a plus de difficultés. »

145 Julien, comme à bout de patience, et furieux, reprit : « Le père !... le père !... le connais-tu... le père ?... Non, n'est-ce pas ? Eh bien, alors ?... »

Jeanne, émue, s'animait : « Mais il ne laissera pas certainement cette fille ainsi. Ce serait un lâche ! nous demanderons son nom
150 et nous irons le trouver, lui, et il faudra bien qu'il s'explique. »

Julien s'était calmé et remis à marcher : « Ma chère, elle ne veut pas le dire, le nom de l'homme ; elle ne te l'avouera pas plus qu'à moi... et, s'il ne veut pas d'elle, lui ?... Nous ne pouvons pourtant pas garder sous notre toit une fille mère
155 avec son bâtard, comprends-tu ? »

Jeanne, obstinée, répétait : « Alors c'est un misérable, cet homme ; mais il faudra bien que nous le connaissions ; et, alors, il aura affaire à nous. »

Julien, devenu fort rouge, s'irritait encore : « Mais... en
160 attendant ? »

Elle ne savait que décider et lui demanda : « Qu'est-ce que tu proposes, toi ? »

Aussitôt il dit son avis : « Oh ! moi, c'est bien simple. Je lui donnerais quelque argent et je l'enverrais au diable avec son mioche. »

Mais la jeune femme, indignée, se révolta. « Quant à cela, jamais. C'est ma sœur de lait, cette fille ; nous avons grandi ensemble. Elle a fait une faute, tant pis ; mais je ne la jetterai pas dehors pour cela : et, s'il le faut, je l'élèverai, cet enfant. »

Alors Julien éclata : « Et nous aurons une propre réputation, nous autres, avec notre nom et nos relations ! Et on dira partout que nous protégeons le vice, que nous abritons des gueuses[1] ; et les gens honorables ne voudront plus mettre les pieds chez nous. Mais à quoi penses-tu, vraiment ? Tu es folle ! »

Elle était demeurée calme. « Je ne laisserai jamais jeter dehors Rosalie ; et si tu ne veux pas la garder, ma mère la reprendra ; et il faudra bien que nous finissions par connaître le nom du père de son enfant. »

Alors il sortit exaspéré, tapant la porte, et criant : « Les femmes sont stupides avec leurs idées ! »

Jeanne, dans l'après-midi, monta chez l'accouchée. La petite bonne, veillée par la veuve Dentu, restait immobile dans son lit, les yeux ouverts, tandis que la garde berçait en ses bras l'enfant nouveau-né.

Dès qu'elle aperçut sa maîtresse, Rosalie se mit à sangloter, cachant sa figure dans ses draps, toute secouée de désespoir. Jeanne la voulut embrasser, mais elle résistait, se voilant. Alors la garde intervint, lui découvrit le visage ; et elle se laissa faire, pleurant encore, mais doucement.

---

1. Gueuses : femmes de mauvaise vie.

Un maigre feu brûlait dans la cheminée ; il faisait froid ;
l'enfant pleurait. Jeanne n'osait point parler du petit de
crainte d'amener une autre crise ; et avait pris la main de sa
bonne, en répétant d'un ton machinal : « Ça ne sera rien, ça ne
195 sera rien. » La pauvre fille regardait à la dérobée[1] vers la garde,
tressaillait aux cris du marmot ; et un reste de chagrin l'étran-
glant jaillissait encore par moments en un sanglot convulsif,
tandis que des larmes rentrées faisaient un bruit d'eau dans sa
gorge.

200 Jeanne, encore une fois, l'embrassa, et, tout bas, lui
murmura dans l'oreille : « Nous en aurons bien soin, va, ma
fille. » Puis comme un nouvel accès de pleurs commençait,
elle se sauva bien vite.

Tous les jours elle y retourna, et tous les jours Rosalie écla-
205 tait en sanglots en apercevant sa maîtresse.

L'enfant fut mis en nourrice chez une voisine.

Julien cependant parlait à peine à sa femme, comme s'il eût
gardé contre elle une grosse colère depuis qu'elle avait refusé
de renvoyer la bonne. Un jour il revint sur ce sujet, mais
210 Jeanne tira de sa poche une lettre de la baronne demandant
qu'on lui envoyât immédiatement cette fille si on ne la
gardait pas aux Peuples. Julien, furieux, cria : « Ta mère est
aussi folle que toi. » Mais il n'insista plus.

Quinze jours après, l'accouchée pouvait déjà se lever et
215 reprendre son service.

Alors Jeanne, un matin, la fit asseoir, lui tint les mains et,
la traversant de son regard :

« Voyons, ma fille, dis-moi tout. »

---

1. À la dérobée : en cachette.

Rosalie se mit à trembler, et balbutia :

« Quoi, madame ? »

— À qui est-il, cet enfant ? »

Alors la petite bonne fut reprise d'un désespoir épouvantable ; et elle cherchait éperdument à dégager ses mains pour s'en cacher la figure.

Mais Jeanne l'embrassait malgré elle, la consolait : « C'est un malheur, que veux-tu, ma fille ? Tu as été faible ; mais ça arrive à bien d'autres. Si le père t'épouse, on n'y pensera plus ; et nous pourrons le prendre à notre service avec toi. »

Rosalie gémissait comme si on l'eût martyrisée, et de temps en temps donnait une secousse pour se dégager et s'enfuir.

Jeanne reprit : « Je comprends bien que tu aies honte ; mais tu vois que je ne me fâche pas, que je te parle doucement. Si je te demande le nom de l'homme, c'est pour ton bien, parce que je sens à ton chagrin qu'il t'abandonne, et que je veux empêcher cela. Julien ira le trouver, vois-tu, et nous le forcerons à t'épouser ; et comme nous vous garderons tous les deux, nous le forcerons bien aussi à te rendre heureuse. »

Cette fois Rosalie fit un effort si brusque qu'elle arracha ses mains de celles de sa maîtresse, et se sauva comme une folle.

Le soir, en dînant, Jeanne dit à Julien : « J'ai voulu décider Rosalie à me révéler le nom de son séducteur. Je n'ai pas pu y réussir. Essaye donc de ton côté pour que nous contraignions ce misérable à l'épouser. »

Mais Julien tout de suite se fâcha : « Ah ! tu sais, je ne veux pas entendre parler de cette histoire-là, moi. Tu as voulu garder cette fille, garde-la, mais ne m'embête plus à son sujet. »

Il semblait, depuis l'accouchement, d'une humeur plus
250 irritable encore; et il avait pris cette habitude de ne plus
parler à sa femme sans crier comme s'il eût été toujours
furieux, tandis qu'au contraire elle baissait la voix, se faisait
douce, conciliante pour éviter toute discussion; et souvent
elle pleurait, la nuit, dans son lit.

255 Malgré sa constante irritation, son mari avait repris des
habitudes d'amour oubliées depuis leur retour, et il était rare
qu'il passât trois soirs de suite sans franchir la porte conjugale.

Rosalie fut bientôt guérie entièrement et devint moins
triste, quoiqu'elle restât comme effarée, poursuivie par une
260 crainte inconnue.

Et elle se sauva deux fois encore, alors que Jeanne essayait
de l'interroger de nouveau.

Julien tout à coup parut aussi plus aimable; et la jeune
femme se rattachait à de vagues espoirs, retrouvait des gaietés,
265 bien qu'elle se sentît parfois souffrante de malaises singuliers
dont elle ne parlait point. Le dégel n'était pas venu et depuis
bientôt cinq semaines un ciel clair comme un cristal bleu, le
jour, et, la nuit, tout semé d'étoiles qu'on aurait crues de
givre, tant le vaste espace était rigoureux, s'étendait sur la
270 nappe unie, dure et luisante des neiges.

Les fermes, isolées dans leurs cours carrées, derrière leurs
rideaux de grands arbres poudrés de frimas[1], semblaient
endormies en leur chemise blanche. Ni hommes ni bêtes ne
sortaient plus; seules les cheminées des chaumières révélaient
275 la vie cachée par les minces filets de fumée qui montaient
droit dans l'air glacial.

---

1. Frimas : minuscules glaçons dus à un brouillard épais.

La plaine, les haies, les ormes[1] des clôtures, tout semblait mort, tué par le froid. De temps en temps, on entendait craquer les arbres, comme si leurs membres de bois se fussent brisés sous l'écorce ; et parfois une grosse branche se détachait et tombait. L'invincible gelée pétrifiant la sève et rompant les fibres.

Jeanne attendait anxieusement le retour des souffles tièdes, attribuant à la rigueur terrible du temps toutes les souffrances vagues qui la traversaient.

Tantôt elle ne pouvait plus rien manger, prise de dégoût devant toute nourriture ; tantôt son pouls battait follement ; tantôt ses faibles repas lui donnaient des écœurements d'indigestion ; et ses nerfs tendus, vibrant sans cesse, la faisaient vivre en une agitation constante et intolérable.

Un soir le thermomètre descendit encore et Julien tout frissonnant au sortir de table (car jamais la salle n'était chauffée à point, tant il économisait sur le bois), se frotta les mains en murmurant : « Il fera bon coucher deux cette nuit, n'est-ce pas, ma chatte ? »

Il riait de son rire bon enfant d'autrefois, et Jeanne lui sauta au cou ; mais elle se sentait justement si mal à l'aise, ce soir-là, si endolorie, si étrangement nerveuse qu'elle le pria, tout bas, en lui baisant les lèvres, de la laisser dormir seule. Elle lui dit, en quelques mots, son mal : « Je t'en prie, mon chéri ; je t'assure que je ne suis pas bien. Ça ira mieux demain, sans doute. »

Il n'insista pas : « Comme il te plaira, ma chère ; si tu es malade, il faut te soigner. »

Et on parla d'autre chose.

---

1. Ormes : voir note 1, p. 23.

305   Elle se coucha de bonne heure. Julien, par extraordinaire[1],
fit allumer du feu dans sa chambre particulière. Quand on lui
annonça que « ça flambait bien », il baisa sa femme au front et
s'en alla.

    La maison entière semblait travaillée par le froid ; les murs
310 pénétrés avaient des bruits légers comme des frissons ; et
Jeanne en son lit grelottait.

    Deux fois elle se releva pour remettre des bûches au foyer,
et chercher des robes, des jupes, des vieux vêtements qu'elle
amoncelait sur sa couche. Rien ne la pouvait réchauffer ; ses
315 pieds s'engourdissaient, tandis qu'en ses mollets et jusqu'en
ses cuisses des vibrations couraient qui la faisaient se retourner
sans cesse, s'agiter, s'énerver à l'excès.

    Bientôt ses dents claquèrent ; ses mains tremblèrent ; sa
poitrine se serrait ; son cœur lent battait de grands coups
320 sourds et semblait parfois s'arrêter ; et sa gorge haletait
comme si l'air n'y pouvait plus entrer.

    Une effroyable angoisse saisit son âme en même temps que
l'invincible froid l'envahissait jusqu'aux moelles. Jamais elle
n'avait éprouvé cela, elle ne s'était sentie abandonnée ainsi par
325 la vie, prête à exhaler son dernier souffle.

    Elle pensa : « Je vais mourir... Je meurs... »

    Et, frappée d'épouvante, elle sauta du lit, sonna Rosalie,
attendit, sonna de nouveau, attendit encore, frémissante
et glacée.

330   La petite bonne ne venait point. Elle dormait sans doute de
ce dur premier sommeil que rien ne brise ; et Jeanne, perdant
l'esprit, s'élança, pieds nus, dans l'escalier.

---

1. **Par extraordinaire** : extraordinairement.

Elle monta sans bruit, à tâtons, trouva la porte, l'ouvrit, appela « Rosalie ! », avança toujours, heurta le lit, promena ses mains dessus et reconnut qu'il était vide. Il était vide et tout froid, comme si personne n'y eût couché.

Surprise, elle se dit : « Comment ! elle est encore partie courir par un pareil temps ! »

Mais comme son cœur, devenu tout à coup tumultueux, bondissait, l'étouffait, elle redescendit, les jambes fléchissantes, afin de réveiller Julien.

Elle pénétra chez lui violemment, fouettée par cette conviction qu'elle allait mourir et par le désir de le voir avant de perdre connaissance.

À la lueur du feu agonisant, elle aperçut, à côté de la tête de son mari, la tête de Rosalie sur l'oreiller.

Au cri qu'elle poussa, ils se dressèrent tous les deux. Elle demeura une seconde immobile dans l'effarement de cette découverte. Puis elle s'enfuit, rentra dans sa chambre ; et comme Julien éperdu avait appelé « Jeanne ! », une peur atroce la saisit de le voir, d'entendre sa voix, de l'écouter s'expliquer, mentir, de rencontrer son regard face à face ; et elle se précipita de nouveau dans l'escalier qu'elle descendit.

Elle courait maintenant dans l'obscurité au risque de rouler le long des marches, de se casser les membres sur la pierre. Elle allait devant elle, poussée par un impérieux besoin de fuir, de ne plus apprendre rien, de ne plus voir personne.

Quand elle fut en bas, elle s'assit sur une marche, toujours en chemise et nu-pieds ; et elle demeurait là, l'esprit perdu.

Julien avait sauté du lit, s'habillait à la hâte. Elle se redressa pour se sauver de lui. Déjà il descendait aussi l'escalier, et il criait : « Écoute, Jeanne ! »

Non, elle ne voulait pas écouter ni se laisser toucher du bout des doigts ; et elle se jeta dans la salle à manger, courant comme 365 devant un assassin. Elle cherchait une issue, une cachette, un coin noir, un moyen de l'éviter. Elle se blottit sous la table. Mais déjà il ouvrait la porte, sa lumière à la main, répétant toujours : « Jeanne ! » et elle repartit comme un lièvre, s'élança dans la cuisine, en fit deux fois le tour à la façon d'une bête 370 acculée[1] ; et, comme il la rejoignait encore, elle ouvrit brusquement la porte du jardin et s'élança dans la campagne.

Le contact glacé de la neige où ses jambes nues entraient parfois jusqu'aux genoux lui donna soudain une énergie désespérée. Elle n'avait pas froid, bien que toute découverte ; 375 elle ne sentait plus rien tant la convulsion[2] de son âme avait engourdi son corps, et elle courait, blanche comme la terre.

Elle suivit la grande allée, traversa le bosquet, franchit le fossé et partit à travers la lande.

Pas de lune ; les étoiles luisaient comme une semaille[3] de 380 feu dans le noir du ciel ; mais la plaine était claire cependant, d'une blancheur terne, d'une immobilité figée, d'un silence infini.

Jeanne allait vite, sans souffler, sans savoir, sans réfléchir à rien. Et soudain elle se trouva au bord de la falaise. Elle s'ar-385 rêta net, par instinct, et s'accroupit, vidée de toute pensée et de toute volonté.

Dans le trou sombre devant elle la mer invisible et muette exhalait l'odeur salée de ses varechs[4] à marée basse.

---

1. Acculée : poussée dans un coin, dans une pièce sans issue.
2. Convulsion : bouleversement.
3. Semaille : grains semés.
4. Varechs : note 4, p. 23.

Elle demeura là longtemps, inerte d'esprit comme de
390 corps ; puis, tout à coup, elle se mit à trembler, mais à trembler follement comme une voile qu'agite le vent. Ses bras, ses
mains, ses pieds secoués par une force invincible palpitaient,
vibraient de sursauts précipités ; et la connaissance lui revint
brusquement, claire et poignante.

395 Puis des visions anciennes passèrent devant ses yeux ; cette
promenade avec lui dans le bateau du père Lastique, leur
causerie, son amour naissant, le baptême de la barque ; puis elle
remonta plus loin jusqu'à cette nuit bercée de rêves à son
arrivée aux Peuples. Et maintenant ! maintenant ! Oh ! sa vie
400 était cassée, toute joie finie, toute attente impossible ; et
l'épouvantable avenir plein de tortures, de trahisons et de
désespoir lui apparut. Autant mourir, ce serait fini tout de
suite.

Mais une voix criait au loin : « C'est ici, voilà ses pas ; vite,
405 vite par ici ! » C'était Julien qui la cherchait.

Oh ! elle ne le voulait pas revoir. Dans l'abîme, là, devant
elle, elle entendait maintenant un petit bruit, le vague glissement de la mer sur les roches.

Elle se dressa, toute soulevée déjà pour s'élancer et, jetant
410 à la vie l'adieu des désespérés, elle gémit le dernier mot des
mourants, le dernier mot des jeunes soldats éventrés dans les
batailles : « Maman ! »

Soudain la pensée de petite mère la traversa ; elle la vit
sanglotant ; elle vit son père à genoux devant son cadavre
415 broyé, elle eut en une seconde toute la souffrance de leur
désespoir.

Alors elle retomba mollement dans la neige ; et elle ne se
sauva plus quand Julien et le père Simon, suivis de Marius qui

tenait une lanterne, la saisirent par les bras pour la rejeter en
420   arrière, tant elle était près du bord.

Ils firent d'elle ce qu'ils voulurent, car elle ne pouvait plus
remuer. Elle sentit qu'on l'emportait, puis qu'on la mettait
dans un lit, puis qu'on la frictionnait avec des linges brûlants ;
puis tout s'effaça, toute connaissance disparut.

425   Puis un cauchemar – était-ce un cauchemar ? – l'ob-
séda. Elle était couchée dans sa chambre. Il faisait jour,
mais elle ne pouvait pas se lever. Pourquoi ? elle n'en
savait rien. Alors elle entendait un petit bruit sur le plancher, une sorte de grattement, de frôlement, et soudain
430   une souris, une petite souris grise passait vivement sur
son drap. Une autre aussitôt la suivait, puis une troisième
qui s'avançait vers la poitrine, de son trot vif et menu.
Jeanne n'avait pas peur ; mais elle voulut prendre la bête
et lança sa main, sans y parvenir.

435   Alors d'autres souris, dix, vingt, des centaines, des milliers
surgirent de tous les côtés. Elles grimpaient aux colonnes,
filaient sur les tapisseries, couvraient la couche tout entière.
Et bientôt elles pénétrèrent sous les couvertures ; Jeanne les
sentait glisser sur sa peau, chatouiller ses jambes, descendre
440   et monter le long de son corps. Elle les voyait venir du pied
du lit pour pénétrer dedans contre sa gorge ; et elle se débattait, jetait ses mains en avant pour en saisir une et les refermait toujours vides.

Elle s'exaspérait, voulait fuir, criait, et il lui semblait qu'on
445   la tenait immobile, que des bras vigoureux l'enlaçaient et la
paralysaient ; mais elle ne voyait personne.

Elle n'avait point la notion du temps. Cela dut être long,
très long.

Puis elle eut un réveil, un réveil las, meurtri, doux cependant. Elle se sentait faible, faible. Elle ouvrit les yeux, et ne s'étonna pas de voir petite mère assise dans sa chambre, avec un gros homme qu'elle ne connaissait point.

Quel âge avait-elle ? elle n'en savait rien et se croyait toute petite fille. Elle n'avait, non plus, aucun souvenir.

Le gros homme dit : « Tenez, la connaissance revient. » Et petite mère se mit à pleurer. Alors le gros homme reprit : « Voyons, soyez calme, madame la baronne, je vous dis que j'en réponds maintenant. Mais ne lui parlez de rien, de rien. Qu'elle dorme. »

Et il sembla à Jeanne qu'elle vivait encore très longtemps assoupie, reprise par un pesant sommeil dès qu'elle essayait de penser ; et elle n'essayait pas non plus de se rappeler quoi que ce soit, comme si, vaguement, elle avait eu peur de la réalité reparue en sa tête.

Or, une fois, comme elle s'éveillait, elle aperçut Julien, seul près d'elle ; et brusquement, tout lui revint, comme si un rideau se fût levé qui cachait sa vie passée.

Elle eut au cœur une douleur horrible et voulut fuir encore. Elle rejeta ses draps, sauta par terre et tomba, ses jambes ne la pouvant plus porter.

Julien s'élança vers elle ; et elle se mit à hurler pour qu'il ne la touchât point. Elle se tordait, se roulait. La porte s'ouvrit. Tante Lison accourait avec la veuve Dentu, puis le baron, puis enfin petite mère arriva soufflant, éperdue.

On la recoucha ; et aussitôt elle ferma les yeux sournoisement[1] pour ne point parler et pour réfléchir à son aise.

---

1. Sournoisement : en cachant ses véritables intentions.

Sa mère et sa tante la soignaient, s'empressaient, l'interro-geaient : « Nous entends-tu maintenant, Jeanne, ma petite Jeanne ? »

480   Elle faisait la sourde, ne répondait pas ; et elle s'aperçut très bien de la journée finie. La nuit vint. La garde s'installa près d'elle, et la faisait boire de temps en temps.

Elle buvait sans rien dire, mais elle ne dormait plus ; elle raisonnait péniblement cherchant des choses qui lui échap-
485   paient, comme si elle avait eu des trous dans sa mémoire, de grandes places blanches et vides où les événements ne s'étaient point marqués.

Peu à peu, après de longs efforts, elle retrouva tous les faits. Et elle y réfléchit avec une obstination fixe.

490   Petite mère, tante Lison et le baron étaient venus, donc elle avait été très malade. Mais Julien ? Qu'avait-il dit ? Ses parents savaient-ils ? Et Rosalie ? où était-elle ? Et puis que faire ? que faire ? Une idée l'illumina – retourner avec père et petite mère, à Rouen, comme autrefois. Elle serait veuve ; voilà tout.

495   Alors elle attendit, écoutant ce qu'on disait autour d'elle, comprenant fort bien sans le laisser voir, jouissant de ce retour de raison, patiente et rusée.

Le soir, enfin, elle se trouva seule avec la baronne et elle appela, tout bas : « Petite mère ! » Sa propre voix l'étonna, lui
500   parut changée. La baronne lui saisit les mains : « Ma fille, ma Jeanne chérie ! ma fille, tu me reconnais ? »

– Oui, petite mère, mais il ne faut point pleurer ; nous avons à causer longtemps. Julien t'a-t-il dit pourquoi je me suis sauvée dans la neige ?

505   – Oui, ma mignonne, tu as eu une grosse fièvre très dangereuse.

— Ce n'est pas ça, maman. J'ai eu la fièvre après ; mais t'a-t-il dit qui me l'a donnée, cette fièvre, et pourquoi je me suis sauvée ?

510 — Non, ma chérie.

— C'est parce que j'ai trouvé Rosalie dans son lit. »

La baronne crut qu'elle délirait encore, la caressa. « Dors, ma mignonne, calme-toi, essaye de dormir. »

Mais Jeanne, obstinée, reprit : « J'ai toute ma raison main-
515 tenant, petite maman, je ne dis pas de folies comme j'ai dû en dire les jours derniers. Je me sentais malade une nuit, alors j'ai été chercher Julien. Rosalie était couchée avec lui. J'ai perdu la tête de chagrin et je me suis sauvée dans la neige pour me jeter à la falaise. »

520 Mais la baronne répétait : « Oui, ma mignonne, tu as été bien malade, bien malade.

— Ce n'est pas ça, maman, j'ai trouvé Rosalie dans le lit de Julien, et je ne veux plus rester avec lui. Tu m'emmèneras à Rouen, comme autrefois. »

525 La baronne, à qui le médecin avait recommandé de ne contrarier Jeanne en rien, répondit : « Oui, ma mignonne. »

Mais la malade s'impatienta : « Je vois bien que tu ne me crois pas. Va chercher petit père, lui, il finira bien par me comprendre. »

530 Et petite mère se leva difficilement, prit ses deux cannes, sortit en traînant ses pieds, puis revint après quelques minutes avec le baron qui la soutenait.

Ils s'assirent devant le lit et Jeanne aussitôt commença. Elle dit tout, doucement, d'une voix faible, avec clarté : le carac-
535 tère bizarre de Julien, ses duretés, son avarice, et enfin son infidélité.

Quand elle eut fini, le baron vit bien qu'elle ne divaguait[1] pas, mais il ne savait que penser, que résoudre et que répondre.

Il lui prit la main, d'une façon tendre, comme autrefois quand il l'endormait avec des histoires. « Écoute, ma chérie, il faut agir avec prudence. Ne brusquons rien ; tâche de supporter ton mari jusqu'au moment où nous aurons pris une résolution… Tu me le promets ? » Elle murmura : « Je veux bien, mais je ne resterai pas ici quand je serai guérie. »

Puis, tout bas, elle ajouta : « Où est Rosalie maintenant ? »

Le baron reprit : « Tu ne la verras plus. » Mais elle s'obstinait. « Où est-elle ? je veux savoir. » Alors il avoua qu'elle n'avait point quitté la maison ; mais il affirma qu'elle allait partir.

En sortant de chez la malade, le baron, tout chauffé par la colère, blessé dans son cœur de père, alla trouver Julien, et, brusquement : « Monsieur, je viens vous demander compte de votre conduite vis-à-vis de ma fille. Vous l'avez trompée avec votre servante ; cela est doublement indigne. »

Mais Julien joua l'innocent, nia avec passion, jura, prit Dieu à témoin. Quelle preuve avait-on d'ailleurs ? Est-ce que Jeanne n'était pas folle ? ne venait-elle pas d'avoir une fièvre cérébrale[2] ? ne s'était-elle pas sauvée par la neige, une nuit, dans un accès de délire, au début de sa maladie ? Et c'est justement au milieu de cet accès[3], alors qu'elle courait presque nue par la maison, qu'elle prétendait avoir vu sa bonne dans le lit de son mari !

---

1. Divaguait : déraisonnait.
2. Fièvre cérébrale : fièvre intense avec du délire.
3. Accès : crise.

Et il s'emportait ; il menaça d'un procès ; il s'indignait avec véhémence[1]. Et le baron, confus, fit des excuses, demanda pardon, et tendit sa main loyale que Julien refusa de prendre.

Quand Jeanne connut la réponse de son mari, elle ne se fâcha point et répondit : « Il ment, papa, mais nous finirons par le convaincre. »

Et pendant deux jours elle fut taciturne[2], recueillie, méditant.

Puis, le troisième matin, elle voulut voir Rosalie. Le baron refusa de faire monter la bonne, déclara qu'elle était partie. Jeanne ne céda point, répétant : « Alors qu'on aille la chercher chez elle. »

Et déjà elle s'irritait quand le docteur entra. On lui dit tout pour qu'il jugeât. Mais Jeanne soudain se mit à pleurer, énervée outre mesure, criant presque : « Je veux voir Rosalie : je veux la voir ! »

Alors le médecin lui prit la main, et, à voix basse : « Calmez-vous, Madame ; toute émotion pourrait devenir grave ; car vous êtes enceinte. »

Elle demeura saisie, comme frappée d'un coup, et il lui sembla tout de suite que quelque chose remuait en elle. Puis elle resta silencieuse, n'écoutant pas même ce qu'on disait, s'enfonçant en sa pensée. Elle ne put dormir de la nuit, tenue en éveil par cette idée nouvelle et singulière qu'un enfant vivait là, dans son ventre ; et triste, peinée qu'il fût le fils de Julien ; inquiète, craignant qu'il ne ressemblât à son père. Au jour venu, elle fit appeler le baron. « Petit père, ma résolution

---

1. **Véhémence** : violence.
2. **Taciturne** : silencieuse.

590 est bien prise ; je veux tout savoir, surtout maintenant ; tu entends, je veux ; et tu sais qu'il ne faut pas me contrarier dans la situation où je suis. Écoute bien. Tu vas aller chercher M. le curé. J'ai besoin de lui pour empêcher Rosalie de mentir ; puis, dès qu'il sera venu, tu la feras monter et tu
595 resteras là avec petite mère. Surtout veille à ce que Julien n'ait pas de soupçons. »

Une heure plus tard le prêtre entrait, engraissé encore, soufflant autant que petite mère. Il s'assit auprès d'elle dans un fauteuil, le ventre tombant entre ses jambes ouvertes ; et
600 il commença par plaisanter, en passant par habitude son mouchoir à carreaux sur son front : « Eh bien, madame la baronne, je crois que nous ne maigrissons pas ; m'est avis que nous faisons la paire. » Puis, se tournant vers le lit de la malade : « Hé ! hé ! qu'est-ce qu'on m'a dit, ma jeune
605 dame, que nous aurions bientôt un nouveau baptême ? Ah ! ah ! ah ! pas d'une barque, cette fois. » Et il ajouta d'un ton grave : « Ce sera un défenseur pour la patrie », puis, après une courte réflexion : « À moins que ce ne soit une bonne mère de famille » ; et, saluant la baronne, « comme vous,
610 madame ».

Mais la porte du fond s'ouvrit. Rosalie, éperdue, larmoyant, refusait d'entrer, cramponnée à l'encadrement, et poussée par le baron. Impatienté, il la jeta d'une secousse dans la chambre. Alors elle se couvrit la face de ses mains et resta debout,
615 sanglotant.

Jeanne, dès qu'elle l'aperçut, se dressa brusquement, s'assit, plus pâle que ses draps ; et son cœur affolé soulevait de ses battements la mince chemise collée à sa peau. Elle ne pouvait parler, respirant à peine, suffoquée. Enfin, elle prononça d'une voix coupée par l'émotion : « Je... je... n'aurai pas... pas besoin... de t'interroger. Il... il me suffit de te voir ainsi... de... de voir ta... ta honte devant moi. »

Après une pause, car le souffle lui manquait, elle reprit : « Mais je veux tout savoir, tout... tout. J'ai fait venir M. le curé pour que ce soit comme une confession, tu entends. »

Immobile, Rosalie poussait presque des cris entre ses mains crispées.

Le baron, que la colère gagnait, lui saisit les bras, les écarta violemment, et, la jetant à genoux près du lit : « Parle donc... Réponds. »

Elle resta par terre, dans la posture qu'on prête aux Madeleines[1], le bonnet de travers, le tablier sur le parquet, le visage voilé de nouveau de ses mains redevenues libres.

Alors le curé lui parla : « Allons, ma fille, écoute ce qu'on te dit, et réponds. Nous ne voulons pas te faire de mal ; mais on veut savoir ce qui s'est passé. »

Jeanne, penchée au bord de sa couche, la regardait. Elle dit : « C'est bien vrai que tu étais dans le lit de Julien quand je vous ai surpris. »

Rosalie, à travers ses mains, gémit : « Oui, madame. »

Alors, brusquement, la baronne se mit à pleurer aussi avec un gros bruit de suffocation ; et ses sanglots convulsifs accompagnaient ceux de Rosalie.

Jeanne, les yeux droit sur la bonne, demanda :

« Depuis quand cela durait-il ? »

Rosalie balbutia : « Depuis qu'il est v'nu. »

---

1. Madeleines : pécheresses repentantes. Dans la Bible, Marie-Madeleine fut pardonnée par Jésus.

Jeanne ne comprenait pas. «Depuis qu'il est venu... Alors... depuis... depuis le printemps?

— Oui, Madame.

650 — Depuis qu'il est entré dans cette maison?

— Oui, Madame.»

Et Jeanne, comme oppressée de questions, interrogea d'une voix précipitée:

«Mais comment cela s'est-il fait? Comment te l'a-t-il

655 demandé? Comment t'a-t-il prise? Qu'est-ce qu'il t'a dit? À quel moment, comment as-tu cédé? comment as-tu pu te donner à lui?»

Et Rosalie, écartant ses mains cette fois, saisie aussi d'une fièvre de parler, d'un besoin de répondre:

660 «J'sais ti mé?[1] C'est le jour qu'il a dîné ici la première fois, qu'il est v'nu m'trouver dans ma chambre. Il s'était caché dans l'grenier. J'ai pas osé crier pour pas faire d'histoire. Il s'est couché avec mé; j'savais pu c'que j'faisais à çu moment-là; il a fait c'qu'il a voulu. J'ai rien dit parce que je le trouvais

665 gentil!...»

Alors Jeanne poussant un cri:

«Mais... ton... ton enfant... c'est à lui?...»

Rosalie sanglota.

«Oui, Madame.»

670 Puis toutes deux se turent.

On n'entendait plus que le bruit des larmes de Rosalie et de la baronne.

---

1. J'sais ti mé: est-ce que je sais moi?

Jeanne accablée sentit à son tour ses yeux ruisselants ; et les gouttes sans bruit coulèrent sur ses joues.

675 L'enfant de sa bonne avait le même père que le sien ! Sa colère était tombée. Elle se sentait maintenant toute pénétrée d'un désespoir morne, lent, profond, infini.

Elle reprit enfin d'une voix changée, mouillée, d'une voix de femme qui pleure :

680 « Quand nous sommes revenus de… là-bas… du voyage… quand est-ce qu'il a recommencé ? »

La petite bonne, tout à fait écroulée par terre, balbutia : « Le… le premier soir il est v'nu. »

Chaque parole tordait le cœur de Jeanne. Ainsi, le premier 685 soir, le soir du retour aux Peuples, il l'avait quittée pour cette fille. Voilà pourquoi il la laissait dormir seule !

Elle en savait assez, maintenant, elle ne voulait plus rien apprendre ; elle cria : « Va-t'en, va-t'en ! » Et comme Rosalie ne bougeait point, anéantie, Jeanne appela son père : 690 « Emmène-la, emporte-la. » Mais le curé, qui n'avait encore rien dit, jugea le moment venu de placer un petit sermon[1].

« C'est très mal, ce que tu as fait là, ma fille, très mal ; et le bon Dieu ne te pardonnera pas de sitôt. Pense à l'enfer qui t'attend si tu ne gardes pas désormais une bonne conduite. 695 Maintenant que tu as un enfant, il faut que tu te ranges. Madame la baronne fera sans doute quelque chose pour toi, et nous te trouverons un mari… »

Il aurait longtemps parlé, mais le baron, ayant de nouveau saisi Rosalie par les épaules, la souleva, la traîna jusqu'à la 700 porte, et la jeta, comme un paquet, dans le couloir.

---

1. Sermon : discours d'un prédicateur au ton moralisateur.

Dès qu'il fut revenu, plus pâle que sa fille, le curé reprit la parole : « Que voulez-vous ? elles sont toutes comme ça dans le pays. C'est une désolation, mais on n'y peut rien, et il faut bien un peu d'indulgence pour les faiblesses de la nature. Elles
705 ne se marient jamais sans être enceintes, jamais, Madame. » Et il ajouta, souriant : « On dirait une coutume locale. » Puis d'un ton indigné : « Jusqu'aux enfants qui s'en mêlent ! N'ai-je pas trouvé l'an dernier, dans le cimetière, deux petits du catéchisme, le garçon et la fille ! J'ai prévenu les parents !
710 Savez-vous ce qu'ils m'ont répondu ? "Qu'voulez-vous, monsieur l'curé, c'est pas nous qui leur avons appris ces saletés-là, j'y pouvons rien." – Voilà, Monsieur, votre bonne a fait comme les autres. »

Mais le baron, qui tremblait d'énervement, l'interrompit :
715 « Elle ? que m'importe ! mais c'est Julien qui m'indigne. C'est infâme ce qu'il a fait là, et je vais emmener ma fille. »

Et il marchait s'animant toujours, exaspéré : « C'est infâme d'avoir ainsi trahi ma fille, infâme ! C'est un gueux, cet homme, une canaille, un misérable ; et je le lui dirai, je le
720 souffletterai[1], je le tuerai sous ma canne ! »

Mais le prêtre, qui absorbait lentement une prise de tabac[2] à côté de la baronne en larmes, et qui cherchait à accomplir son ministère[3] d'apaisement, reprit : « Voyons, monsieur le baron, entre nous il a fait comme tout le monde. En
725 connaissez-vous beaucoup, des maris qui soient fidèles ? » Et il ajouta, avec une bonhomie malicieuse : « Tenez, je parie que vous-même, vous avez fait vos farces. Voyons, la main sur la

---

1. Souffletterai : giflerai.
2. Prise de tabac : tabac qu'on aspire par le nez.
3. Ministère : fonctions sacerdotales du prêtre, religieuses.

conscience, est-ce vrai ? » Le baron s'était arrêté, saisi, en face
du prêtre qui continua : « Eh ! oui, vous avez fait comme les
730 autres. Qui sait même si vous n'avez jamais tâté d'une petite
bobonne comme celle-là. Je vous dis que tout le monde en fait
autant. Votre femme n'en a pas été moins heureuse ni moins
aimée, n'est-ce pas ? »

Le baron ne remuait plus, bouleversé.

735 C'était vrai, parbleu[1], qu'il en avait fait autant, et souvent
encore, toutes les fois qu'il avait pu ; et il n'avait pas respecté
non plus le toit conjugal ; et, quand elles étaient jolies, il
n'avait jamais hésité devant les servantes de sa femme !
Était-il pour cela un misérable ? Pourquoi jugeait-il si sévè-
740 rement la conduite de Julien alors qu'il n'avait jamais même
songé que la sienne pût être coupable ?

Et la baronne, tout essoufflée encore de sanglots, eut sur les
lèvres une ombre de sourire au souvenir des fredaines[2] de son
mari, car elle était de cette race sentimentale, vite attendrie,
745 et bienveillante, pour qui les aventures d'amour font partie de
l'existence.

Jeanne, affaissée, les yeux ouverts devant elle, allongée sur
le dos et les bras inertes, songeait douloureusement. Une
parole de Rosalie lui était revenue qui lui blessait l'âme, et
750 pénétrait comme une vrille en son cœur : « Moi, j'ai rien dit
parce que je le trouvais gentil. »

Elle aussi l'avait trouvé gentil ; et c'est uniquement pour
cela qu'elle s'était donnée, liée pour la vie, qu'elle avait
renoncé à toute autre espérance, à tous les projets entrevus,

---

1. Parbleu : bien sûr.
2. Fredaines : écarts de conduite.

755 à tout l'inconnu de demain. Elle était tombée dans ce
mariage, dans ce trou sans bords pour remonter dans cette
misère, dans cette tristesse, dans ce désespoir, parce que,
comme Rosalie, elle l'avait trouvé gentil !

La porte s'ouvrit d'une poussée furieuse. Julien parut, l'air
760 féroce. Il avait aperçu, dans l'escalier, Rosalie gémissant et il
venait savoir, comprenant qu'on tramait quelque chose, que
la bonne avait parlé sans doute. La vue du prêtre le cloua sur
place.

Il demanda d'une voix tremblante, mais calme : « Quoi ?
765 qu'y a-t-il ? » Le baron, si violent tout à l'heure, n'osait rien
dire, craignant l'argument du curé et son propre exemple
invoqué par son gendre. Petite mère larmoyait plus fort ; mais
Jeanne s'était soulevée sur ses mains, et elle regardait, haletante, celui qui la faisait si cruellement souffrir. Elle balbutia :
770 « Il y a que nous n'ignorons plus rien, que nous savons toutes
vos infamies depuis… depuis le jour où vous êtes entré dans
cette maison… il y a que l'enfant de cette bonne est à vous
comme… comme… le mien… ils seront frères… » Et, une
surabondance de douleur lui étant venue à cette pensée, elle
775 s'affaissa dans ses draps et pleura frénétiquement.

Il restait béant[1], ne sachant que dire ni que faire. Le curé
intervint encore.

« Voyons, voyons, ne nous chagrinons pas tant que ça, ma
jeune dame, soyez raisonnable. » Il se leva, s'approcha du lit,
780 et posa sa main tiède sur le front de cette désespérée. Ce
simple contact l'amollit étrangement ; elle se sentit aussitôt
alanguie, comme si cette forte main de rustre habituée aux

---

1. Béant : frappé de stupeur.

gestes qui absolvent[1], aux caresses réconfortantes, lui eût apporté dans son toucher un apaisement mystérieux.

785 Le bonhomme, demeuré debout, reprit : « Madame, il faut toujours pardonner. Voilà un grand malheur qui vous arrive ; mais Dieu, dans sa miséricorde[2], l'a compensé par un grand bonheur, puisque vous allez être mère. Cet enfant sera votre consolation. C'est en son nom que je vous implore, que je vous 790 adjure[3] de pardonner l'erreur de M. Julien. Ce sera un lien nouveau entre vous, un gage de sa fidélité future. Pouvez-vous rester séparée de cœur de celui dont vous portez l'œuvre dans votre flanc ? »

Elle ne répondait point, broyée, endolorie, épuisée mainte-795 nant, sans force même pour la colère et la rancune. Ses nerfs lui semblaient lâchés, coupés doucement, elle ne vivait plus qu'à peine.

La baronne, pour qui tout ressentiment semblait impossible, et dont l'âme était incapable d'un effort prolongé, 800 murmura : « Voyons, Jeanne. »

Alors le prêtre prit la main du jeune homme et, l'attirant près du lit, la posa dans la main de sa femme. Il appliqua dessus une petite tape comme pour les unir d'une façon définitive ; et, quittant son ton prêcheur et professionnel, il dit, 805 d'un air content : « Allons, c'est fait : croyez-moi, ça vaut mieux. »

Puis les deux mains, rapprochées un moment, se séparèrent aussitôt. Julien, n'osant embrasser Jeanne, baisa sa belle-mère au front, pivota sur ses talons, prit le bras du baron qui se

---

1. Absolvent : pardonnent les péchés.
2. Miséricorde : bonté par laquelle Dieu fait grâce aux pécheurs.
3. Je vous adjure : je vous demande au nom de Dieu.

810 laissa faire, heureux au fond que la chose fût arrangée ainsi ; et ils sortirent ensemble pour fumer un cigare.

Alors la malade anéantie s'assoupit pendant que le prêtre et petite mère causaient doucement à voix basse.

L'abbé parlait, expliquant, développant ses idées ; et la 815 baronne consentait toujours d'un signe de tête. Il dit enfin, pour conclure : « Donc, c'est entendu, vous donnez à cette fille la ferme de Barville, et je me charge de lui trouver un mari, un brave garçon rangé. Oh ! avec un bien de vingt mille francs, nous ne manquerons pas d'amateurs. Nous n'aurons 820 que l'embarras du choix. »

Et la baronne souriait maintenant, heureuse, avec deux larmes restées en route sur ses joues, mais dont la traînée humide était déjà séchée.

Elle insistait : « C'est entendu, Barville vaut, au bas mot, 825 vingt mille francs ; mais on placera le bien sur la tête de l'enfant ; les parents en auront la jouissance pendant leur vie. »

Et le curé se leva, serra la main de petite mère : « Ne vous dérangez point, madame la baronne, ne vous dérangez point ; je sais ce que vaut un pas. »

830 Comme il sortait, il rencontra tante Lison qui venait voir sa malade. Elle ne s'aperçut de rien ; on ne lui dit rien ; et elle ne sut rien, comme toujours.

VIII

Rosalie avait quitté la maison et Jeanne accomplissait la période de sa grossesse douloureuse. Elle ne se sentait au cœur aucun plaisir à se savoir mère, trop de chagrins l'avaient accablée. Elle attendait son enfant sans curiosité, courbée encore sous des appréhensions de malheurs indéfinis.

Le printemps était venu tout doucement. Les arbres nus frémissaient sous la brise encore fraîche, mais dans l'herbe humide des fossés, où pourrissaient les feuilles de l'automne, les primevères jaunes commençaient à se montrer. De toute la plaine, des cours de ferme, des champs détrempés, s'élevait une senteur d'humidité, comme un goût de fermentation. Et une foule de petites pointes vertes sortait de la terre brune et luisait aux rayons du soleil.

Une grosse femme, bâtie en forteresse, remplaçait Rosalie et soutenait la baronne dans ses promenades monotones tout le long de son allée, où la trace de son pied lourd restait sans cesse humide et boueuse.

Petit père donnait le bras à Jeanne, alourdie maintenant et toujours souffrante ; et tante Lison inquiète, affairée de l'événement prochain, lui tenait la main de l'autre côté, toute troublée de ce mystère qu'elle ne devait jamais connaître.

Ils allaient tous ainsi sans guère parler, pendant des heures, tandis que Julien parcourait le pays à cheval, ce goût nouveau l'ayant envahi subitement.

Rien ne vint plus troubler leur vie morne. Le baron, sa
25 femme et le vicomte firent une visite aux Fourville que
Julien semblait déjà connaître beaucoup, sans qu'on s'expli-
quât au juste comment. Une autre visite de cérémonie fut
échangée avec les Briseville, toujours cachés en leur manoir
dormant.

30 Un après-midi, vers quatre heures, comme deux cavaliers,
l'homme et la femme, entraient au trot dans la cour précédant
le château, Julien, très animé, pénétra dans la chambre de
Jeanne. « Vite, vite, descends. Voici les Fourville. Ils viennent
en voisins, tout simplement, sachant ton état. Dis que je suis
35 sorti, mais que je vais rentrer. Je fais un bout de toilette. »

Jeanne, étonnée, descendit. Une jeune femme pâle, jolie,
avec une figure douloureuse, des yeux exaltés, et des cheveux
d'un blond mat comme s'ils n'avaient jamais été caressés d'un
rayon de soleil présenta tranquillement son mari, une sorte de
40 géant, de croquemitaine à grandes moustaches rousses. Puis
elle ajouta : « Nous avons eu plusieurs fois l'occasion de
rencontrer M. de Lamare. Nous savons par lui combien vous
êtes souffrante ; et nous n'avons pas voulu tarder davantage à
venir vous voir en voisins, sans cérémonie du tout. Vous le
45 voyez, d'ailleurs, nous sommes à cheval. J'ai eu, en outre,
l'autre jour, le plaisir de recevoir la visite de madame votre
mère et du baron. »

Elle parlait avec une aisance infinie, familière et distinguée.
Jeanne fut séduite et l'adora tout de suite. « Voici une amie »,
50 pensa-t-elle.

Le comte de Fourville, au contraire, semblait un ours entré
dans un salon. Quand il fut assis, il posa son chapeau sur la
chaise voisine, hésita quelque temps sur ce qu'il ferait de ses

mains, les appuya sur ses genoux, sur les bras de son fauteuil,
55 puis enfin croisa les doigts comme pour une prière.

Tout à coup Julien entra. Jeanne stupéfaite ne le reconnaissait plus. Il s'était rasé. Il était beau, élégant et séduisant comme aux jours de leurs fiançailles. Il serra la patte velue du comte qui sembla réveillé par sa venue, et baisa la main de la
60 comtesse dont la joue d'ivoire rosit un peu, et dont les paupières eurent un tressaillement.

Il parla. Il fut aimable comme autrefois. Ses larges yeux, miroirs d'amour, étaient redevenus caressants ; et ses cheveux, tout à l'heure ternes et durs, avaient repris soudain sous la
65 brosse et l'huile parfumée leurs molles et luisantes ondulations.

Au moment où les Fourville repartaient, la comtesse se tourna vers lui : « Voulez-vous, mon cher vicomte, faire jeudi une promenade à cheval ? »

Puis, pendant qu'il s'inclinait, en murmurant : « Mais
70 certainement, madame », elle prit la main de Jeanne et, d'une voix tendre et pénétrante, avec un sourire affectueux : « Oh ! quand vous serez guérie, nous galoperons tous les trois par le pays. Ce sera délicieux ; voulez-vous ? »

D'un geste aisé elle releva la queue de son amazone[1] ; puis
75 elle fut en selle avec une légèreté d'oiseau, tandis que son mari, après avoir gauchement salué, enfourchait sa grande bête normande, d'aplomb là-dessus comme un centaure[2].

Quand ils eurent disparu au tournant de la barrière, Julien, qui semblait enchanté, s'écria : « Quelles charmantes gens !
80 Voilà une connaissance qui nous sera utile. »

---

1. **Amazone** : veste et jupe longue et ample que portaient les femmes pour monter à cheval.
2. **Centaure** : être mythologique moitié homme et moitié cheval.

Jeanne, contente aussi sans savoir pourquoi, répondit : « La petite comtesse est ravissante, je sens que je l'aimerai ; mais le mari a l'air d'une brute. Où les as-tu donc connus ? »

Il se frottait gaiement les mains : « Je les ai rencontrés par hasard chez les Briseville. Le mari semble un peu rude. C'est un chasseur enragé, mais un vrai noble, celui-là. »

Et le dîner fut presque joyeux, comme si un bonheur caché était entré dans la maison.

Et rien de nouveau n'arriva plus jusqu'aux derniers jours de juillet.

Un mardi soir, comme ils étaient assis sous le platane, autour d'une table de bois qui portait deux petits verres et un carafon[1] d'eau-de-vie, Jeanne soudain poussa une sorte de cri, et, devenant très pâle, porta les deux mains à son flanc. Une douleur rapide, aiguë, l'avait brusquement parcourue, puis s'était éteinte aussitôt.

Mais, au bout de dix minutes, une autre douleur la traversa, qui fut plus longue, bien que moins vive. Elle eut grand-peine à rentrer, presque portée par son père et son mari. Le court trajet du platane à sa chambre lui parut interminable ; et elle geignait involontairement, demandant à s'asseoir, à s'arrêter, accablée par une sensation intolérable de pesanteur dans le ventre.

Elle n'était pas à terme[2], l'enfantement n'étant prévu que pour septembre ; mais, comme on craignait un accident, une carriole fut attelée, et le père Simon partit au galop pour chercher le médecin.

---

1. Carafon : petite carafe, bouteille.
2. Elle n'était pas à terme : elle n'était pas près d'accoucher.

Il arriva vers minuit, et, du premier coup d'œil, reconnut les symptômes d'un accouchement prématuré.

Dans le lit les souffrances s'étaient un peu apaisées, mais une angoisse affreuse étreignait Jeanne, une défaillance désespérée de tout son être, quelque chose comme le pressentiment, le toucher mystérieux de la mort. Il est de ces moments où elle nous effleure de si près que son souffle nous glace le cœur.

La chambre était pleine de monde. Petite mère suffoquait, affaissée dans un fauteuil. Le baron, dont les mains tremblaient, courait de tous côtés, apportait des objets, consultait le médecin, perdait la tête. Julien marchait de long en large, la mine affairée, mais l'esprit calme ; et la veuve Dentu se tenait debout aux pieds du lit avec un visage de circonstance, un visage de femme d'expérience que rien n'étonne. Garde-malade, sage-femme et veilleuse des morts, recevant ceux qui viennent, recueillant leur premier cri, lavant de la première eau leur chair nouvelle, la roulant dans le premier linge, puis écoutant avec la même quiétude[1] la dernière parole, le dernier râle, le dernier frisson de ceux qui partent, faisant aussi leur dernière toilette, épongeant avec du vinaigre leur corps usé, l'enveloppant du dernier drap, elle s'était fait une indifférence inébranlable à tous les accidents de la naissance ou de la mort.

La cuisinière Ludivine et tante Lison restaient discrètement cachées contre la porte du vestibule.

Et la malade, de temps en temps, poussait une faible plainte.

Pendant deux heures, on put croire que l'événement se ferait longtemps attendre ; mais vers le point du jour,

---

1. Quiétude : tranquillité.

les douleurs reprirent tout à coup avec violence, et devinrent bientôt épouvantables.

Et Jeanne, dont les cris involontaires jaillissaient entre ses dents serrées, pensait sans cesse à Rosalie qui n'avait point souffert, qui n'avait presque pas gémi, dont l'enfant, l'enfant bâtard, était sorti sans peine et sans tortures.

Dans son âme misérable et troublée, elle faisait entre elles une comparaison incessante ; et elle maudissait Dieu, qu'elle avait cru juste autrefois ; elle s'indignait des préférences coupables du destin, et des criminels mensonges de ceux qui prêchent la droiture et le bien.

Parfois la crise devenait tellement violente que toute idée s'éteignait en elle. Elle n'avait plus de force, de vie, de connaissance que pour souffrir.

Dans les minutes d'apaisement elle ne pouvait détacher son œil de Julien ; et une autre douleur, une douleur de l'âme l'étreignait en se rappelant ce jour où sa bonne était tombée aux pieds de ce même lit avec son enfant entre les jambes, le frère du petit être qui lui déchirait si cruellement les entrailles. Elle retrouvait avec une mémoire sans ombres les gestes, les regards, les paroles de son mari devant cette fille étendue ; et maintenant elle lisait en lui, comme si ses pensées eussent été écrites dans ses mouvements, elle lisait le même ennui, la même indifférence pour elle que pour l'autre, le même insouci[1] d'homme égoïste, que la paternité irrite.

Mais une convulsion effroyable la saisit, un spasme[2] si cruel qu'elle se dit : « Je vais mourir, je meurs ! » Alors une révolte

---

1. **Insouci** : absence de souci.
2. **Spasme** : contraction musculaire brusque, violente.

furieuse, un besoin de maudire emplit son âme, et une haine exaspérée contre cet homme qui l'avait perdue, et contre l'enfant inconnu qui la tuait.

Elle se tendit dans un effort suprême pour rejeter d'elle ce fardeau. Il lui sembla soudain que tout son ventre se vidait brusquement ; et sa souffrance s'apaisa.

La garde et le médecin étaient penchés sur elle, la maniaient. Ils enlevèrent quelque chose ; et bientôt ce bruit étouffé qu'elle avait entendu déjà la fit tressaillir ; puis ce petit cri douloureux, ce miaulement frêle d'enfant nouveau-né lui entra dans l'âme, dans le cœur, dans tout son pauvre corps épuisé ; et elle voulut, d'un geste inconscient, tendre les bras.

Ce fut en elle une traversée de joie, un élan vers un bonheur nouveau, qui venait d'éclore. Elle se trouvait, en une seconde, délivrée, apaisée, heureuse, heureuse comme elle ne l'avait jamais été. Son cœur et sa chair se ranimaient, elle se sentait mère !

Elle voulut connaître son enfant ! Il n'avait pas de cheveux, pas d'ongles, étant venu trop tôt, mais lorsqu'elle vit remuer cette larve, qu'elle la vit ouvrir la bouche, pousser ses vagissements, qu'elle toucha cet avorton[1] fripé, grimaçant, vivant, elle fut inondée d'une joie irrésistible, elle comprit qu'elle était sauvée, garantie contre tout désespoir, qu'elle tenait là de quoi aimer à ne savoir plus faire autre chose.

Dès lors elle n'eut plus qu'une pensée : son enfant. Elle devint subitement une mère fanatique, d'autant plus exaltée qu'elle avait été plus déçue dans son amour, plus trompée dans ses espérances. Il lui fallait toujours le berceau près de son lit, puis,

---

1. Avorton : être qui n'a pas atteint son entier développement.

190 quand elle put se lever, elle resta des journées entières assise
contre la fenêtre, auprès de la couche légère qu'elle balançait.

Elle fut jalouse de la nourrice ; et, quand le petit être
assoiffé tendait les bras vers le gros sein aux veines bleuâtres,
et prenait entre ses lèvres goulues[1] le bouton de chair brune
195 et plissée, elle regardait, pâlie, tremblante, la forte et calme
paysanne, avec un désir de lui arracher son fils, et de frapper,
de déchirer de l'ongle cette poitrine qu'il buvait avidement.

Puis elle voulut broder elle-même, pour le parer[2], des
toilettes fines, d'une élégance compliquée. Il fut enveloppé
200 dans une brume de dentelles, et coiffé de bonnets magnifiques. Elle ne parlait plus que de cela, coupait les conversa-
tions, pour faire admirer un lange[3], une bavette[4] ou quelque
ruban supérieurement ouvragé, et, n'écoutant rien de ce qu'on
disait autour d'elle, elle s'extasiait sur des bouts de linge
205 qu'elle tournait longtemps et retournait dans sa main levée
pour mieux voir ; puis soudain elle demandait : « Croyez-vous
qu'il sera beau avec ça ? »

Le baron et petite mère souriaient de cette tendresse fréné-
tique, mais Julien troublé dans ses habitudes, diminué dans son
210 importance dominatrice par la venue de ce tyran braillard et
tout-puissant, jaloux inconsciemment de ce morceau d'homme
qui lui volait sa place dans la maison, répétait sans cesse, impa-
tient et colère : « Est-elle assommante avec son mioche ! »

Elle fut bientôt tellement obsédée par cet amour qu'elle
215 passait les nuits assise auprès du berceau à regarder dormir le

_____

1. **Goulues** : avides, gourmandes.
2. **Parer** : habiller avec soin.
3. **Lange** : tissu qui servait à emmailloter les bébés.
4. **Bavette** : linge que l'on attache sur la poitrine des petits enfants.

petit. Comme elle s'épuisait dans cette contemplation passionnée et maladive, qu'elle ne prenait plus aucun repos, qu'elle s'affaiblissait, maigrissait et toussait, le médecin ordonna de la séparer de son fils.

220   Elle se fâcha, pleura, implora ; mais on resta sourd à ses prières. Il fut placé chaque soir auprès de sa nourrice ; et chaque nuit la mère se levait, nu-pieds, et allait coller son oreille au trou de la serrure pour écouter s'il dormait paisiblement, s'il ne se réveillait pas, s'il n'avait besoin de rien.

225   Elle fut trouvée là, une fois, par Julien qui rentrait tard, ayant dîné chez les Fourville ; et on l'enferma désormais à clef dans sa chambre pour la contraindre à se mettre au lit.

    Le baptême eut lieu vers la fin d'août. Le baron fut parrain, et tante Lison marraine. L'enfant reçut les noms de Pierre-
230 Simon-Paul ; Paul pour les appellations courantes.

    Dans les premiers jours de septembre, tante Lison repartit sans bruit ; et son absence demeura aussi inaperçue que sa présence.

    Un soir, après le dîner, le curé parut. Il semblait embar-
235 rassé, comme s'il eût porté un mystère en lui, et, après une suite de propos inutiles, il pria la baronne et son mari de lui accorder quelques instants d'entretien particulier.

    Ils partirent tous trois, d'un pas lent, jusqu'au bout de la grande allée, causant avec vivacité, tandis que Julien, resté
240 seul avec Jeanne, s'étonnait, s'inquiétait, s'irritait de ce secret.

    Il voulut accompagner le prêtre qui prenait congé et ils disparurent ensemble, allant vers l'église qui sonnait l'angélus[1].

---

1. Angélus : sonnerie de cloches qui annonce l'heure de la prière à la Vierge Marie.

Il faisait frais, presque froid, on rentra bientôt dans le salon. Tout le monde sommeillait un peu quand Julien revint brus-
245 quement, rouge, avec un air indigné.

De la porte, sans songer que Jeanne était là, il cria vers ses beaux-parents : « Vous êtes donc fous, nom de Dieu ! d'aller flanquer vingt mille francs à cette fille ! »

Personne ne répondit tant la surprise fut grande. Il reprit,
250 beuglant[1] de colère : « On n'est pas bête à ce point-là ; vous voulez donc ne pas nous laisser un sou ! »

Alors le baron, qui reprenait contenance[2], tenta de l'arrêter : « Taisez-vous ! Songez que vous parlez devant votre femme. »

Mais il trépignait d'exaspération : « Je m'en fiche un peu,
255 par exemple ; elle sait bien ce qu'il en est d'ailleurs. C'est un vol à son préjudice[3]. »

Jeanne, saisie[4], regardait sans comprendre. Elle balbutia : « Qu'est-ce qu'il y a donc ? »

Alors Julien se tourna vers elle, la prit à témoin, comme
260 une associée frustrée aussi dans un bénéfice espéré. Il lui raconta brusquement le complot pour marier Rosalie, le don de la terre de Barville qui valait au moins vingt mille francs. Il répétait : « Mais tes parents sont fous, ma chère, fous à lier ! vingt mille francs ! vingt mille francs ! mais ils ont perdu la
265 tête ! vingt mille francs pour un bâtard ! »

Jeanne écoutait, sans émotion et sans colère, s'étonnant elle-même de son calme, indifférente maintenant à tout ce qui n'était pas son enfant.

---

1. Beuglant : hurlant violemment.
2. Qui reprenait contenance : qui retrouvait son calme.
3. Préjudice : dommage causé à quelqu'un.
4. Saisie : surprise.

Le baron suffoquait, ne trouvait rien à répondre. Il finit par
270 éclater, tapant du pied, criant : « Songez à ce que vous dites,
c'est révoltant à la fin. À qui la faute s'il a fallu doter cette fille
mère ? À qui cet enfant ? vous auriez voulu l'abandonner
maintenant ! »

Julien, étonné de la violence du baron, le considérait fixe-
275 ment. Il reprit d'un ton plus posé : « Mais quinze cents francs
suffisaient bien. Elles en ont toutes, des enfants, avant de se
marier. Que ce soit à l'un ou à l'autre, ça n'y change rien, par
exemple. Au lieu qu'en donnant une de vos fermes d'une
valeur de vingt mille francs, outre le préjudice que vous nous
280 portez, c'est dire à tout le monde ce qui est arrivé ; vous auriez
dû, au moins, songer à notre nom et à notre situation. »

Et il parlait d'une voix sévère, en homme fort de son droit
et de la logique de son raisonnement. Le baron, troublé par
cette argumentation inattendue, restait béant[1] devant lui.
285 Alors Julien, sentant son avantage, posa ses conclusions :
« Heureusement que rien n'est fait encore ; je connais le
garçon qui la prend en mariage, c'est un brave homme, et avec
lui tout pourra s'arranger. Je m'en charge. »

Et il sortit sur-le-champ, craignant sans doute de continuer
290 la discussion, heureux du silence de tous, qu'il prenait pour
un acquiescement.

Dès qu'il eut disparu, le baron s'écria, outré de surprise et
frémissant : « Oh, c'est trop fort, c'est trop fort ! »

Mais Jeanne, levant les yeux sur la figure effarée de son
295 père, se mit brusquement à rire, de son rire clair d'autrefois,
quand elle assistait à quelque drôlerie.

---

1. Béant : voir note 1, p. 154.

Elle répétait : « Père, père, as-tu entendu comme il prononçait : vingt mille francs ? »

Et petite mère, chez qui la gaieté était aussi prompte que les larmes, au souvenir de la tête furieuse de son gendre, et de ses exclamations indignées, et de son refus véhément de laisser donner à la fille séduite par lui, de l'argent qui n'était pas à lui, heureuse aussi de la bonne humeur de Jeanne, fut secouée par son rire poussif, qui lui emplissait les yeux de pleurs. Alors, le baron partit à son tour, gagné par la contagion ; et tous trois, comme aux bons jours passés, s'amusaient à s'en rendre malades.

Quand ils furent un peu calmés, Jeanne s'étonna : « C'est curieux, ça ne me fait plus rien. Je le regarde comme un étranger maintenant. Je ne puis pas croire que je sois sa femme. Vous voyez, je m'amuse de ses… de ses… de ses indélicatesses. »

Et, sans bien savoir pourquoi, ils s'embrassèrent, encore souriants et attendris.

Mais deux jours plus tard, après le déjeuner, alors que Julien partait à cheval, un grand gars de vingt-deux à vingt-cinq ans, vêtu d'une blouse[1] bleue toute neuve, aux plis raides, aux manches ballonnées[2], boutonnées aux poignets, franchit sournoisement[3] la barrière, comme s'il eût été embusqué[4] là depuis le matin, se glissa le long du fossé des Couillard, contourna le château et s'approcha à pas suspects[5] du baron et des deux femmes, assis toujours sous le platane.

---

1. **Blouse** : vêtement de travail.
2. **Ballonnées** : en forme de ballon, très amples.
3. **Sournoisement** : voir note 1, p. 143.
4. **Embusqué** : voir note 2, p. 129.
5. **À pas suspects** : qui prêtent au soupçon.

Il avait ôté sa casquette en les apercevant, et il s'avançait en saluant, avec des mines embarrassées.

stammered

Dès qu'il fut assez près pour se faire entendre, il bredouilla :
« Votre serviteur, monsieur le baron, madame et la compagnie. » Puis, comme on ne lui parlait pas, il annonça : « C'est moi que je suis Désiré Lecoq. »

Ce nom ne révélant rien, le baron demanda : « Que voulez-vous ? »

Alors le gars se troubla tout à fait devant la nécessité d'expliquer son cas. Il balbutia en baissant et en relevant les yeux coup sur coup, de sa casquette qu'il tenait aux mains au sommet du toit du château : « C'est m'sieu l'curé qui m'a touché deux mots au sujet de c't'affaire… » puis il se tut, par crainte d'en trop lâcher[1] et de compromettre ses intérêts.

Le baron, sans comprendre, reprit : « Quelle affaire ? Je ne sais pas, moi. »

L'autre alors, baissant la voix, se décida : « C't'affaire de vot'bonne… la Rosalie… »

Jeanne, ayant deviné, se leva et s'éloigna avec son enfant dans ses bras. Et le baron prononça : « Approchez-vous », puis il montra la chaise que sa fille venait de quitter.

Le paysan s'assit aussitôt en murmurant : « Vous êtes bien honnête. »

Puis il attendit comme s'il n'avait plus rien à dire. Au bout d'un assez long silence il se décida enfin, et, levant son regard vers le ciel bleu : « En v'là du biau[2] temps pour la saison.

---

1. **D'en trop lâcher** : d'en dire trop.
2. **Biau** : beau.

C'est la terre, qui n'en profite pour c'qu'y'a déjà d'semé. » Et
350 il se tut de nouveau.

Le baron s'impatientait ; il attaqua brusquement la question, d'un ton sec : « Alors c'est vous qui épousez Rosalie ? »

L'homme aussitôt devint inquiet, troublé dans ses habitudes de cautèle[1] normande. Il répliqua d'une voix plus vive,
355 mis en défiance : « C'est selon, p't'être que oui, p't'être que
non, c'est selon. »

Mais le baron s'irritait de ces tergiversations[2] : « Sacrebleu[3] !
répondez franchement : est-ce pour ça que vous venez, oui ou
non ? La prenez-vous, oui ou non ? »

360 L'homme, perplexe, ne regardait plus que ses pieds : « Si
c'est c'que dit m'sieu l'curé, j'la prends ; mais si c'est c'que dit
m'sieu Julien, j'la prends point. »

— Qu'est-ce que vous a dit M. Julien ?

— M'sieu Julien i m'a dit qu'j'aurais quinze cents francs ; et
365 m'sieu l'curé i m'a dit que j'n'aurais vingt mille ; j'veux ben
pour vingt mille, mais j'veux point pour quinze cents. »

Alors la baronne, qui restait enfoncée en son fauteuil,
devant l'attitude anxieuse du rustre, se mit à rire par petites
secousses. Le paysan la regarda de coin, d'un œil mécontent,
370 ne comprenant pas cette gaieté, et il attendit.

Le baron, que ce marchandage gênait, y coupa court[4]. « J'ai
dit à M. le curé que vous auriez la ferme de Barville, votre vie
durant, pour revenir ensuite à l'enfant. Elle vaut vingt mille
francs. Je n'ai qu'une parole. Est-ce fait, oui ou non ? »

---

1. Cautèle : ruse, astuce.
2. Tergiversations : hésitations.
3. Sacrebleu : juron qui marque la surprise.
4. Y coupa court : y mit brusquement fin.

375 L'homme sourit d'un air humble et satisfait, et devenu soudain loquace[1] : « Oh ! pour lors, je n'dis pas non. N'y avait qu'ça qui m'opposait. Quand m'sieu l'curé m'na parlé, j'voulais ben tout d'suite, pardi[2], et pi j'étais ben aise d'satisfaire m'sieu l'baron, qui me r'vaudra ça, je m'le disais. C'est-i pas 380 vrai, quand on s'oblige[3], entre gens, on se r'trouve toujours plus tard ; et on se r'vaud ça[4]. Mais m'sieu Julien m'a v'nu trouver ; et c'n'était pu qu'quinze cents. J'mai dit : "Faut savoir", et j'suis v'nu. C'est pas pour dire, j'avais confiance, mais j'voulais savoir. I n'est qu'les bons comptes qui font les 385 bons amis, pas vrai, m'sieu l'baron… »

Il fallut l'arrêter ; le baron demanda :

« Quand voulez-vous conclure le mariage ? »

Alors l'homme redevint brusquement timide, plein d'embarras. Il finit par dire, en hésitant : « J'frons-ti point d'abord 390 un p'tit papier[5] ? »

Le baron, cette fois, se fâcha : « Mais nom d'un chien ! puisque vous aurez le contrat de mariage. C'est là le meilleur des papiers. »

Le paysan s'obstinait : « En attendant, j'pourrions ben en faire un bout tout d'même, ça nuit toujours pas. »

395 Le baron se leva pour en finir : « Répondez oui ou non, et tout de suite. Si vous ne voulez plus, dites-le, j'ai un autre prétendant. »

---

1. **Loquace** : bavard.
2. **Pardi** : bien sûr.
3. **On s'oblige** : on se rend service.
4. **On se r'vaud ça** : on se revaut ça.
5. **J'frons-ti point d'abord un p'tit papier ?** : ne signerai-je pas d'abord un papier ?

Alors la peur du concurrent affola le Normand rusé. Il se décida, tendit la main comme après l'achat d'une vache : 400 «Topez-là[1], m'sieu l'baron, c'est fait. Couillon qui s'en dédit[2]. »

Le baron topa, puis cria : « Ludivine ! » La cuisinière montra la tête à la fenêtre : « Apportez une bouteille de vin. » On trinqua pour arroser l'affaire conclue. – Et le gars partit d'un 405 pied plus allègre.

On ne dit rien de cette visite à Julien. Le contrat fut préparé en grand secret, puis, une fois les bans[3] publiés, la noce eut lieu un lundi matin.

Une voisine portait le mioche à l'église, derrière les 410 nouveaux époux, comme une sûre promesse de fortune. Et personne, dans le pays, ne s'étonna ; on enviait seulement Désiré Lecoq. Il était né coiffé[4], disait-on avec un sourire malin où n'entrait point d'indignation.

Julien fit une scène terrible, qui abrégea le séjour de ses 415 beaux-parents aux Peuples. Jeanne les vit repartir sans une tristesse trop profonde, Paul étant devenu pour elle une source inépuisable de bonheur.

---

1. Topez-là : donnez-moi votre approbation en me tapant dans la main.
2. Couillon qui s'en dédit : celui qui ne respecte pas notre accord sera un imbécile.
3. Bans : annonce officielle de mariage.
4. Il était né coiffé : il avait de la chance.

IX

Jeanne étant tout à fait remise de ses couches[1], on se résolut
à aller rendre leur visite aux Fourville et à se présenter aussi
chez le marquis de Coutelier.

Julien venait d'acheter dans une vente publique une
nouvelle voiture, un phaéton[2] ne demandant qu'un cheval,
afin de pouvoir sortir deux fois par mois.

Elle fut attelée par un jour clair de décembre et, après deux
heures de route à travers les plaines normandes, on commença
à descendre en un petit vallon dont les flancs étaient boisés,
et le fond mis en culture.

Puis les terres ensemencées furent bientôt remplacées par
des prairies, et les prairies par un marécage plein de grands
roseaux secs en cette saison, et dont les longues feuilles bruis-
saient, pareilles à des rubans jaunes.

Tout à coup, après un brusque détour du val, le château de
la Vrillette se montra, adossé d'un côté à la pente boisée et, de
l'autre, trempant toute sa muraille dans un grand étang que
terminait, en face, un bois de hauts sapins escaladant l'autre
versant de la vallée.

Il fallut passer par un antique pont-levis et franchir un
vaste portail Louis XIII pour pénétrer dans la cour d'honneur,

---

1. Ses couches : son accouchement.
2. Phaéton : voiture à cheval, découverte, à quatre roues.

devant un élégant manoir de la même époque à encadrements
de briques, flanqué de tourelles coiffées d'ardoises.

Julien expliquait à Jeanne toutes les parties du bâtiment,
25　en habitué qui le connaît à fond. Il en faisait les honneurs,
s'extasiant sur sa beauté : « Regarde-moi ce portail ! Est-ce
grandiose une habitation comme ça, hein ? Toute l'autre
façade est dans l'étang[1], avec un perron royal qui descend
jusqu'à l'eau ; et quatre barques sont amarrées au bas des
30　marches, deux pour le comte, et deux pour la comtesse. Là-bas
à droite, là où tu vois le rideau de peupliers, c'est la fin de
l'étang ; c'est là que commence la rivière qui va jusqu'à
Fécamp. C'est plein de sauvagine[2] ce pays. Le comte adore
chasser là-dedans. Voilà une vraie résidence seigneuriale. »

35　La porte d'entrée s'était ouverte et la pâle comtesse apparut,
venant au-devant des visiteurs, souriante, vêtue d'une robe
traînante comme une châtelaine d'autrefois. Elle semblait
bien la belle dame du Lac[3], née pour ce manoir de conte.

Le salon, à huit fenêtres, en avait quatre ouvrant sur la pièce
40　d'eau[4] et sur le sombre bois de pins qui remontait le coteau
juste en face.

La verdure à tons noirs rendait profond, austère et lugubre
l'étang ; et, quand le vent soufflait, les gémissements des
arbres semblaient la voix du marais.

45　La comtesse prit les deux mains de Jeanne comme si elle
eût été une amie d'enfance, puis elle la fit asseoir et se mit près
d'elle, sur une chaise basse, tandis que Julien, en qui toutes

---

1. Est dans l'étang : donne directement sur l'étang.
2. Sauvagine : oiseaux sauvages.
3. La dame du lac : poème de Walter Scott datant de 1810.
4. Pièce d'eau : étang.

les élégances oubliées renaissaient depuis cinq mois, causait, souriait, doux et familier.

50 La comtesse et lui parlèrent de leurs promenades à cheval. Elle riait un peu de sa manière de monter, l'appelant « le chevalier Trébuche », et il riait aussi, l'ayant baptisée « la reine Amazone[1] ». Un coup de fusil parti sous les fenêtres fit pousser à Jeanne un petit cri. C'était le comte qui tuait une
55 sarcelle[2].

Sa femme aussitôt l'appela. On entendit un bruit d'avirons[3], le choc d'un bateau contre la pierre, et il parut, énorme et botté, suivi de deux chiens trempés, rougeâtres comme lui, et qui se couchèrent sur le tapis devant la porte.

60 Il semblait plus à son aise, en sa demeure, et ravi de voir des visiteurs. Il fit remettre du bois au feu, apporter du vin de Madère et des biscuits ; et soudain il s'écria : « Mais vous allez dîner avec nous, c'est entendu. » Jeanne, que ne quittait jamais la pensée de son enfant, refusait ; il insista, et, comme
65 elle s'obstinait à ne pas vouloir, Julien fit un geste brusque d'impatience. Alors elle eut peur de réveiller son humeur méchante et querelleuse ; et, bien que torturée à l'idée de ne plus revoir Paul avant le lendemain, elle accepta.

L'après-midi fut charmant. On alla visiter les sources
70 d'abord. Elles jaillissaient au pied d'une roche moussue dans un clair bassin toujours remué comme de l'eau bouillante ; puis on fit un tour en barque à travers de vrais chemins taillés dans une forêt de roseaux secs. Le comte, assis entre ses deux

---

1. Amazone : dans la mythologie, femme d'une tribu guerrière où aucun homme n'est admis. Dans le langage courant, femme qui monte à cheval.
2. Sarcelle : sorte de canard sauvage.
3. Avirons : rames d'une embarcation.

chiens qui flairaient, le nez au vent, ramait ; et chaque
75 secousse de ses avirons soulevait la grande barque et la lançait
en avant. Jeanne, parfois, laissait tremper sa main dans l'eau
froide, et elle jouissait de la fraîcheur glacée qui lui courait
des doigts au cœur. Tout à l'arrière du bateau Julien et la
comtesse enveloppée de châles souriaient de ce sourire
80 continu des gens heureux à qui le bonheur ne laisse rien à dire.

Le soir venait avec de longs frissons gelés, des souffles du
nord qui passaient dans les joncs flétris. Le soleil avait plongé
derrière les sapins ; et le ciel rouge, criblé de petits nuages
écarlates et bizarres, donnait froid rien qu'à le regarder.

85 On rentra dans le vaste salon où flambait un feu gigan-
tesque. Une sensation de chaleur et de plaisir rendait joyeux
dès la porte. Alors le comte, mis en gaieté, saisit sa femme
dans ses bras d'athlète, et, l'élevant comme un enfant jusqu'à
sa bouche, il lui colla sur les joues deux gros baisers de brave
90 homme satisfait.

Et Jeanne, souriante, regardait ce bon géant qu'on disait un
ogre au seul aspect de ses moustaches ; et elle pensait :
« Comme on se trompe, chaque jour, sur tout le monde. »
Ayant alors, presque involontairement, reporté les yeux sur
95 Julien, elle le vit debout dans l'embrasure de la porte, horriblement pâle, et l'œil fixé sur le comte. Inquiète, elle s'approcha de son mari, et, à voix basse : « Es-tu malade ? Qu'as-tu
donc ? » Il répondit d'un ton courroucé : « Rien, laisse-moi
tranquille. J'ai eu froid. »

100 Quand on passa dans la salle à manger, le comte demanda
la permission de laisser entrer ses chiens ; et ils vinrent
aussitôt se planter sur leur derrière, à droite et à gauche de
leur maître. Il leur donnait à tout moment quelque morceau

et caressait leurs longues oreilles soyeuses. Les bêtes tendaient
la tête, remuaient la queue, frémissaient de contentement.

Après le dîner, comme Jeanne et Julien se disposaient à
partir, M. de Fourville les retint encore pour leur montrer une
pêche au flambeau.

Il les posta, ainsi que la comtesse, sur le perron qui descendait à l'étang ; et il monta dans sa barque avec un valet portant
un épervier[1] et une torche allumée. La nuit était claire et
piquante sous un ciel semé d'or.

La torche faisait ramper sur l'eau des traînées de feu
étranges et mouvantes, jetait des lueurs dansantes sur les
roseaux, illuminait le grand rideau de sapins. Et soudain, la
barque ayant tourné, une ombre colossale, fantastique, une
ombre d'homme se dressa sur cette lisière éclairée du bois. La
tête dépassait les arbres, se perdait dans le ciel, et les pieds
plongeaient dans l'étang. Puis l'être démesuré éleva les bras
comme pour prendre les étoiles. Ils se dressèrent brusquement, ces bras immenses, puis retombèrent ; et on entendit
aussitôt un petit bruit d'eau fouettée.

La barque alors ayant encore viré doucement, le prodigieux
fantôme sembla courir le long du bois, qu'éclairait, en tournant, la lumière ; puis il s'enfonça dans l'invisible horizon,
puis soudain il reparut, moins grand mais plus net, avec ses
mouvements singuliers, sur la façade du château.

Et la grosse voix du comte cria : « Gilberte, j'en ai huit ! »

Les avirons battirent l'onde. L'ombre énorme restait maintenant debout immobile sur la muraille, mais diminuant peu

---

1. Épervier : filet garni de plombs qu'on lance à la main pour capturer les poissons.

à peu de taille et d'ampleur ; sa tête paraissait descendre, son corps maigrir ; et quand M. de Fourville remonta les marches du perron, toujours suivi de son valet portant le feu, elle était réduite aux proportions de sa personne, et répétait tous ses gestes.

Il avait dans un filet huit gros poissons qui frétillaient.

Lorsque Jeanne et Julien furent en route tout enveloppés en des manteaux et des couvertures qu'on leur avait prêtés, Jeanne dit, presque involontairement : « Quel brave homme que ce géant ! » Et Julien, qui conduisait, répliqua : « Oui, mais il ne se tient pas toujours assez devant le monde. »

Huit jours après ils se rendirent chez les Coutelier, qui passaient pour la première famille noble de la province. Leur domaine de Reminil touchait au gros bourg de Cany. Le château neuf bâti sous Louis XIV était caché dans un parc magnifique entouré de murs. On voyait, sur une hauteur, les ruines de l'ancien château. Des valets en tenue firent entrer les visiteurs dans une grande pièce imposante. Tout au milieu, une espèce de colonne supportait une coupe immense de la manufacture de Sèvres[1], et, dans le socle, une lettre autographe du roi, défendue par une plaque de cristal, invitait le marquis Léopold-Hervé-Joseph-Germer de Varneville, de Rollebosc de Coutelier, à recevoir ce don du souverain.

Jeanne et Julien considéraient ce présent royal quand entrèrent le marquis et la marquise. La femme était poudrée, aimable par fonction[2], et maniérée par désir de sembler

---

1. Manufacture de Sèvres : manufacture spécialisée dans la fabrication de porcelaine.
2. Par fonction : par devoir.

condescendante[1]. L'homme, gros personnage à cheveux blancs relevés droit sur la tête, mettait en ses gestes, en sa voix, en toute son attitude, une hauteur qui disait son importance.

C'étaient de ces gens à étiquette[2] dont l'esprit, les sentiments et les paroles semblent toujours sur des échasses.

Ils parlaient seuls, sans attendre les réponses, souriant d'un air indifférent, semblaient toujours accomplir la fonction imposée par leur naissance de recevoir avec politesse les petits nobles des environs.

Jeanne et Julien, perclus[3], s'efforçaient de plaire, gênés de rester davantage, inhabiles à se retirer ; mais la marquise termina elle-même la visite, naturellement, simplement, en arrêtant à point la conversation comme une reine polie qui donne congé.

En revenant, Julien dit : « Si tu veux, nous bornerons là nos visites ; moi, les Fourville me suffisent. » Et Jeanne fut de son avis.

Décembre s'écoulait lentement, ce mois noir, trou sombre au fond de l'année. La vie enfermée recommençait comme l'an passé. Jeanne ne s'ennuyait point cependant, toujours préoccupée de Paul que Julien regardait de côté, d'un œil inquiet et mécontent.

Souvent, quand la mère le tenait en ses bras, le caressait avec ces frénésies de tendresse qu'ont les femmes pour leurs enfants, elle le présentait au père, en lui disant : « Mais embrasse-le donc ; on dirait que tu ne l'aimes pas. » Il effleu-

---

1. **Condescendante** : dédaigneuse, hautaine.
2. **Gens à étiquette** : personnes attachées au cérémonial, au protocole.
3. **Perclus** : frappés d'immobilité par l'effet d'une émotion, d'un sentiment.

rait du bout des lèvres, d'un air dégoûté, le front glabre[1] du
marmot en décrivant un cercle de tout son corps, comme pour
185 ne point rencontrer les petites mains remuantes et crispées.
Puis il s'en allait brusquement ; on eût dit qu'une répugnance
le chassait.

Le maire, le docteur et le curé venaient dîner de temps en
temps ; de temps en temps c'étaient les Fourville, avec qui on
190 se liait de plus en plus.

Le comte paraissait adorer Paul. Il le tenait sur ses genoux
pendant toute la durée des visites, ou même pendant des
après-midi tout entiers. Il le maniait d'une façon délicate dans
ses grosses mains de colosse, lui chatouillait le bout du nez
195 avec la pointe de ses longues moustaches, puis l'embrassait
par élans passionnés, à la façon des mères. Il souffrait continuellement de ce que son mariage demeurât stérile.

Mars fut clair, sec et presque doux. La comtesse Gilberte
reparla de promenades à cheval que tous les quatre feraient
200 ensemble. Jeanne, lasse un peu des longs soirs, des longues
nuits, des longs jours pareils et monotones, consentit, tout
heureuse de ces projets ; et pendant une semaine elle s'amusa
à confectionner son amazone[2].

Puis ils commencèrent les excursions. Ils allaient toujours
205 deux par deux, la comtesse et Julien devant, le comte et
Jeanne cent pas derrière. Ceux-ci causaient tranquillement,
comme deux amis, car ils étaient devenus amis par le contact
de leurs âmes droites, de leurs cœurs simples ; ceux-là
parlaient bas souvent, riaient parfois par éclats violents, se

---

1. Glabre : sans poils.
2. Amazone : voir note 1, p. 175.

regardaient soudain comme si leurs yeux avaient à se dire des choses que ne prononçaient pas leurs bouches ; et ils partaient brusquement au galop, poussés par un désir de fuir, d'aller plus loin, très loin.

Puis Gilberte parut devenir irritable. Sa voix vive, apportée par des souffles de brise, arrivait parfois aux oreilles des deux cavaliers attardés. Le comte alors souriait, disait à Jeanne : « Elle n'est pas tous les jours bien levée, ma femme. »

Un soir, en rentrant, comme la comtesse excitait sa jument[1], la piquant, puis la retenant par secousses brusques, on entendit plusieurs fois Julien lui répéter : « Prenez garde, prenez donc garde, vous allez être emportée. » Elle répliqua : « Tant pis ; ce n'est pas votre affaire », d'un ton si clair et si dur que les paroles nettes sonnèrent par la campagne comme si elles restaient suspendues dans l'air.

L'animal se cabrait, ruait, bavait. Soudain le comte inquiet cria de ses forts poumons : « Fais donc attention, Gilberte ! » Alors, comme par défi, dans un de ces énervements de femme que rien n'arrête, elle frappa brutalement de sa cravache entre les deux oreilles la bête qui se dressa, furieuse, battit l'air de ses jambes de devant, et, retombant, s'élança d'un bond formidable, et détala par la plaine, de toute la vigueur de ses jarrets[2].

Elle franchit d'abord une prairie, puis, se précipitant à travers les labourés[3], elle soulevait en poussière la terre humide et grasse, et filait si vite qu'on distinguait à peine la monture et l'amazone.

---

1. Excitait sa jument : encourageait le cheval à bouger, le stimulait.

2. Jarrets : parties de la patte postérieure de l'animal quadrupède.

3. Labourés : terres cultivées.

Julien stupéfait restait en place, appelant désespérément : « Madame, madame ! »

Mais le comte eut une sorte de grognement et, se courbant sur l'encolure de son pesant cheval, il le jeta en avant d'une poussée de tout son corps ; et il le lança d'une telle allure, l'excitant, l'entraînant, l'affolant avec la voix, le geste et l'éperon, que l'énorme cavalier semblait porter la lourde bête entre ses cuisses et l'enlever comme pour s'envoler. Ils allaient d'une inconcevable vitesse, se ruant droit devant eux ; et Jeanne voyait là-bas les deux silhouettes de la femme et du mari, fuir, fuir, diminuer, s'effacer, disparaître, comme on voit deux oiseaux se poursuivant se perdre et s'évanouir à l'horizon.

Alors Julien se rapprocha, toujours au pas, en murmurant d'un air furieux : « Je crois qu'elle est folle, aujourd'hui. »

Et tous deux partirent derrière leurs amis enfoncés maintenant dans une ondulation de plaine.

Au bout d'un quart d'heure ils les aperçurent qui revenaient ; et bientôt ils les joignirent.

Le comte, rouge, en sueur, riant, content, triomphant, tenait de sa poigne irrésistible le cheval frémissant de sa femme. Elle était pâle, avec un visage douloureux et crispé ; et elle se soutenait d'une main sur l'épaule de son mari comme si elle allait défaillir.

Jeanne, ce jour-là, comprit que le comte aimait éperdument.

Puis la comtesse pendant le mois qui suivit se montra joyeuse comme elle ne l'avait jamais été. Elle venait plus souvent aux Peuples, riait sans cesse, embrassait Jeanne avec des élans de tendresse. On eût dit qu'un mystérieux ravissement était descendu sur sa vie. Son mari, tout heureux lui-même, ne la quittait point des yeux, et tâchait à tout instant de toucher sa main, sa robe, dans un redoublement de passion.

Il disait, un soir, à Jeanne : « Nous sommes dans le bonheur, en ce moment. Jamais Gilberte n'avait été gentille comme ça. Elle n'a plus de mauvaise humeur, plus de colère. Je sens qu'elle m'aime. Jusqu'à présent je n'en étais pas sûr. »

Julien aussi semblait changé, plus gai, sans impatiences, comme si l'amitié des deux familles avait apporté la paix et la joie dans chacune d'elles.

Le printemps fut singulièrement précoce et chaud.

Depuis les douces matinées jusqu'aux calmes et tièdes soirées, le soleil faisait germer toute la surface de la terre. C'était une brusque et puissante éclosion de tous les germes en même temps, une de ces irrésistibles poussées de sève, une de ces ardeurs à renaître que la nature montre quelquefois en des années privilégiées qui feraient croire à des rajeunissements du monde.

Jeanne se sentait vaguement troublée par cette fermentation de vie. Elle avait des alanguissements[1] subits en face d'une petite fleur dans l'herbe, des mélancolies délicieuses, des heures de mollesse rêvassante.

Puis elle se sentit envahie par des souvenirs attendris des premiers temps de son amour ; non qu'il lui revînt au cœur un renouveau d'affection pour Julien, c'était fini, cela, bien fini pour toujours ; mais toute sa chair caressée des brises, pénétrée des odeurs du printemps, se troublait, comme sollicitée par quelque invisible et tendre appel.

---

1. Alanguissements : états de langueur, d'abandon, provoqués par la rêverie.

295 Elle se plaisait à être seule, à s'abandonner sous la chaleur du soleil, toute parcourue de sensations, de jouissances vagues et sereines qui n'éveillaient point d'idées.

Un matin, comme elle somnolait ainsi, une vision la traversa, une vision rapide de ce trou ensoleillé au milieu des 300 sombres feuillages, dans le petit bois près d'Étretat. C'est là que, pour la première fois, elle avait senti frémir son corps auprès de ce jeune homme qui l'aimait alors ; c'est là qu'il avait balbutié, pour la première fois, le timide désir de son cœur ; c'est aussi là qu'elle avait cru toucher tout à coup 305 l'avenir radieux de ses espérances.

Et elle voulait revoir ce bois, y faire une sorte de pèlerinage[1] sentimental et superstitieux, comme si un retour à ce lieu devait changer quelque chose à la marche de sa vie.

Julien était parti dès l'aube, elle ne savait où. Elle fit donc 310 seller le petit cheval blanc des Martin, qu'elle montait quelquefois maintenant ; et elle partit.

C'était par une de ces journées si tranquilles que rien ne remue nulle part, pas une herbe, pas une feuille ; tout semble immobile pour jusqu'à la fin des temps, comme si le vent était 315 mort. On dirait disparus les insectes eux-mêmes.

Un calme brûlant et souverain descendait du soleil, insensiblement, en buée d'or ; et Jeanne allait au pas de son bidet[2], bercée, heureuse. De temps en temps elle levait les yeux pour regarder un tout petit nuage blanc, gros comme une pincée 320 de coton, un flocon de vapeur suspendu, oublié, resté là-haut, tout seul, au milieu du ciel bleu.

---

1. **Pèlerinage** : voyage individuel ou collectif effectué dans un lieu saint.
2. **Bidet** : voir note 1, p. 120.

Elle descendit dans la vallée qui va se jeter à la mer, entre ces grandes arches de la falaise qu'on nomme les portes d'Étretat, et tout doucement elle gagna le bois. Il pleuvait de la lumière à travers la verdure encore grêle[1]. Elle cherchait l'endroit sans le retrouver, errant par les petits chemins.

Tout à coup, en traversant une longue allée, elle aperçut tout au bout deux chevaux de selle attachés contre un arbre, et elle les reconnut aussitôt ; c'étaient ceux de Gilberte et de Julien. La solitude commençait à lui peser ; elle fut heureuse de cette rencontre imprévue ; et elle mit au trot sa monture.

Quand elle eut atteint les deux bêtes patientes, comme accoutumées à ces longues stations[2], elle appela. On ne lui répondit pas.

Un gant de femme et les deux cravaches gisaient sur le gazon foulé. Donc ils s'étaient assis là, puis éloignés laissant leurs chevaux.

Elle attendit un quart d'heure, vingt minutes, surprise, sans comprendre ce qu'ils pouvaient faire. Comme elle avait mis pied à terre, et ne remuait plus, appuyée contre un tronc d'arbre, deux petits oiseaux, sans la voir, s'abattirent dans l'herbe tout près d'elle. L'un d'eux s'agitait, sautillait autour de l'autre, les ailes soulevées et vibrantes, saluant de la tête et pépiant ; et tout à coup ils s'accouplèrent.

Jeanne fut surprise comme si elle eût ignoré cette chose ; puis elle se dit : « C'est vrai, c'est le printemps » ; puis une autre pensée lui vint, un soupçon. Elle regarda de nouveau

---

1. Grêle : qui n'est pas encore suffisamment développée.
2. Stations : pauses.

le gant, les cravaches, les deux chevaux abandonnés : et elle
350 se remit brusquement en selle avec une irrésistible envie
de fuir.

Elle galopait maintenant en retournant aux Peuples. Sa
tête travaillait, raisonnait, unissait les faits, rapprochait les
circonstances. Comment n'avait-elle pas deviné plus tôt ?
355 Comment n'avait-elle rien vu ? Comment n'avait-elle pas
compris les absences de Julien, le recommencement de ses
élégances passées, puis l'apaisement de son humeur ? Elle se
rappelait aussi les brusqueries nerveuses de Gilberte, ses câli-
neries exagérées, et, depuis quelque temps, cette espèce de
360 béatitude[1] où elle vivait, et dont le comte était heureux.

Elle remit au pas son cheval, car il lui fallait gravement
réfléchir, et l'allure vive troublait ses idées.

Après la première émotion passée, son cœur était redevenu
presque calme, sans jalousie et sans haine, mais soulevé de
365 mépris. Elle ne songeait guère à Julien ; rien ne l'étonnait plus
de lui ; mais la double trahison de la comtesse, de son amie, la
révoltait. Tout le monde était donc perfide[2], menteur et faux.
Et des larmes lui vinrent aux yeux. On pleure parfois des
illusions avec autant de tristesse que les morts.

370 Elle se résolut pourtant à feindre de ne rien savoir, à fermer
son âme aux affections courantes, à n'aimer plus que Paul et
ses parents ; et à supporter les autres avec un visage tranquille.

Sitôt rentrée, elle se jeta sur son fils, l'emporta dans sa
chambre et l'embrassa éperdument, pendant une heure sans
375 s'arrêter.

---

1. Béatitude : bonheur parfait.
2. Perfide : déloyal, dangereux.

Julien revint pour dîner, charmant et souriant, plein d'intentions aimables. Il demanda : « Père et petite mère ne viennent donc pas cette année ? »

Elle lui sut tant de gré[1] de cette gentillesse qu'elle lui pardonna presque la découverte du bois ; et un violent désir l'envahissant tout à coup de revoir bien vite les deux êtres qu'elle aimait le plus après Paul, elle passa toute sa soirée à leur écrire, pour hâter leur arrivée.

Ils annoncèrent leur retour pour le 20 mai. On était alors au 7 de ce mois.

Elle les attendit avec une impatience grandissante, comme si elle eût éprouvé, en dehors même de son affection filiale, un besoin nouveau de frotter son cœur à des cœurs honnêtes, de causer, l'âme ouverte, avec des gens purs, sains de toute infamie, dont la vie, et toutes les actions, et toutes les pensées, et tous les désirs avaient toujours été droits.

Ce qu'elle sentait maintenant, c'était une sorte d'isolement de sa conscience juste au milieu de toutes ces consciences défaillantes ; et bien qu'elle eût appris soudain à dissimuler, bien qu'elle accueillît la comtesse, la main tendue et la lèvre souriante, cette sensation de vide, de mépris pour les hommes, elle la sentait grandir, l'envelopper ; et chaque jour les petites nouvelles du pays lui jetaient à l'âme un dégoût plus grand, une plus haute mésestime des êtres.

La fille des Couillard venait d'avoir un enfant et le mariage allait avoir lieu. La servante des Martin, une orpheline, était grosse[2] ; une petite voisine âgée de quinze ans était grosse ;

---

1. Elle lui sut tant de gré : elle lui fut tellement reconnaissante.
2. Grosse : enceinte.

une veuve, une pauvre femme boiteuse et sordide, qu'on appelait la Crotte tant sa saleté paraissait horrible, était grosse.

405   À tout moment on apprenait une grossesse nouvelle, ou
bien quelque fredaine[1] d'une fille, d'une paysanne mariée et
mère de famille ou de quelque riche fermier respecté.

Ce printemps ardent semblait remuer les sèves chez les
hommes comme chez les plantes.

410   Et Jeanne, dont les sens éteints ne s'agitaient plus, dont le
cœur meurtri, l'âme sentimentale semblaient seuls remués
par les souffles tièdes et féconds, qui rêvait, exaltée sans désirs,
passionnée pour des songes et morte aux besoins charnels,
s'étonnait, pleine d'une répugnance qui devenait haineuse, de
415   cette sale bestialité.

L'accouplement des êtres l'indignait à présent comme une
chose contre nature ; et, si elle en voulait à Gilberte, ce n'était
point de lui avoir pris son mari, mais du fait même d'être
tombée aussi dans cette fange[2] universelle.

420   Elle n'était point, celle-là, de la race des rustres chez qui les
bas instincts[3] dominent. Comment avait-elle pu s'abandonner de la même façon que ces brutes ?

Le jour même où devaient arriver ses parents, Julien raviva
ses répulsions en lui racontant gaiement, comme une chose
425   toute naturelle et drôle, que le boulanger ayant entendu
quelque bruit dans son four, la veille, qui n'était pas jour de
cuisson, avait cru y surprendre un chat rôdeur et avait trouvé
sa femme « qui n'enfournait pas du pain ».

---

1. Fredaine : voir note 2, p. 153.
2. Fange : boue.
3. Bas instincts : penchants contraires à la morale.

Et il ajoutait : « Le boulanger a bouché l'ouverture ; ils ont failli étouffer là dedans ; c'est le petit garçon de la boulangère qui a prévenu les voisins ; car il avait vu entrer sa mère avec le forgeron. »

Et Julien riait, répétant : « Ils nous font manger du pain d'amour, ces farceurs-là. C'est un vrai conte de La Fontaine. »

Jeanne n'osait plus toucher au pain.

Lorsque la chaise de poste[1] s'arrêta devant le perron et que la figure heureuse du baron parut à la vitre, ce fut dans l'âme et dans la poitrine de la jeune femme une émotion profonde, un tumultueux élan d'affection comme elle n'en avait jamais ressenti.

Mais elle demeura saisie, et presque défaillante, quand elle aperçut petite mère. La baronne, en ces six mois d'hiver, avait vieilli de dix ans. Ses joues énormes, flasques[2], tombantes, s'étaient empourprées, comme gonflées de sang ; son œil semblait éteint ; et elle ne remuait plus que soulevée sous les deux bras ; sa respiration pénible était devenue sifflante, et si difficile, qu'on éprouvait près d'elle une sensation de gêne douloureuse.

Le baron, l'ayant vue chaque jour, n'avait point remarqué cette décadence ; et, quand elle se plaignait de ses étouffements continus, de son alourdissement grandissant, il répondait : « Mais non, ma chère, je vous ai toujours connue comme ça. »

Jeanne, après les avoir accompagnés en leur chambre, se retira dans la sienne pour pleurer, bouleversée, éperdue. Puis, elle alla retrouver son père, et, se jetant sur son cœur, les yeux encore pleins de larmes : « Oh ! comme mère est changée !

---

1. Chaise de poste : voir note 1, p. 103.
2. Flasques : voir note 2, p. 51.

Qu'est-ce qu'elle a, dis-moi, qu'est-ce qu'elle a ? » Il fut très surpris, et répondit : « Tu crois ? quelle idée ? mais non. Moi qui ne l'ai point quittée, je t'assure que je ne la trouve pas mal, elle est comme toujours. »

460   Le soir Julien dit à sa femme : « Ta mère file un mauvais coton[1]. Je la crois touchée[2]. » Et, comme Jeanne éclatait en sanglots, il s'impatienta. « Allons, bon, je ne te dis pas qu'elle soit perdue. Tu es toujours follement exagérée. Elle est changée, voilà tout, c'est de son âge. »

465   Au bout de huit jours elle n'y songeait plus, accoutumée à la physionomie nouvelle de sa mère, et refoulant peut-être ses craintes, comme on refoule, comme on rejette toujours, par une sorte d'instinct égoïste, de besoin naturel de tranquillité d'âme, les appréhensions, les soucis menaçants.

470   La baronne, impuissante à marcher, ne sortait plus qu'une demi-heure chaque jour. Quand elle avait accompli une seule fois le parcours de « son » allée, elle ne pouvait se mouvoir davantage et demandait à s'asseoir sur « son » banc. Et, quand elle se sentait incapable même de mener jusqu'au bout sa

475 promenade, elle disait : « Arrêtons-nous ; mon hypertrophie me casse les jambes aujourd'hui. »

    Elle ne riait plus guère, souriait seulement aux choses qui l'auraient secouée tout entière l'année précédente. Mais comme ses yeux étaient demeurés excellents, elle passait des

480 jours à relire *Corinne* ou *les Méditations* de Lamartine[3] ; puis elle demandait qu'on lui apportât le tiroir « aux souvenirs ».

---

1. File un mauvais coton : a la santé qui se dégrade.

2. Touchée : souffrant d'un mal incurable.

3. *Les Méditations* de Lamartine : les *Méditations poétiques* sont un recueil de poèmes d'Alphonse de Lamartine (1790-1869), auteur romantique.

Alors ayant vidé sur ses genoux les vieilles lettres douces à son cœur, elle posait le tiroir sur une chaise à côté d'elle et remettait dedans, une à une, ses « reliques[1] », après avoir lentement revu chacune. Et, quand elle était seule, bien seule, elle en baisait certaines, comme on baise secrètement les cheveux des morts qu'on aime.

Quelquefois Jeanne, entrant brusquement, la trouvait pleurant, pleurant des larmes tristes. Elle s'écriait : « Qu'as-tu, petite mère ? » Et la baronne, après un long soupir, répondait : « Ce sont mes reliques qui m'ont fait ça. On remue des choses qui ont été si bonnes et qui sont finies ! Et puis il y a des personnes auxquelles on ne pensait plus guère et qu'on retrouve tout d'un coup. On croit les voir, et les entendre, et ça vous produit un effet épouvantable. Tu connaîtras ça, plus tard. »

Quand le baron survenait en ces instants de mélancolie, il murmurait : « Jeanne, ma chérie, si tu m'en crois, brûle tes lettres, toutes tes lettres, celles de ta mère, les miennes, toutes. Il n'y a rien de plus terrible, quand on est vieux, que de remettre le nez dans sa jeunesse. » Mais Jeanne aussi gardait sa correspondance, préparait sa « boîte aux reliques », obéissant, bien qu'elle différât en tout de sa mère, à une sorte d'instinct héréditaire de sentimentalité rêveuse.

Le baron, après quelques jours, eut à s'absenter pour une affaire et il partit.

La saison était magnifique. Les nuits douces, fourmillantes d'astres, succédaient aux calmes soirées, les soirs sereins aux jours radieux, et les jours radieux aux aurores éclatantes. Petite mère se trouva bientôt mieux portante ; et Jeanne,

---

1. Reliques : voir note 2, p. 36.

510 oubliant les amours de Julien et la perfidie de Gilberte, se
sentait presque complètement heureuse. Toute la campagne
était fleurie et parfumée ; et la grande mer toujours pacifique[1]
resplendissait du matin au soir, sous le soleil.

Jeanne, un après-midi, prit Paul en ses bras, et s'en alla par
515 les champs. Elle regardait tantôt son fils, tantôt l'herbe criblée
de fleurs le long de la route, s'attendrissant dans une félicité
sans bornes. De minute en minute elle baisait l'enfant, le
serrait passionnément contre elle ; puis, frôlée par quelque
savoureuse odeur de campagne, elle se sentait défaillante,
520 anéantie dans un bien-être infini. Puis elle rêva d'avenir pour
lui. Que serait-il ? Tantôt elle le voulait grand homme,
renommé, puissant. Tantôt elle le préférait humble et restant
près d'elle, dévoué, tendre, les bras toujours ouverts pour
maman. Quand elle l'aimait avec son cœur égoïste de mère,
525 elle désirait qu'il restât son fils, rien que son fils ; mais, quand
elle l'aimait avec sa raison passionnée, elle ambitionnait qu'il
devînt quelqu'un par le monde.

Elle s'assit au bord d'un fossé, et se mit à le regarder. Il lui
semblait qu'elle ne l'avait jamais vu. Et elle s'étonna brusque-
530 ment à la pensée que ce petit être serait grand, qu'il marche-
rait d'un pas ferme, qu'il aurait de la barbe aux joues et
parlerait d'une voix sonore.

Au loin quelqu'un l'appelait. Elle leva la tête. C'était
Marius accourant. Elle pensa qu'une visite l'attendait, et elle
535 se dressa, mécontente d'être troublée. Mais le gamin arrivait
à toutes jambes, et, quand il fut assez près, il cria : « Madame,
c'est madame la baronne qu'est bien mal. »

---

1. Pacifique : calme.

Elle sentit comme une goutte d'eau froide qui lui descendait le long du dos ; et elle repartit à grands pas, la tête égarée.

Elle aperçut, de loin, des gens en tas sous le platane. Elle s'élança et, le groupe s'étant ouvert, elle vit sa mère étendue par terre, la tête soutenue par deux oreillers. La figure était toute noire, les yeux fermés, et sa poitrine, qui depuis vingt ans haletait, ne bougeait plus. La nourrice saisit l'enfant dans les bras de la jeune femme, et l'emporta.

Jeanne, hagarde, demandait : « Qu'est-il arrivé ? Comment est-elle tombée ? Qu'on aille chercher le médecin. » Et, comme elle se retournait, elle aperçut le curé, prévenu on ne sait comment. Il offrit ses soins, s'empressa en relevant les manches de sa soutane. Mais le vinaigre, l'eau de Cologne, les frictions demeurèrent inefficaces. « Il faudrait la dévêtir et la coucher », dit le prêtre.

Le fermier Joseph Couillard se trouvait là ainsi que le père Simon et Ludivine. Aidés de l'abbé Picot, ils voulurent emporter la baronne ; mais, quand ils la soulevèrent, la tête s'abattit en arrière, et la robe qu'ils avaient saisie se déchirait, tant sa grosse personne était pesante et difficile à remuer. Alors Jeanne se mit à crier d'horreur. On reposa par terre le corps énorme et mou.

Il fallut prendre un fauteuil du salon ; et, quand on l'eut assise dedans, on put enfin l'enlever. Pas à pas ils gravirent le perron, puis l'escalier ; et, parvenus dans la chambre, la déposèrent sur le lit.

Comme la cuisinière n'en finissait pas d'enlever ses vêtements, la veuve Dentu se trouva là juste à point, venue soudain, ainsi que le prêtre, comme s'ils avaient « senti la mort », selon le mot des domestiques.

Joseph Couillard partit à franc étrier[1] pour prévenir le docteur; et comme le prêtre se disposait à aller chercher les saintes huiles[2], la garde lui souffla dans l'oreille: « Ne vous dérangez point, monsieur le curé, je m'y connais, elle a passé[3]. »

Jeanne, affolée, implorait, ne savait que faire, que tenter, quel remède employer. Le curé, à tout hasard, prononça l'absolution[4].

Pendant deux heures on attendit auprès du corps violet et sans vie. Tombée maintenant à genoux, Jeanne sanglotait, dévorée d'angoisse et de douleur.

Lorsque la porte s'ouvrit et que le médecin parut il lui sembla voir entrer le salut, la consolation, l'espérance; et elle s'élança vers lui, balbutiant tout ce qu'elle savait de l'accident: « Elle se promenait comme tous les jours... elle allait bien... très bien même... elle avait mangé un bouillon et deux œufs au déjeuner... elle est tombée tout d'un coup... elle est devenue noire comme vous la voyez... et elle n'a plus remué... nous avons essayé de tout pour la ranimer... de tout... » Elle se tut, saisie par un geste discret de la garde au médecin pour signifier que c'était fini, bien fini. Alors, se refusant à comprendre, elle interrogea anxieusement, répétant: « Est-ce grave ? croyez-vous que ce soit grave ? »

Il dit enfin: « J'ai bien peur que ce soit... que ce soit... fini. Ayez du courage, un grand courage. »

Et Jeanne, ouvrant les bras, se jeta sur sa mère.

---

1. À franc étrier: de toute la vitesse de son cheval et sans s'arrêter.
2. Saintes huiles: huiles utilisées lors d'un rite religieux.
3. Elle a passé: elle est morte.
4. Absolution: action par laquelle le prêtre pardonne les péchés au nom de Dieu.

Julien rentrait. Il demeura stupéfait, visiblement contrarié, sans cri de douleur ni désespoir apparent, pris à l'improviste trop brusquement pour se faire d'un seul coup le visage et la contenance[1] qu'il fallait. Il murmura : « Je m'y attendais, je sentais bien que c'était la fin. » Puis il tira son mouchoir, s'essuya les yeux, s'agenouilla, se signa[2], marmotta[3] quelque chose, et, se relevant, voulut aussi relever sa femme. Mais elle tenait à pleins bras le cadavre et le baisait, presque couchée sur lui. Il fallut qu'on l'emportât. Elle semblait folle.

Au bout d'une heure on la laissa revenir. Aucun espoir ne subsistait. L'appartement était arrangé maintenant en chambre mortuaire. Julien et le prêtre parlaient bas près d'une fenêtre. La veuve Dentu, assise dans un fauteuil, d'une façon confortable, en femme habituée aux veilles et qui se sent chez elle dans une maison dès que la mort vient d'y entrer, paraissait assoupie déjà.

La nuit tombait. Le curé s'avança vers Jeanne, lui prit les mains, l'encouragea, déversant, sur ce cœur inconsolable, l'onde onctueuse des consolations ecclésiastiques[4]. Il parla de la trépassée[5], la célébra en termes sacerdotaux[6], et, triste de cette fausse tristesse de prêtre pour qui les cadavres sont bien-faisants, il s'offrit à passer la nuit en prières auprès du corps.

Mais Jeanne, à travers ses larmes convulsives[7], refusa. Elle voulait être seule, toute seule en cette nuit d'adieux. Julien

---

1. **Contenance** : manière de se tenir.
2. **Se signa** : fit le signe de croix.
3. **Marmotta** : parla entre ses dents.
4. **Ecclésiastiques** : relatives au clergé, à l'église.
5. **Trépassée** : défunte.
6. **En termes sacerdotaux** : en termes conformes au caractère religieux.
7. **Convulsives** : agitées, saccadées.

s'avança : « Mais ce n'est pas possible, nous resterons tous les deux. » Elle faisait « non » de la tête, incapable de parler davantage. Elle put dire enfin : « C'est ma mère, ma mère. Je
620 veux être seule à la veiller. » Le médecin murmura : « Laissez-la faire à sa guise, la garde pourra rester dans la chambre à côté. »

Le prêtre et Julien consentirent, songeant à leur lit. Puis l'abbé Picot s'agenouilla à son tour, pria, se releva et sortit en
625 prononçant : « C'était une sainte », sur le ton dont il disait : « Dominus vobiscum[1] ».

Alors le vicomte, de sa voix ordinaire, demanda : « Vas-tu prendre quelque chose ? » Jeanne ne répondit point, ignorant qu'il s'adressait à elle. Il reprit : « Tu ferais peut-être bien de
630 manger un peu pour te soutenir. » Elle répliqua d'un air égaré : « Envoie tout de suite chercher papa. » Et il sortit pour expédier un cavalier à Rouen.

Elle demeura abîmée[2] dans une sorte de douleur immobile, comme si elle eût attendu, pour s'abandonner au flot montant
635 des regrets désespérés, l'heure du dernier tête-à-tête.

Les ombres avaient envahi la chambre, voilant la morte de ténèbres. La veuve Dentu se mit à rôder, de son pas léger, cherchant et disposant des objets invisibles avec des mouvements silencieux de garde-malade. Puis elle alluma deux
640 bougies qu'elle posa doucement sur la table de nuit couverte d'une serviette blanche à la tête du lit.

Jeanne ne semblait rien voir, rien sentir, rien comprendre. Elle attendait d'être seule. Julien rentra ; il avait dîné ; et, de

---

1. *Dominus vobiscum :* (latin) « Le Seigneur est avec vous. »
2. *Abîmée :* plongée.

nouveau, il demanda : « Tu ne veux rien prendre ? » Sa femme
fit « non » de la tête.

Il s'assit, d'un air résigné plutôt que triste, et demeura sans
parler.

Ils restaient tous trois, éloignés l'un de l'autre, sans un
mouvement, sur leurs sièges.

Par moments la garde s'endormant ronflait un peu, puis se
réveillait brusquement.

Julien à la fin se leva, et, s'approchant de Jeanne : « Veux-tu
rester seule maintenant ? » Elle lui prit la main, dans un élan
involontaire : « Oh oui, laissez-moi. »

Il l'embrassa sur le front, en murmurant : « Je viendrai te
voir de temps en temps. » Et il sortit avec la veuve Dentu qui
roula son fauteuil dans la chambre voisine.

Jeanne ferma la porte, puis alla ouvrir toutes grandes les
deux fenêtres. Elle reçut en pleine figure la tiède caresse d'un
soir de fenaison[1]. Les foins de la pelouse, fauchés la veille,
étaient couchés sous le clair de lune.

Cette douce sensation lui fit mal, la navra[2] comme une
ironie.

Elle revint auprès du lit, prit une des mains inertes et
froides et se mit à considérer sa mère.

Elle n'était plus enflée comme au moment de l'attaque ; elle
semblait dormir à présent, plus paisiblement qu'elle n'avait
jamais fait ; et la flamme pâle des bougies qu'agitaient des
souffles déplaçait à tout moment les ombres de son visage, la
faisait vivante comme si elle eût remué.

---

1. **Fenaison** : fauchage et récolte des foins.
2. **Navra** : blessa.

Jeanne la regardait avidement ; et du fond des lointains de sa petite jeunesse une foule de souvenirs accourait.

Elle se rappelait les visites de petite mère au parloir[1] du couvent, la façon dont elle lui tendait le sac de papier plein de gâteaux, une multitude de petits détails, de petits faits, de petites tendresses, des paroles, des intonations, des gestes familiers, les plis de ses yeux quand elle riait, son grand soupir essoufflé quand elle venait de s'asseoir.

Et elle restait là, contemplant, se répétant dans une sorte d'hébétement : « Elle est morte » ; et toute l'horreur de ce mot lui apparut.

Celle couchée là – maman – petite mère – madame Adélaïde, était morte ? Elle ne remuerait plus, ne parlerait plus, ne rirait plus, ne dînerait plus jamais en face de petit père ; elle ne dirait plus : « Bonjour Jeannette. » Elle était morte !

On allait la clouer dans une caisse et l'enfouir, et ce serait fini. On ne la verrait plus. Était-ce possible ? Comment ? elle n'aurait plus sa mère ? Cette chère figure si familière, vue dès qu'on a ouvert les yeux, aimée dès qu'on a ouvert les bras, ce grand déversoir[2] d'affection, cet être unique, la mère, plus important pour le cœur que tout le reste des êtres, était disparu. Elle n'avait plus que quelques heures à regarder son visage, ce visage immobile et sans pensée ; et puis rien, plus rien, un souvenir.

Et elle s'abattit sur les genoux dans une crise horrible de désespoir ; et, les mains crispées sur la toile qu'elle tordait, la

---

1. Parloir : salle où les pensionnaires d'un couvent peuvent recevoir des visites.
2. Déversoir : ouverture.

bouche collée sur le lit, elle cria d'une voix déchirante, étouffée dans les draps et les couvertures : « Oh ! maman, ma pauvre maman, maman ! »

Puis, comme elle se sentait devenir folle, folle ainsi qu'elle l'avait été dans cette nuit de fuite à travers la neige, elle se releva et courut à la fenêtre pour se rafraîchir, boire de l'air nouveau qui n'était point l'air de cette couche, l'air de cette morte.

Les gazons coupés, les arbres, la lande, la mer là-bas, se reposaient dans une paix silencieuse, endormis sous le charme tendre de la lune. Un peu de cette douceur calmante pénétra Jeanne et elle se mit à pleurer lentement.

Puis elle revint auprès du lit et s'assit en reprenant dans sa main la main de petite mère, comme si elle l'eût veillée malade.

Un gros insecte était entré, attiré par les bougies. Il battait les murs comme une balle, allait d'un bout à l'autre de la chambre, Jeanne, distraite par son vol ronflant, levait les yeux pour le voir ; mais elle n'apercevait jamais que son ombre errante sur le blanc du plafond.

Puis elle ne l'entendit plus. Alors elle remarqua le tic-tac léger de la pendule et un autre petit bruit, ou plutôt, un bruissement presque imperceptible. C'était la montre de petite mère qui continuait à marcher, oubliée dans la robe jetée sur une chaise aux pieds du lit. Et soudain un vague rapprochement entre cette morte et cette mécanique qui ne s'était point arrêtée raviva la douleur aiguë au cœur de Jeanne.

Elle regarda l'heure. Il était à peine dix heures et demie ; et elle fut prise d'une peur horrible de cette nuit entière à passer là.

D'autres souvenirs lui revenaient : ceux de sa propre vie –
Rosalie, Gilberte – les amères désillusions de son cœur. Tout
730 n'était donc que misère, chagrin, malheur et mort. Tout trompait, tout mentait, tout faisait souffrir et pleurer. Où trouver un
peu de repos et de joie ? Dans une autre existence sans doute !
Quand l'âme était délivrée de l'épreuve de la terre. L'âme ! Elle
se mit à rêver sur cet insondable mystère, se jetant brusque-
735 ment en des convictions poétiques que d'autres hypothèses non
moins vagues renversaient immédiatement. Où donc était,
maintenant, l'âme de sa mère ? l'âme de ce corps immobile et
glacé ? Très loin, peut-être. Quelque part dans l'espace ? Mais
où ? Évaporée comme le parfum d'une fleur sèche ? ou errante
740 comme un invisible oiseau échappé de sa cage ?

Rappelée à Dieu ? ou éparpillée au hasard des créations
nouvelles, mêlée aux germes près d'éclore ?

Très proche peut-être ? Dans cette chambre, autour de cette
chair inanimée qu'elle avait quittée ! Et brusquement Jeanne
745 crut sentir un souffle l'effleurer, comme le contact d'un esprit.
Elle eut peur, une peur atroce, si violente qu'elle n'osait plus
remuer, ni respirer, ni se retourner pour regarder derrière elle.
Son cœur battait comme dans les épouvantes.

Et soudain l'invisible insecte reprit son vol et se remit à
750 heurter les murs en tournoyant. Elle frissonna des pieds à la
tête, puis, rassurée tout à coup quand elle eut reconnu le
ronflement de la bête ailée, elle se leva, et se retourna. Ses yeux
tombèrent sur le secrétaire aux têtes de sphinx, le meuble aux
reliques.

755 Et une idée tendre et singulière l'envahit ; c'était de lire, en
cette dernière veillée, comme elle aurait fait d'un livre pieux,
les vieilles lettres chères à la morte. Il lui sembla qu'elle allait

remplir un devoir délicat et sacré, quelque chose de vraiment filial, qui ferait plaisir, dans l'autre monde, à petite mère.

60 C'était l'ancienne correspondance de son grand-père et de sa grand-mère, qu'elle n'avait point connus. Elle voulait leur tendre les bras par-dessus le corps de leur fille, aller vers eux en cette nuit funèbre comme s'ils eussent souffert aussi, former une sorte de chaîne mystérieuse de tendresse entre
65 ceux-là morts autrefois, celle qui venait de disparaître à son tour, et elle-même restée encore sur la terre.

Elle se leva, abattit la tablette du secrétaire et prit dans le tiroir du bas une dizaine de petits paquets de papiers jaunes, ficelés avec ordre, et rangés côte à côte.

70 Elle les déposa tous sur le lit, entre les bras de la baronne, par une sorte de raffinement sentimental, et elle se mit à lire.

C'étaient ces vieilles épîtres[1] qu'on retrouve dans les antiques secrétaires de familles, ces épîtres qui sentent un autre siècle.

75 La première commençait par « Ma chérie ». Une autre par « Ma belle petite fille », puis c'étaient « Ma chère petite » – « Ma mignonne » – « Ma fille adorée » puis « Ma chère enfant » – « Ma chère Adélaïde » – « Ma chère fille », selon qu'elles s'adressaient à la fillette, à la jeune fille et, plus tard,
80 à la jeune femme.

Et tout cela était plein de tendresses passionnées et puériles, de mille petites choses intimes, de ces grands et simples événements du foyer, si mesquins pour les indiffé-rents : « père a la grippe ; la bonne Hortense s'est brûlée au
85 doigt ; le chat Croquerat est mort ; on a abattu le sapin à droite

---

1. **Épîtres** : lettres.

de la barrière ; mère a perdu son livre de messe en revenant de l'église, elle pense qu'on le lui a volé. »

On y parlait aussi de gens inconnus à Jeanne, mais dont elle se rappelait vaguement avoir entendu prononcer le nom, autrefois, dans son enfance.

Elle s'attendrissait à ces détails qui lui semblaient des révélations ; comme si elle fût entrée tout à coup dans toute la vie passée, secrète, la vie du cœur de petite mère. Elle regardait le corps gisant ; et, brusquement, elle se mit à lire tout haut, à lire pour la morte, comme pour la distraire, la consoler.

Et le cadavre immobile semblait heureux.

Une à une elle rejetait les lettres sur les pieds du lit ; et elle pensa qu'il faudrait les mettre dans le cercueil, comme on y dépose des fleurs.

Elle délia un autre paquet. C'était une écriture nouvelle. Elle commença : « Je ne peux plus me passer de tes caresses. Je t'aime à devenir fou. »

Rien de plus ; pas de nom.

Elle retourna le papier sans comprendre. L'adresse portait bien « Madame la baronne Le Perthuis des Vauds ».

Alors elle ouvrit la suivante : « Viens ce soir, dès qu'il sera sorti. Nous aurons une heure. Je t'adore. »

Dans une autre : « J'ai passé une nuit de délire à te désirer vainement. J'avais ton corps dans mes bras, ta bouche sous mes lèvres, tes yeux sous mes yeux. Et puis je me sentais des rages à me jeter par la fenêtre en songeant qu'à cette heure-là tu dormais à son côté, qu'il te possédait à son gré… »

Jeanne interdite ne comprenait pas.

Qu'était-ce que cela ? À qui, pour qui, de qui ces paroles d'amour ?

Elle continua, retrouvant toujours des déclarations éper- *passionate*
dues, des rendez-vous avec des recommandations de prudence,
puis toujours, à la fin, ces quatre mots : « Surtout brûle cette
lettre. »

Enfin elle ouvrit un billet[1] banal, une simple acceptation à
dîner, mais de la même écriture, et signé : « Paul d'Enne-
mare », celui que le baron appelait, quand il parlait encore de
lui : « Mon pauvre vieux Paul », et dont la femme avait été la
meilleure amie de la baronne.

Alors Jeanne, brusquement, fut effleurée d'un doute qui
devint tout de suite une certitude. Sa mère l'avait eu pour
amant.

Et soudain, la tête éperdue, elle rejeta d'une secousse ces
papiers infâmes, comme elle eût rejeté quelque bête veni-
meuse montée sur elle, et elle courut à la fenêtre, et elle se mit
à pleurer affreusement avec des cris involontaires qui lui
déchiraient la gorge ; puis, tout son être se brisant, elle s'af- *collapsed*
faissa au pied de la muraille, et, cachant son visage pour qu'on
n'entendît point ses gémissements, elle sanglota abîmée dans
un désespoir insondable.

Elle serait restée peut-être ainsi toute la nuit ; mais un bruit
de pas dans la pièce voisine la fit se redresser d'un bond.
C'était son père, peut-être ? Et toutes les lettres gisaient sur
le lit et sur le plancher. Il lui suffirait d'en ouvrir une ? Et il
saurait cela ! lui !

Elle s'élança, et, saisissant à poignées tous les vieux papiers
jaunes, ceux des grands-parents et ceux de l'amant, et ceux
qu'elle n'avait point dépliés, et ceux qui se trouvaient encore

---

1. Billet : courte lettre.

ficelés dans les tiroirs du secrétaire, elle les jetait en tas dans
845   la cheminée. Puis elle prit une des bougies qui brûlaient sur
la table de nuit et mit le feu à ce monceau[1] de lettres. Une
grande flamme jaillit qui éclaira la chambre, la couche et le
cadavre d'une lueur vive et dansante, dessinant en noir sur le
rideau blanc du fond du lit le profil tremblotant du visage
850   rigide et les lignes du corps énorme sous le drap.

Quand il n'y eut plus qu'un amas de cendres au fond du
foyer, elle retourna s'asseoir auprès de la fenêtre ouverte
comme si elle n'eût plus osé rester auprès de la morte, et elle
se remit à pleurer, la figure dans ses mains, et gémissant d'un
855   ton navré, d'un ton de plainte désolée : « Oh! ma pauvre
maman, oh! ma pauvre maman! »

Et une atroce réflexion lui vint : si petite mère n'était pas
morte, par hasard, si elle n'était qu'endormie d'un sommeil
léthargique[2], si elle allait soudain se lever, parler ? – La
860   connaissance de l'affreux secret n'amoindrirait-elle pas son
amour filial ? L'embrasserait-elle des mêmes lèvres pieuses ?
La chérirait-elle de la même affection sacrée ? Non. Ce n'était
pas possible ! Et cette pensée lui déchira le cœur.

La nuit s'effaçait ; les étoiles pâlissaient ; c'était l'heure
865   fraîche qui précède le jour. La lune descendue allait s'enfoncer
dans la mer qu'elle nacrait sur toute sa surface.

Et le souvenir saisit Jeanne de cette nuit passée à la fenêtre
lors de son arrivée aux Peuples. Comme c'était loin, comme
tout était changé, comme l'avenir lui semblait différent !

---

1. **Monceau** : amas, pile.
2. **Sommeil léthargique** : sommeil profond.

Et voilà que le ciel devint rose, d'un rose joyeux, amoureux, charmant. Elle regardait, surprise maintenant comme devant un phénomène, cette radieuse éclosion du jour, se demandant s'il était possible que, sur cette terre où se levaient de pareilles aurores, il n'y eût ni joie ni bonheur.

Un bruit de porte la fit tressaillir. C'était Julien. Il demanda : « Eh bien ? tu n'es pas trop fatiguée ? »

Elle balbutia « Non », heureuse de n'être plus seule.

« À présent, va te reposer », dit-il. Elle embrassa lentement sa mère, d'un baiser lent, douloureux et navré[1] ; puis elle rentra dans sa chambre.

La journée s'écoula dans ces tristes occupations que réclame un mort. Le baron arriva vers le soir. Il pleura beaucoup.

L'enterrement eut lieu le lendemain.

Après qu'elle eut, pour la dernière fois, appuyé ses lèvres sur le front glacé, qu'elle eut fait la dernière toilette, et vu clouer le corps dans le cercueil, Jeanne se retira. Les invités allaient venir.

Gilberte arriva la première, et se jeta en sanglotant sur le cœur de son amie.

On voyait par la fenêtre les voitures tourner à la grille, s'en venant au trot. Et des voix résonnaient dans le grand vestibule. Des femmes en noir entraient peu à peu dans la chambre, des femmes que Jeanne ne connaissait point. La marquise de Coutelier et la vicomtesse de Briseville l'embrassèrent.

Elle s'aperçut tout à coup que tante Lison se glissait derrière elle. Et elle l'étreignit avec tendresse, ce qui fit presque défaillir la vieille fille.

---

1. **Navré** : profondément triste.

Julien entra, en grand noir[1], élégant, affairé, satisfait de cette affluence[2]. Il parla bas à sa femme pour un conseil qu'il demandait. Il ajouta d'un ton confidentiel : « Toute la noblesse est venue, ce sera très bien. » Et il repartit en saluant gravement les dames.

Tante Lison et la comtesse Gilberte restèrent seules auprès de Jeanne pendant que s'accomplissait la cérémonie funèbre.

La comtesse l'embrassait sans cesse en répétant : « Ma pauvre chérie, ma pauvre chérie ! »

Quand le comte de Fourville revint chercher sa femme, il pleurait lui-même comme s'il avait perdu sa propre mère.

---

1. En grand noir : en costume de deuil.
2. Affluence : arrivée d'une grande quantité de gens.

X

Les jours furent bien tristes qui suivirent, ces jours mornes dans une maison qui semble vide par l'absence de l'être familier disparu pour toujours, ces jours criblés de souffrances à chaque rencontre de tout objet que maniait incessamment la morte. D'instant en instant un souvenir vous tombe sur le cœur et le meurtrit. Voici son fauteuil, son ombrelle restée dans le vestibule, son verre que la bonne n'a point serré[1] ! Et dans toutes les chambres on retrouve des choses traînant : ses ciseaux, un gant, le volume dont les feuillets sont usés par ses doigts alourdis, et mille riens qui prennent une signification douloureuse parce qu'ils rappellent mille petits faits.

Et sa voix vous poursuit ; on croit l'entendre ; on voudrait fuir n'importe où, échapper à la hantise de cette maison. Il faut rester parce que d'autres sont là qui restent et souffrent aussi.

Et puis Jeanne demeurait écrasée sous le souvenir de ce qu'elle avait découvert. Cette pensée pesait sur elle ; son cœur broyé ne se guérissait pas. Sa solitude d'à présent s'augmentait de ce secret horrible ; sa dernière confiance était tombée avec sa dernière croyance.

Père, au bout de quelque temps, s'en alla, ayant besoin de remuer, de changer d'air, de sortir du noir chagrin où il s'enfonçait de plus en plus.

---

1. Serré : rangé.

Et la grande maison, qui voyait ainsi de temps en temps disparaître un de ses maîtres, reprit sa vie calme et régulière.

Et puis Paul tomba malade. Jeanne en perdit la raison, resta douze jours sans dormir, presque sans manger.

Il guérit ; mais elle demeura épouvantée par cette idée qu'il pouvait mourir. Alors que ferait-elle ? que deviendrait-elle ? Et tout doucement se glissa dans son cœur le vague besoin d'avoir un autre enfant. Bientôt elle en rêva, reprise tout entière par son ancien désir de voir autour d'elle deux petits êtres, un garçon et une fille. Et ce fut une obsession.

Mais depuis l'affaire de Rosalie elle vivait séparée de Julien. Un rapprochement semblait même impossible dans les situations où ils se trouvaient. Julien aimait ailleurs ; elle le savait ; et la seule pensée de subir de nouveau ses caresses la faisait frémir de répugnance.

Elle s'y serait pourtant résignée, tant l'envie d'être encore mère la harcelait ; mais elle se demandait comment pourraient recommencer leurs baisers ? Elle serait morte d'humiliation plutôt que de laisser deviner ses intentions ; et il ne paraissait plus songer à elle.

Elle y eût renoncé peut-être ; mais voilà que, chaque nuit, elle se mit à rêver d'une fille ; et elle la voyait jouant avec Paul sous le platane ; et parfois elle sentait une sorte de démangeaison de se lever, et d'aller, sans prononcer un mot, trouver son mari dans sa chambre. Deux fois même elle se glissa jusqu'à sa porte ; puis elle revint vivement, le cœur battant de honte.

Le baron était parti ; petite mère était morte ; Jeanne maintenant n'avait plus personne qu'elle pût consulter, à qui elle pût confier ses intimes secrets.

Alors elle se résolut à aller trouver l'abbé Picot, et à lui dire, sous le sceau de la confession, les difficiles projets qu'elle avait.

Elle arriva comme il lisait son bréviaire[1] dans son petit jardin planté d'arbres fruitiers.

Après avoir causé quelques minutes de choses et d'autres, elle balbutia, en rougissant : « Je voudrais me confesser, monsieur l'abbé. »

Il demeura stupéfait et releva ses lunettes pour la bien considérer ; puis il se mit à rire. « Vous ne devez pourtant pas avoir de gros péchés sur la conscience. » Elle se troubla tout à fait, et reprit : « Non, mais j'ai un conseil à vous demander, un conseil si... si... si pénible que je n'ose pas vous en parler comme ça. »

Il quitta instantanément son aspect bonhomme[2], et prit son air sacerdotal[3] : « Eh bien, mon enfant, je vous écouterai dans le confessionnal, allons. »

Mais elle le retint, hésitante, arrêtée tout à coup par une sorte de scrupule de parler de ces choses un peu honteuses dans le recueillement d'une église vide.

« Ou bien, non..., monsieur le curé... je puis... je puis... si vous le voulez... vous dire ici ce qui m'amène. Tenez, nous allons nous asseoir là-bas sous votre petite tonnelle[4]. »

Ils y allèrent à pas lents. Elle cherchait comment s'exprimer, comment débuter. Ils s'assirent.

---

1. Bréviaire : voir note 1, p. 71.

2. Bonhomme : simple et bon.

3. Sacerdotal : conforme au caractère religieux.

4. Tonnelle : petite construction souvent circulaire où l'on fait pousser des plantes afin de former un abri ombragé.

Alors, comme si elle se fût confessée, elle commença :
« Mon père… » puis elle hésita, répéta de nouveau : « Mon
80   père… » et se tut, tout à fait troublée.

Il attendait, les mains croisées sur son ventre. Voyant son
embarras, il l'encouragea : « Eh bien, ma fille, on dirait que
vous n'osez pas ; voyons, prenez courage. »

Elle se décida, comme un poltron qui se jette au danger :
85   « Mon père, je voudrais un autre enfant. » Il ne répondit rien,
ne comprenant pas. Alors elle s'expliqua, perdant les mots,
effarée.

« Je suis seule dans la vie maintenant ; mon père et mon
mari ne s'entendent guère ; ma mère est morte ; et… et… »
90   – Elle prononça tout bas en frissonnant… : « L'autre jour j'ai
failli perdre mon fils ! Que serais-je devenue alors ?… »

Elle se tut. Le prêtre dérouté la regardait.

« Voyons, arrivez au fait. »

Elle répéta : « Je voudrais un autre enfant. »
95   Alors il sourit, habitué aux grosses plaisanteries des
paysans qui ne se gênaient guère devant lui, et il répondit avec
un hochement de tête malin :

« Eh bien, il me semble qu'il ne tient qu'à vous. »

Elle leva vers lui ses yeux candides[1], puis, bégayant de
100   confusion : « Mais… mais… vous comprenez que depuis ce…
ce que… ce que vous savez de… de cette bonne… mon mari
et moi nous vivons… nous vivons tout à fait séparés. »

Accoutumé aux promiscuités[2] et aux mœurs sans dignité
des campagnes, il fut étonné de cette révélation ; puis tout à

---

1. Candides : ingénus, naïfs.
2. Promiscuités : voisinage de personnes, de mœurs, de milieux, de sexes
différents dont le contact paraît contraire à la bienséance.

05 coup il crut deviner le désir véritable de la jeune femme. Il la regarda de coin, plein de bienveillance et de sympathie pour sa détresse : « Oui ; je saisis parfaitement. Je comprends que votre... votre veuvage[1] vous pèse. Vous êtes jeune, bien portante. Enfin, c'est naturel, trop naturel. »

10 Il se remettait à sourire, emporté par sa nature grivoise[2] de prêtre campagnard ; et il tapotait doucement la main de Jeanne : « Ça vous est permis, bien permis même, par les commandements[3]. – L'œuvre de chair ne désireras qu'en mariage seulement[4]. – Vous êtes mariée, n'est-ce pas ? Ce

15 n'est point pour piquer des raves[5]. »

À son tour elle n'avait pas compris d'abord ses sous-entendus ; mais, sitôt qu'elle les pénétra, elle s'empourpra[6], toute saisie, avec des larmes aux yeux.

« Oh ! monsieur le curé, que dites-vous ? que pensez-vous ?

20 Je vous jure... Je vous jure... » Et les sanglots l'étouffèrent.

Il fut surpris ; et il la consolait : « Allons, je n'ai pas voulu vous faire de peine. Je plaisantais un peu ; ça n'est pas défendu quand on est honnête. Mais comptez sur moi ; vous pouvez compter sur moi. Je verrai M. Julien. »

25 Elle ne savait plus que dire. Elle voulait maintenant refuser cette intervention qu'elle craignait maladroite et dangereuse,

---

1. Veuvage : fait d'être veuf ou veuve.

2. Grivoise : voir note 2, p. 35.

3. Commandements : dans la Bible les dix commandements sont le fondement de la morale chrétienne.

4. L'œuvre de chair ne désireras qu'en mariage seulement : on ne peut désirer que le corps de l'époux ou de l'épouse. Il s'agit de l'un des dix commandements de la Bible.

5. Ce n'est point pour piquer des raves : expression campagnarde qui indique la nécessité de reconquérir son amoureux, son époux.

6. S'empourpra : voir note 1, p. 89.

mais elle n'osait point; et elle se sauva après avoir balbutié: « Je vous remercie, monsieur le curé. »

Huit jours se passèrent. Elle vivait dans une angoisse d'inquiétude.

Un soir, au dîner, Julien la regarda d'une façon singulière avec un certain pli souriant des lèvres qu'elle lui connaissait en ses heures de gouaillerie[1]. Il eut même à son égard une sorte de galanterie[2] imperceptiblement ironique; et comme ils se promenaient ensuite dans la grande avenue de petite mère, il lui dit tout bas dans l'oreille: « Il paraît que nous sommes raccommodés. »

Elle ne répondit rien. Elle regardait par terre une sorte de ligne droite presque invisible à présent, l'herbe ayant repoussé. C'était la trace du pied de la baronne qui s'effaçait, comme s'efface un souvenir. Et Jeanne se sentait le cœur crispé, noyé de tristesse; elle se sentait perdue dans la vie, si loin de tout le monde.

Julien reprit: « Moi, je ne demande pas mieux. Je craignais de te déplaire. »

Le soleil se couchait, l'air était doux. Une envie de pleurer oppressait Jeanne, un de ces besoins d'expansion vers un cœur ami, un besoin d'étreindre, en murmurant ses peines. Un sanglot lui montait à la gorge. Elle ouvrit les bras et tomba sur le cœur de Julien.

Et elle pleura. Surpris, il la regardait dans les cheveux, ne pouvant voir le visage caché sur sa poitrine. Il pensa qu'elle l'aimait encore et déposa sur son chignon un baiser condescendant.

---

1. **Gouaillerie**: plaisanterie sans délicatesse.
2. **Galanterie**: courtoisie auprès des femmes.

Puis ils rentrèrent sans dire un mot. Il la suivit en sa
chambre, et passa la nuit avec elle.

Et leurs rapports anciens recommencèrent. Il les accomplissait comme un devoir qui cependant ne lui déplaisait pas ;
elle les subissait comme une nécessité écœurante et pénible,
avec la résolution de les arrêter pour toujours dès qu'elle se
sentirait enceinte de nouveau.

Mais elle remarqua bientôt que les caresses de son mari
semblaient différentes de jadis. Elles étaient plus raffinées
peut-être, mais moins complètes. Il la traitait comme un
amant discret, et non plus comme un époux tranquille.

Elle s'étonna, observa, et s'aperçut bientôt que toutes ses
étreintes s'arrêtaient avant qu'elle pût être fécondée[1].

Alors une nuit, la bouche sur sa bouche, elle murmura :
« Pourquoi ne te donnes-tu plus à moi tout entier comme
autrefois ? »

Il se mit à ricaner : « Parbleu, pour ne pas t'engrosser[2]. »

Elle tressaillit : « Pourquoi donc ne veux-tu plus d'enfants ? »

Il demeura perclus[3] de surprise : « Hein ? tu dis ? mais tu es
folle ? Un autre enfant ? Ah ! mais non, par exemple ! C'est
déjà trop d'un pour piailler, occuper tout le monde et coûter
de l'argent. Un autre enfant : merci ! »

Elle le saisit dans ses bras, le baisa, l'enveloppa d'amour, et,
tout bas : « Oh ! je t'en supplie, rends-moi mère encore une fois. »

Mais il se fâcha comme si elle l'eût blessé : « Ça vraiment,
tu perds la tête. Fais-moi grâce de tes bêtises, je te prie. »

---

1. Fécondée : mise enceinte.
2. Engrosser : mettre enceinte.
3. Perclus : voir note 3, p. 179.

Elle se tut et se promit de le forcer par ruse à lui donner le bonheur qu'elle rêvait.

Alors elle essaya de prolonger ses baisers, jouant la comédie d'une ardeur[1] délirante, le liant à elle de ses deux bras crispés
185 en des transports[2] qu'elle simulait. Elle usa de tous les subterfuges[3]; mais il restait maître de lui; et pas une fois il ne s'oublia.

Alors, travaillée de plus en plus par son désir acharné, poussée à bout, prête à tout braver, à tout oser, elle retourna
190 chez l'abbé Picot.

Il achevait son déjeuner; il était fort rouge, ayant toujours des palpitations après ses repas. Dès qu'il la vit entrer, il s'écria : « Eh bien ? » désireux de savoir le résultat de ses négociations.

Résolue maintenant et sans timidité pudique, elle répondit
195 immédiatement : « Mon mari ne veut plus d'enfants. » L'abbé se retourna vers elle, intéressé tout à fait, prêt à fouiller avec une curiosité de prêtre dans ces mystères du lit qui lui rendaient plaisant le confessionnal. Il demanda : « Comment ça ? » Alors, malgré sa détermination, elle se troubla pour
200 expliquer : « Mais il... il... il refuse de me rendre mère. »

L'abbé comprit, il connaissait ces choses; et il se mit à interroger avec des détails précis et minutieux, une gourmandise d'homme qui jeûne[4].

Puis il réfléchit quelques instants, et, d'une voix tranquille,
205 comme s'il eût parlé de la récolte qui venait bien, il lui traça un plan de conduite habile, réglant tous les points : « Vous

---

1. **Ardeur** : exaltation, enthousiasme.
2. **Transports** : émotions fortes.
3. **Subterfuges** : ruses.
4. **Jeûne** : qui n'a pas de rapports sexuels, abstinent.

n'avez qu'un moyen, ma chère enfant, c'est de lui faire accroire que vous êtes grosse[1]. Il ne s'observera plus ; et vous le deviendrez pour de vrai. »

10 Elle rougit jusqu'aux yeux ; mais, déterminée à tout, elle insista. « Et... et s'il ne me croit pas ? »

Le curé savait bien les ressources pour conduire et tenir les hommes : « Annoncez votre grossesse à tout le monde, dites-la partout ; il finira par y croire lui-même. »

15 Puis il ajouta comme pour s'absoudre[2] de ce stratagème : « C'est votre droit, l'Église ne tolère les rapports entre homme et femme que dans le but de la procréation. »

Elle suivit le conseil rusé et, quinze jours plus tard, elle annonçait à Julien qu'elle se croyait grosse. Il eut un sursaut.

20 « Pas possible ! ce n'est pas vrai. »

Elle indiqua aussitôt la raison de ses soupçons. Mais il se rassura. « Bah ! attends un peu. Tu verras. »

Alors chaque matin, il demanda : « Eh bien ? » Et toujours elle répondait : « Non, pas encore. Je serais bien trompée si je

25 n'étais pas enceinte. »

Il s'inquiétait à son tour, furieux et désolé, autant que surpris. Il répétait : « Je n'y comprends rien, mais rien. Si je sais comment cela s'est fait ! je veux bien être pendu. »

Au bout d'un mois elle annonçait de tous les côtés la

30 nouvelle sauf à la comtesse Gilberte, par une sorte de pudeur compliquée et délicate.

Depuis sa première inquiétude, Julien ne l'approchait plus ; puis il prit, en rageant, son parti, et déclara : « En voilà

---

1. Grosse : voir note 2, p. 187.
2. S'absoudre : se disculper.

un qui n'était pas demandé. » Et il recommença à pénétrer dans la chambre de sa femme.

Ce qu'avait prévu le prêtre se réalisa complètement. Elle fut grosse[1].

Alors, inondée d'une joie délirante, elle ferma sa porte chaque soir, se vouant, dans un élan de reconnaissance vers la vague divinité qu'elle adorait, à une chasteté[2] éternelle.

Elle se sentait de nouveau presque heureuse, s'étonnant de la promptitude[3] avec laquelle s'était adoucie sa douleur après la mort de sa mère. Elle s'était crue inconsolable ; et voilà qu'en deux mois à peine cette plaie vive se fermait. Il ne lui restait plus qu'une mélancolie attendrie, comme un voile de chagrin jeté sur sa vie. Aucun événement ne lui paraissait plus possible. Ses enfants grandiraient, l'aimeraient ; elle vieillirait tranquille, contente, sans s'occuper de son mari.

Vers la fin du mois de septembre, l'abbé Picot vint faire une visite de cérémonie avec une soutane neuve qui ne portait encore que huit jours de taches ; et il présenta son successeur l'abbé Tolbiac. C'était un tout jeune prêtre maigre, fort petit, à la parole emphatique[4], et dont les yeux, cerclés de noir et caves[5], indiquaient une âme violente.

Le vieux curé était nommé doyen[6] de Goderville[7].

Jeanne ressentit une vraie tristesse de ce départ. La figure du bonhomme était liée à tous ses souvenirs de jeune femme.

---

1. Grosse : voir note 2, p. 187.
2. Chasteté : vertu qui recommande de s'abstenir des plaisirs de la chair.
3. Promptitude : rapidité.
4. Emphatique : ampoulée, pompeuse.
5. Caves : enfoncés.
6. Doyen : titre ecclésiastique.
7. Goderville : gros bourg entre Fécamp et Étretat.

Il l'avait mariée, il avait baptisé Paul, et enterré la baronne. Elle ne se figurait pas Étouvent sans la bedaine[1] de l'abbé Picot passant le long des cours des fermes ; et elle l'aimait parce qu'il était joyeux et naturel.

Malgré son avancement il ne semblait pas gai. Il disait : « Ça me coûte, ça me coûte, madame la comtesse. Voilà dix-huit ans que je suis ici. Oh ! la commune rapporte peu et ne vaut point grand-chose. Les hommes n'ont pas plus de religion qu'il ne faut, et les femmes, les femmes, voyez-vous, n'ont guère de conduite. Les filles ne passent à l'église pour le mariage qu'après avoir fait un pèlerinage à Notre-Dame du Gros-Ventre, et la fleur d'oranger[2] ne vaut pas cher dans le pays. Tant pis, je l'aimais, moi. »

Le nouveau curé faisait des gestes d'impatience, et devenait rouge. Il dit brusquement : « Avec moi, il faudra que tout cela change. » Il avait l'air d'un enfant rageur, tout frêle et tout maigre dans sa soutane usée déjà, mais propre.

L'abbé Picot le regarda de biais, comme il faisait en ses moments de gaieté, et il reprit : « Voyez-vous, l'abbé, pour empêcher ces choses-là, il faudrait enchaîner vos paroissiens ; et encore ça ne servirait de rien. »

Le petit prêtre répondit d'un ton cassant : « Nous verrons bien. » Et le vieux curé sourit en humant sa prise[3] : « L'âge vous calmera, l'abbé, et l'expérience aussi ; vous éloignerez de l'Église vos derniers fidèles ; et voilà tout. Dans ce pays-ci, on

---

1. Bedaine : gros ventre.
2. Fleur d'oranger : symbole de la pureté, cette fleur servait à la fabrication de couronnes pour les mariées.
3. En humant sa prise : en aspirant du tabac par le nez.

est croyant, mais tête de chien[1] : prenez garde. Ma foi, quand
je vois entrer au prône[2] une fille qui me paraît un peu grasse,
285 je me dis : "C'est un paroissien de plus qu'elle m'amène" ; – et
je tâche de la marier. Vous ne les empêcherez pas de fauter,
voyez-vous ; mais vous pouvez aller trouver le garçon et
l'empêcher d'abandonner la mère. Mariez-les, l'abbé, mariez-
les, ne vous occupez pas d'autre chose. »

290   Le nouveau curé répondit avec rudesse : « Nous pensons
différemment ; il est inutile d'insister. » Et l'abbé Picot se
remit à regretter son village, la mer qu'il voyait des fenêtres
du presbytère, les petites vallées en entonnoir où il allait
réciter son bréviaire[3], en regardant au loin passer les bateaux.

295   Et les deux prêtres prirent congé. Le vieux embrassa
Jeanne, qui faillit pleurer.

Huit jours plus tard, l'abbé Tolbiac revint. Il parla des
réformes qu'il accomplissait comme aurait pu le faire un prince
prenant possession de son royaume. Puis il pria la comtesse de
300 ne point manquer l'office du dimanche, et de communier[4] à
toutes les fêtes. « Vous et moi, disait-il, nous sommes la tête du
pays ; nous devons le gouverner et nous montrer toujours
comme un exemple à suivre. Il faut que nous soyons unis pour
être puissants et respectés. L'église et le château se donnant la
305 main, la chaumière[5] nous craindra et nous obéira. »

La religion de Jeanne était toute de sentiment ; elle avait
cette foi rêveuse que garde toujours une femme ; et, si elle

---

1. **Tête de chien** : têtu.
2. **Prône** : instruction faite à la messe du dimanche.
3. **Bréviaire** : voir note 1, p. 71.
4. **Communier** : recevoir l'hostie consacrée pendant la messe catholique.
5. **Chaumière** : maison simple et pauvre, cabane.

accomplissait à peu près ses devoirs, c'était surtout par habitude gardée du couvent, la philosophie frondeuse[1] du baron
10   ayant depuis longtemps jeté bas ses convictions.

L'abbé Picot se contentait du peu qu'elle pouvait lui donner et ne la gourmandait[2] jamais. Mais son successeur, ne l'ayant point vue à l'office[3] du précédent dimanche, était accouru inquiet et sévère.

15   Elle ne voulut point rompre avec le presbytère[4] et promit, se réservant de ne se montrer assidue que par complaisance[5] dans les premières semaines.

Mais peu à peu elle prit l'habitude de l'église et subit l'influence de ce frêle abbé intègre et dominateur. Mystique,
20   il lui plaisait par ses exaltations et ses ardeurs. Il faisait vibrer en elle la corde de poésie religieuse que toutes les femmes ont dans l'âme. Son austérité intraitable, son mépris du monde et des sensualités, son dégoût des préoccupations humaines, son amour de Dieu, son inexpérience juvénile[6] et sauvage, sa
25   parole dure, sa volonté inflexible donnaient à Jeanne l'impression de ce que devaient être les martyrs ; et elle se laissait séduire, elle, cette souffrante déjà désabusée, par le fanatisme rigide de cet enfant, ministre du ciel[7].

Il la menait au Christ consolateur, lui montrant comment
30   les joies pieuses de la religion apaiseraient toutes ses souffrances ; et elle s'agenouillait au confessionnal, s'humiliant, se

---

1. Frondeuse : encline à l'insubordination, refusant d'obéir aux ordres.
2. Gourmandait : réprimandait vivement.
3. Office : voir note 1, p. 38.
4. Presbytère : maison du curé.
5. Complaisance : désir de faire plaisir.
6. Juvénile : relative à la jeunesse.
7. Ministre du Ciel : prêtre.

sentant petite et faible devant ce prêtre qui semblait avoir quinze ans.

Mais il fut bientôt détesté par toute la campagne.

335 D'une inflexible sévérité pour lui-même, il se montrait pour les autres d'une implacable intolérance. Une chose surtout le soulevait de colère et d'indignation, l'amour. Il en parlait dans ses prêches[1] avec emportement, en termes crus, selon l'usage ecclésiastique, jetant sur cet auditoire de rustres
340 des périodes tonnantes[2] contre la concupiscence[3] ; et il tremblait de fureur, trépignait, l'esprit hanté des images qu'il évoquait dans ses fureurs.

Les grands gars et les filles se coulaient des regards sournois à travers l'église ; et les vieux paysans, qui aiment toujours à
345 plaisanter sur ces choses-là, désapprouvaient l'intolérance du petit curé en retournant à la ferme après l'office, à côté du fils en blouse bleue et de la fermière en mante[4] noire. Et toute la contrée était en émoi.

On se racontait tout bas ses sévérités au confessionnal, les
350 pénitences[5] sévères qu'il infligeait ; et, comme il s'obstinait à refuser l'absolution[6] aux filles dont la chasteté avait subi des atteintes, la moquerie s'en mêla. On riait, aux grand-messes des fêtes, quand on voyait des jeunesses rester à leurs bancs au lieu d'aller communier avec les autres.

---

1. Prêches : sermons pendant la messe.
2. Périodes tonnantes : phrases qui retentissent, qui font du bruit comme le tonnerre.
3. Concupiscence : penchant pour les plaisirs sensuels.
4. Mante : voir note 2, p. 33.
5. Pénitences : punitions infligées pour se faire pardonner après avoir commis un péché.
6. Absolution : voir note 4, p. 194.

355   Bientôt il épia les amoureux pour empêcher leurs rencontres, comme fait un garde poursuivant les braconniers[1].

Il les chassait le long des fossés, derrière les granges, par les soirs de lune, et dans les touffes de joncs marins sur le versant des petites côtes.

360   Une fois il en découvrit deux qui ne se désunirent pas devant lui ; ils se tenaient par la taille, et marchaient en s'embrassant dans un ravin rempli de pierres.

L'abbé cria : « Voulez-vous bien finir, manants[2] que vous êtes ! »

365   Et le gars, s'étant retourné, lui répondit : « Mêlez-vous d'vos affaires, m'sieu l'curé ; celles-là n'vous r'gardent pas. »

Alors l'abbé ramassa des cailloux et les leur jeta comme on fait aux chiens.

Ils s'enfuirent en riant tous deux ; et, le dimanche suivant,
370 il les dénonça par leurs noms en pleine église.

Tous les garçons du pays cessèrent d'aller aux offices[3].

Le curé dînait au château tous les jeudis, et venait souvent en semaine causer avec sa pénitente[4]. Elle s'exaltait comme lui, discutait sur les choses immatérielles[5], maniait tout
375 l'arsenal[6] antique et compliqué des controverses[7] religieuses.

Ils se promenaient tous deux le long de la grande allée de la baronne en parlant du Christ et des Apôtres, et de la Vierge

---

1. **Braconniers** : chasseurs privés d'autorisation.
2. **Manants** : hommes de condition inférieure, paysans.
3. **Offices** : voir note 1, p. 38.
4. **Pénitente** : personne qui se repent de ses péchés.
5. **Immatérielles** : relatives à la vie spirituelle, concernant la religion.
6. **Arsenal** : grande quantité de moyens d'attaque ou de défense en vue d'argumenter.
7. **Controverses** : débats.

et des Pères de l'Église, comme s'ils les eussent connus. Ils s'arrêtaient parfois pour se poser des questions profondes qui

380 les faisaient divaguer mystiquement, elle, se perdant en des raisonnements poétiques qui montaient au ciel comme des fusées, lui plus précis, arguant[1] comme un avoué[2] monomane[3] qui démontrerait mathématiquement la quadrature du cercle[4].

385 Julien traitait le nouveau curé avec un grand respect, répétant sans cesse : « Il me va, ce prêtre-là, il ne pactise pas[5]. » Et il se confessait et communiait à volonté, donnant l'exemple prodigalement[6].

Il allait maintenant presque chaque jour chez les Fourville,
390 chassant avec le mari qui ne pouvait plus se passer de lui, et montant à cheval avec la comtesse, malgré les pluies et les gros temps. Le comte disait : « Ils sont enragés avec leur cheval, mais cela fait du bien à ma femme. »

Le baron revint vers la mi-novembre. Il était changé,
395 vieilli, éteint, baigné dans une tristesse noire qui avait pénétré son esprit. Et tout de suite l'amour qui le liait à sa fille sembla accru comme si ces quelques mois de morne solitude eussent exaspéré son besoin d'affection, de confiance et de tendresse.

400 Jeanne ne lui confia point ses idées nouvelles, son intimité avec l'abbé Tolbiac, et son ardeur religieuse ; mais, la première

---

1. Arguant : argumentant.
2. Avoué : officier ministériel chargé de représenter les plaideurs devant la cour d'appel.
3. Monomane : obsédé par un seul sujet.
4. Quadrature du cercle : problème qui ne peut être résolu.
5. Ne pactise pas : ne transige pas.
6. Prodigalement : généreusement.

fois qu'il vit le prêtre, il sentit s'éveiller contre lui une inimitié[1] véhémente.

Et quand la jeune femme lui demanda, le soir : « Comment le trouves-tu ? » il répondit : « Cet homme-là, c'est un inquisiteur[2] ! Il doit être très dangereux. »

Puis quand il eut appris par les paysans dont il était l'ami les sévérités du jeune prêtre, ses violences, cette espèce de persécution qu'il exerçait contre les lois et les instincts innés[3], ce fut une haine qui éclata dans son cœur.

Il était, lui, de la race des vieux philosophes adorateurs de la nature, attendri dès qu'il voyait deux animaux s'unir, à genoux devant une espèce de Dieu panthéiste[4] et hérissé devant la conception catholique d'un Dieu à intentions bourgeoises, à colères jésuitiques[5] et à vengeances de tyran, un Dieu qui lui rapetissait la création entrevue, fatale, sans limites, toute-puissante, la création vie, lumière, terre, pensée, plante, roche, homme, air, bête, étoile, Dieu, insecte en même temps, créant parce qu'elle est création, plus forte qu'une volonté, plus vaste qu'un raisonnement, produisant sans but, sans raison et sans fin dans tous les sens et dans toutes les formes à travers l'espace infini, suivant les nécessités du hasard et le voisinage des soleils chauffant les mondes.

La création contenait tous les germes, la pensée et la vie se développant en elle comme des fleurs et des fruits sur les arbres.

---

1. Inimitié : hostilité.

2. Inquisiteur : prêtre qui dirige de manière trop autoritaire les fidèles, en référence au tribunal catholique de l'Inquisition (XIIIᵉ-XVIIIᵉ siècles).

3. Instincts innés : instincts naturels d'un individu, qu'il possède dès sa naissance.

4. Panthéiste : voir note 3, p. 38.

5. Jésuitiques : (péjoratif) hypocrites.

Pour lui donc, la reproduction était la grande loi générale, l'acte sacré, respectable, divin, qui accomplit l'obscure et constante volonté de l'Être Universel. Et il commença, de ferme en ferme, une campagne ardente contre le prêtre intolérant, persécuteur de la vie.

Jeanne, désolée, priait le Seigneur, implorait son père ; mais il répondait toujours : « Il faut combattre ces hommes-là, c'est notre droit et notre devoir. Ils ne sont pas humains. » Il répétait, en secouant ses longs cheveux blancs : « Ils ne sont pas humains ; ils ne comprennent rien, rien, rien. Ils agissent dans un rêve fatal ; ils sont anti-physiques[1]. » Et il criait « Antiphysiques ! » comme s'il eût jeté une malédiction.

Le prêtre sentait bien l'ennemi, mais, comme il tenait à rester maître du château et de la jeune femme, il temporisait[2], sûr de la victoire finale.

Puis une idée fixe le hantait ; il avait découvert par hasard les amours de Julien et de Gilberte, et il les voulait interrompre à tout prix.

Il s'en vint un jour trouver Jeanne et, après un long entretien mystique[3], il lui demanda de s'unir à lui pour combattre, pour tuer le mal dans sa propre famille, pour sauver deux âmes en danger.

Elle ne comprit pas et voulut savoir. Il répondit : « L'heure n'est pas venue, je vous reverrai bientôt. » Et il partit brusquement.

L'hiver alors touchait à sa fin, un hiver pourri, comme on dit aux champs, humide et tiède.

---

1. **Anti-physiques** : contre les lois de la nature.
2. **Temporisait** : gagnait du temps avant d'agir.
3. **Mystique** : dominé par le sentiment religieux.

L'abbé revint quelques jours plus tard et parla en termes obscurs d'une de ces liaisons indignes entre gens qui devraient être irréprochables. Il appartenait, disait-il, à ceux qui avaient connaissance de ces faits de les arrêter par tous les moyens. Puis il entra en des considérations élevées, puis, prenant la main de Jeanne, il l'adjura[1] d'ouvrir les yeux, de comprendre et de l'aider.

Elle avait compris, cette fois, mais elle se taisait épouvantée à la pensée de tout ce qui pouvait survenir de pénible dans sa maison tranquille à présent ; et elle feignit de ne pas savoir ce que l'abbé voulait dire. Alors il n'hésita plus et parla clairement.

« C'est un devoir pénible que je vais accomplir, madame la comtesse, mais je ne puis faire autrement. Le ministère que je remplis m'ordonne de ne pas vous laisser ignorer ce que vous pouvez empêcher. Sachez donc que votre mari entretient une amitié criminelle avec madame de Fourville. »

Elle baissa la tête, résignée et sans force.

Le prêtre reprit : « Que comptez-vous faire, maintenant ? »

Alors elle balbutia : « Que voulez-vous que je fasse, monsieur l'abbé ? »

Il répondit violemment : « Vous jeter en travers de cette passion coupable. »

Elle se mit à pleurer ; et d'une voix navrée : « Mais il m'a déjà trompée avec une bonne ; mais il ne m'écoute pas ; il ne m'aime plus ; il me maltraite sitôt que je manifeste un désir qui ne lui convient pas. Que puis-je ? »

Le curé, sans répondre directement, s'écria : « Alors, vous vous inclinez ! Vous vous résignez ! Vous consentez ! L'adultère

---

1. L'adjura : lui demanda au nom de Dieu.

est sous votre toit ; et vous le tolérez ! Le crime s'accomplit sous vos yeux, et vous détournez le regard ? Êtes-vous une épouse ? une chrétienne ? une mère ? »

Elle sanglotait : « Que voulez-vous que je fasse ? »

485 Il répliqua : « Tout plutôt que de permettre cette infamie. Tout, vous dis-je. Quittez-le. Fuyez cette maison souillée. »

Elle dit : « Mais je n'ai pas d'argent, monsieur l'abbé ; et puis je suis sans courage, maintenant ; et puis comment partir sans preuves ? Je n'en ai même pas le droit. »

490 Le prêtre se leva, frémissant : « C'est la lâcheté qui vous conseille, madame, je vous croyais autre. Vous êtes indigne de la miséricorde[1] de Dieu ! »

Elle tomba à ses genoux : « Oh ! je vous en prie, ne m'abandonnez pas, conseillez-moi ! »

495 Il prononça d'une voix brève : « Ouvrez les yeux de M. de Fourville. C'est à lui qu'il appartient de rompre cette liaison. »

À cette pensée une épouvante la saisit : « Mais il les tuerait, monsieur l'abbé ! Et je commettrais une dénonciation ! Oh !
500 pas cela, jamais ! »

Alors, il leva la main comme pour la maudire, tout soulevé de colère : « Restez dans votre honte et dans votre crime ; car vous êtes plus coupable qu'eux. Vous êtes l'épouse complaisante[2] ! Je n'ai plus rien à faire ici. »

505 Et il s'en alla, si furieux que tout son corps tremblait.

Elle le suivit éperdue, prête à céder, commençant à promettre. Mais il demeurait vibrant d'indignation, marchant

---

1. **Miséricorde** : voir note 2, p. 155.
2. **Complaisante** : qui pardonne les fautes au lieu de les réprimander.

à pas rapides en secouant de rage son grand parapluie bleu presque aussi haut que lui.

Il aperçut Julien debout près de la barrière, dirigeant des travaux d'ébranchage[1] ; alors il tourna à gauche pour traverser la ferme des Couillard ; et il répétait : « Laissez-moi, Madame, je n'ai plus rien à vous dire. »

Juste sur son chemin, au milieu de la cour, un tas d'enfants, ceux de la maison et ceux des voisins attroupés autour de la loge de la chienne Mirza, contemplaient curieusement quelque chose, avec une attention concentrée et muette. Au milieu d'eux le baron, les mains derrière le dos, regardait aussi avec curiosité. On eût dit un maître d'école. Mais, quand il vit de loin le prêtre, il s'en alla pour éviter de le rencontrer, de le saluer, de lui parler.

Jeanne disait, suppliante : « Laissez-moi quelques jours, monsieur l'abbé, et revenez au château. Je vous raconterai ce que j'aurai pu faire, et ce que j'aurai préparé ; et nous aviserons. »

Ils arrivaient alors auprès du groupe des enfants ; et le curé s'approcha pour voir ce qui les intéressait ainsi. C'était la chienne qui mettait bas[2]. Devant sa niche cinq petits grouillaient déjà autour de la mère qui les léchait avec tendresse, étendue sur le flanc, tout endolorie. Au moment où le prêtre se penchait, la bête crispée s'allongea et un sixième petit toutou parut. Tous les galopins alors, saisis de joie, se mirent à crier en battant des mains : « En v'là encore un, en v'là encore un ! » C'était un jeu pour eux, un jeu naturel où rien d'impur

---

1. **Ébranchage :** élagage de branches d'arbre.
2. **Mettait bas :** accouchait, en parlant des animaux.

535 n'entrait. Ils contemplaient cette naissance comme ils
auraient regardé tomber des pommes.

L'abbé Tolbiac demeura d'abord stupéfait, puis, saisi d'une
fureur irrésistible, il leva son grand parapluie et se mit à
frapper dans le tas des enfants sur les têtes, de toute sa force.
540 Les galopins effarés s'enfuirent à toutes jambes ; et il se trouva
subitement en face de la chienne en gésine[1] qui s'efforçait de
se lever. Mais il ne la laissa pas même se dresser sur ses pattes,
et, la tête perdue, il commença à l'assommer à tour de bras.
Enchaînée, elle ne pouvait s'enfuir, et gémissait affreusement
545 en se débattant sous les coups. Il cassa son parapluie. Alors,
les mains vides, il monta dessus, la piétinant avec frénésie,
la pilant, l'écrasant. Il lui fit mettre au monde un dernier
petit qui jaillit sous la pression ; et il acheva, d'un talon
forcené, le corps saignant qui remuait encore au milieu des
550 nouveau-nés piaulants[2], aveugles et lourds, cherchant déjà les
mamelles.

Jeanne s'était sauvée ; mais le prêtre soudain se sentit pris
au cou, un soufflet[3] fit sauter son tricorne[4] ; et le baron, exaspéré, l'emporta jusqu'à la barrière et le jeta sur la route.

555 Quand M. Le Perthuis se retourna, il aperçut sa fille à
genoux, sanglotant au milieu des petits chiens et les recueillant dans sa jupe. Il revint vers elle à grands pas, en gesticu-
lant, et il criait : « Le voilà, le voilà, l'homme en soutane !
L'as-tu vu, maintenant ? »

---

1. En gésine : en train d'accoucher.
2. Piaulants : poussant de petits cris.
3. Soufflet : gifle.
4. Tricorne : voir note 3, p. 37.

60 Les fermiers étaient accourus, tout le monde regardait la bête éventrée ; et la mère Couillard déclara : « C'est-il possible d'être sauvage comme ça ! »

Mais Jeanne avait ramassé les sept petits et prétendait les élever.

65 On essaya de leur donner du lait : trois moururent le lendemain. Alors le père Simon courut le pays pour découvrir une chienne allaitant. Il n'en trouva pas, mais il rapporta une chatte en affirmant qu'elle ferait l'affaire. On tua donc trois autres petits et on confia le dernier à cette nourrice d'une autre

570 race. Elle l'adopta immédiatement, et lui tendit sa mamelle en se couchant sur le côté.

Pour qu'il n'épuisât point sa mère adoptive, on sevra le chien quinze jours après, et Jeanne se chargea de le nourrir elle-même au biberon. Elle l'avait nommé Toto. Le baron

575 changea son nom d'autorité, et le baptisa « Massacre ».

Le prêtre ne revint pas, mais, le dimanche suivant, il lança du haut de la chaire des imprécations, des malédictions et des menaces contre le château, disant qu'il faut porter le fer rouge dans les plaies, anathématisant[1] le baron qui s'en amusa, et

580 marquant d'une allusion voilée, encore timide, les nouvelles amours de Julien. Le vicomte fut exaspéré, mais la crainte d'un scandale affreux éteignit sa colère.

Alors, de prône en prône[2], le prêtre continua l'annonce de sa vengeance, prédisant que l'heure de Dieu approchait, que

585 tous ses ennemis seraient frappés.

---

1. Anathématisant : frappant d'anathèmes, condamnant publiquement.
2. Prône : voir note 2, p. 218.

Julien écrivit à l'archevêque une lettre respectueuse mais énergique. L'abbé Tolbiac fut menacé d'une disgrâce. Il se tut.

On le rencontrait maintenant faisant de longues courses solitaires, à pas allongés, avec un air exalté. Gilberte et Julien dans leurs promenades à cheval l'apercevaient à tout moment, parfois au loin comme un point noir au bout d'une plaine ou sur le bord de la falaise, parfois lisant son bréviaire[1] dans quelque étroit vallon où ils allaient entrer. Ils tournaient bride alors pour ne point passer près de lui.

Le printemps était venu, ravivant leur amour, les jetant chaque jour aux bras l'un de l'autre, tantôt ici, tantôt là, sous tout abri où les portaient leurs courses.

Comme les feuilles des arbres étaient encore claires, et l'herbe humide, et qu'ils ne pouvaient, ainsi qu'au cœur de l'été, s'enfoncer dans les taillis des bois, ils avaient adopté le plus souvent, pour cacher leurs étreintes, la cabane ambulante d'un berger, abandonnée depuis l'automne au sommet de la côte de Vaucotte[2].

Elle restait là toute seule, haute sur ses roues, à cinq cents mètres de la falaise, juste au point où commençait la descente rapide du vallon. Ils ne pouvaient être surpris dedans, car ils dominaient la plaine ; et les chevaux attachés aux brancards[3] attendaient qu'ils fussent las[4] de baisers.

Mais voilà qu'un jour, au moment où ils quittaient ce refuge, ils aperçurent l'abbé Tolbiac, assis presque caché dans les joncs marins de la côte. « Il faudra laisser nos chevaux dans

---

1. Bréviaire : voir note 1, p. 71.
2. Vaucotte : petit village à l'ouest d'Yport.
3. Brancards : barres de bois avec lesquelles on attelle une bête.
4. Las : fatigués.

le ravin, dit Julien, ils pourraient nous dénoncer de loin. » Et ils prirent l'habitude d'attacher les bêtes dans un repli du val plein de broussailles.

Puis un soir, comme ils rentraient tous deux à la Vrillette où ils devaient dîner avec le comte, ils rencontrèrent le curé d'Étouvent qui sortait du château. Il se rangea pour les laisser passer ; et salua sans qu'ils rencontrassent ses yeux.

Une inquiétude les saisit qui se dissipa bientôt.

Or Jeanne, un après-midi, lisait auprès du feu par un grand coup de vent (c'était au commencement de mai), quand elle aperçut soudain le comte de Fourville qui s'en venait à pied et si vite qu'elle crut un malheur arrivé.

Elle descendit vivement pour le recevoir et, quand elle fut en face de lui, elle le pensa devenu fou. Il était coiffé d'une grosse casquette fourrée qu'il ne portait que chez lui, vêtu de sa blouse de chasse, et si pâle que sa moustache rousse, qui ne tranchait point d'ordinaire sur son teint coloré, semblait une flamme. Et ses yeux étaient hagards, roulaient, comme vides de pensée.

Il balbutia : « Ma femme est ici, n'est-ce pas ? » Jeanne, perdant la tête, répondit : « Mais non, je ne l'ai point vue aujourd'hui. »

Alors il s'assit, comme si ses jambes se fussent brisées ; il ôta sa coiffure et s'essuya le front avec son mouchoir, plusieurs fois, par un geste machinal ; puis se relevant d'une secousse, il s'avança vers la jeune femme, les deux mains tendues, la bouche ouverte, prêt à parler, à lui confier quelque affreuse douleur ; puis il s'arrêta, la regarda fixement, prononça dans une sorte de délire : « Mais c'est votre mari… vous aussi… » Et il s'enfuit du côté de la mer.

Jeanne courut pour l'arrêter, l'appelant, l'implorant, le cœur crispé de terreur, pensant : « Il sait tout ! que va-t-il faire ? Oh ! pourvu qu'il ne les trouve point ! »

645 Mais elle ne le pouvait atteindre, et il ne l'écoutait pas. Il allait devant lui sans hésiter, sûr de son but. Il franchit le fossé, puis enjambant les joncs marins à pas de géant, il gagna la falaise.

Jeanne, debout sur le talus planté d'arbres, le suivit long-
650 temps des yeux ; puis, le perdant de vue, elle rentra, torturée d'angoisse.

Il avait tourné vers la droite, et s'était mis à courir. La mer houleuse roulait ses vagues ; les gros nuages tout noirs arri-vaient d'une vitesse folle, passaient, suivis par d'autres ; et
655 chacun d'eux criblait la côte d'une averse furieuse. Le vent sifflait, geignait, rasait l'herbe, couchait les jeunes récoltes, emportait, pareils à des flocons d'écume, de grands oiseaux blancs qu'il entraînait au loin dans les terres.

Les grains[1], qui se succédaient, fouettaient le visage
660 du comte, trempaient ses joues et ses moustaches où l'eau glissait, emplissaient de bruit ses oreilles et son cœur de tumulte.

Là-bas, devant lui, le val de Vaucotte ouvrait sa gorge profonde. Rien jusque-là qu'une hutte de berger auprès d'un
665 parc à moutons vide. Deux chevaux étaient attachés aux bran-cards de la maison roulante. Que pouvait-on craindre par cette tempête ?

Dès qu'il les eut aperçus, le comte se coucha contre terre, puis il se traîna sur les mains et sur les genoux, semblable à

---

1. Grains : averses et coups de vent soudains.

70 une sorte de monstre avec son grand corps souillé de boue et
sa coiffure en poil de bête. Il rampa jusqu'à la cabane solitaire
et se cacha dessous pour n'être point découvert par les fentes
des planches.

Les chevaux, l'ayant vu, s'agitaient. Il coupa lentement
575 leurs brides avec son couteau qu'il tenait ouvert à la main ; et
une bourrasque étant survenue, les animaux s'enfuirent,
harcelés par la grêle qui cinglait le toit penché de la maison
de bois, la faisant trembler sur ses roues.

Le comte alors, redressé sur les genoux, colla son œil au bas
580 de la porte, et regarda dedans.

Il ne bougeait plus ; il semblait attendre. Un temps assez
long s'écoula ; et tout à coup il se releva, fangeux[1] de la tête
aux pieds. Avec un geste forcené il poussa le verrou qui
fermait l'auvent[2] au-dehors, et, saisissant les brancards, il se
585 mit à secouer cette niche comme s'il eût voulu la briser en
pièces. Puis soudain il s'attela, pliant sa haute taille dans un
effort désespéré, tirant comme un bœuf, et haletant ; et il
entraîna, vers la pente rapide, la maison voyageuse et ceux
qu'elle enfermait.

590 Ils criaient là-dedans, heurtant la cloison du poing, ne
comprenant pas ce qui leur arrivait.

Lorsqu'il fut en haut de la descente, il lâcha la légère
demeure qui se mit à rouler sur la côte inclinée.

Elle précipitait sa course, emportée follement, allant
595 toujours plus vite, sautant, trébuchant comme une bête,
battant la terre de ses brancards.

---

1. Fangeux : couvert de boue.
2. Auvent : abri le long d'un mur.

Un vieux mendiant blotti dans un fossé la vit passer d'un élan sur sa tête ; et il entendit des cris affreux poussés dans le coffre de bois.

700 Tout à coup elle perdit une roue arrachée d'un heurt, s'abattit sur le flanc et se remit à dévaler comme une boule, comme une maison déracinée dégringolerait du sommet d'un mont. Puis, arrivant au rebord du dernier ravin, elle bondit en décrivant une courbe, et, tombant au fond, s'y creva

705 comme un œuf.

Dès qu'elle se fut brisée sur le sol de pierre, le vieux mendiant, qui l'avait vue passer, descendit à petits pas à travers les ronces ; et, mû par une prudence de paysan, n'osant approcher du coffre éventré, il alla jusqu'à la ferme voisine

710 annoncer l'accident.

On accourut ; on souleva les débris ; on aperçut deux corps. Ils étaient meurtris, broyés, saignants. L'homme avait le front ouvert et toute la face écrasée. La mâchoire de la femme pendait, détachée dans un choc ; et leurs membres cassés

715 étaient mous comme s'il n'y avait plus d'os sous la chair.

On les reconnut cependant ; et on se mit à raisonner longuement sur les causes de ce malheur.

« Qué qui faisaient dans c'té cahute[1] ? » dit une femme. Alors, le vieux pauvre raconta qu'ils s'étaient apparemment

720 réfugiés là-dedans pour se mettre à l'abri d'une bourrasque, et que le vent furieux avait dû chavirer et précipiter la cabane. Et il expliquait que lui-même allait s'y cacher quand il avait vu les chevaux attachés aux brancards, et compris par là que la place était occupée.

---

1. **Cahute** : petite cabane.

Il ajouta d'un air satisfait : « Sans ça, c'est moi qu'j'y passais. » Une voix dit : « Ça aurait-il pas mieux valu ? » Alors, le bonhomme se mit dans une colère terrible : « Pourquoi qu'ça aurait mieux valu ? Parce qu'je sieus pauvre et qu'i sont riches ! Guettez-les[1], à c't'heure… » Et, tremblant, déguenillé[2], ruisselant d'eau, sordide avec sa barbe mêlée et ses longs cheveux coulant du chapeau défoncé, il montrait les deux cadavres du bout de son bâton crochu ; et il déclara : « J'sommes tous égaux, là devant[3]. »

Mais d'autres paysans étaient venus, et regardaient de coin, d'un œil inquiet, sournois, effrayé, égoïste et lâche. Puis on délibéra sur ce qu'on ferait ; et il fut décidé, dans l'espoir d'une récompense, que les corps seraient reportés aux châteaux. On attela donc deux carrioles. Mais une nouvelle difficulté surgit. Les uns voulaient simplement garnir de paille le fond des voitures ; les autres étaient d'avis d'y placer des matelas par convenance.

La femme qui avait déjà parlé cria : « Mais y s'ront pleins d'sang, ces matelas, qu'y faudra les r'laver à l'ieau de javelle[4]. »

Alors, un gros fermier à face réjouie répondit : « Y les payeront donc. Plus qu'ça vaudra, plus qu'ça sera cher. » L'argument fut décisif.

Et les deux carrioles, haut perchées sur des roues sans ressorts, partirent au trot, l'une à droite, l'autre à gauche, secouant et ballottant à chaque cahot des grandes ornières[5] ces restes d'êtres qui s'étaient étreints et qui ne se rencontreraient plus.

---

1. **Guettez-les** : regardez-les.
2. **Déguenillé** : qui porte des vêtements en lambeaux.
3. **J'sommes tous égaux, là-devant** : nous sommes tous égaux devant la mort.
4. **L'ieau de javelle** : l'eau de Javel.
5. **Ornières** : voir note 3, p. 64.

750 Le comte, dès qu'il avait vu rouler la cabane sur la dure descente, s'était enfui de toute la vitesse de ses jambes à travers la pluie et les bourrasques. Il courut ainsi pendant plusieurs heures, coupant les routes, sautant les talus, crevant les haies ; et il était rentré chez lui à la tombée du jour, sans
755 savoir comment.

Les domestiques effarés l'attendaient et lui annoncèrent que les deux chevaux venaient de revenir sans cavaliers, celui de Julien ayant suivi l'autre.

Alors M. de Fourville chancela ; et d'une voix entrecoupée :
760 « Il leur sera arrivé quelque accident par ce temps affreux. Que tout le monde se mette à leur recherche. »

Il repartit lui-même ; mais, dès qu'il fut hors de vue, il se cacha sous une ronce, guettant la route par où allait revenir morte, ou mourante, ou peut-être estropiée, défigurée à
765 jamais, celle qu'il aimait encore d'une passion sauvage.

Et bientôt, une carriole passa devant lui, qui portait quelque chose d'étrange.

Elle s'arrêta devant le château, puis entra. C'était cela, oui, c'était Elle ; mais une angoisse effroyable le cloua sur place,
770 une peur horrible de savoir, une épouvante de la vérité ; et il ne remuait plus, blotti comme un lièvre, tressaillant au moindre bruit.

Il attendit une heure, deux heures peut-être. La carriole ne sortait pas. Il se dit que sa femme expirait ; et la pensée de la
775 voir, de rencontrer son regard, l'emplit d'une telle horreur qu'il craignit soudain d'être découvert dans sa cachette et forcé de rentrer pour assister à cette agonie, et qu'il s'enfuit encore jusqu'au milieu du bois. Alors, tout à coup, il réfléchit qu'elle avait peut-être besoin de secours, que personne

sans doute ne pouvait la soigner ; et il revint en courant éperdument.

Il rencontra, en rentrant, son jardinier et lui cria : « Eh bien ? » L'homme n'osait pas répondre. Alors, M. de Fourville hurlant presque : « Est-elle morte ? » Et le serviteur balbutia : « Oui, monsieur le comte. »

Il ressentit un soulagement immense. Un calme brusque entra dans son sang et dans ses muscles vibrants ; et il monta d'un pas ferme les marches de son grand perron.

L'autre carriole avait gagné les Peuples. Jeanne, de loin, l'aperçut, vit le matelas, devina qu'un corps gisait dessus, et comprit tout. Son émotion fut si vive qu'elle s'affaissa sans connaissance.

Quand elle reprit ses sens, son père lui tenait la tête et lui mouillait les tempes de vinaigre. Il demanda en hésitant : « Tu sais ?... » Elle murmura : « Oui, père. » Mais, quand elle voulut se lever, elle ne le put tant elle souffrait.

Le soir même elle accoucha d'un enfant mort : d'une fille.

Elle ne vit rien de l'enterrement de Julien ; elle n'en sut rien. Elle s'aperçut seulement au bout d'un jour ou deux que tante Lison était revenue ; et, dans les cauchemars fiévreux qui la hantaient, elle cherchait obstinément à se rappeler depuis quand la vieille fille était repartie des Peuples, à quelle époque, dans quelles circonstances. Elle n'y pouvait parvenir, même en ses heures de lucidité, sûre seulement qu'elle l'avait vue après la mort de petite mère.

XI

Elle demeura trois mois dans sa chambre, devenue si faible
et si pâle qu'on la croyait et qu'on la disait perdue. Puis peu
à peu elle se ranima. Petit père et tante Lison ne la quittaient
pas, installés tous deux aux Peuples. Elle avait gardé de cette
secousse une sorte de maladie nerveuse ; le moindre bruit la
faisait défaillir, et elle tombait en de longues syncopes[1] provo-
quées par les causes les plus insignifiantes.

Jamais elle n'avait demandé de détails sur la mort de
Julien. Que lui importait ? N'en savait-elle pas assez ? Tout le
monde croyait à un accident, mais elle ne s'y trompait pas ; et
elle gardait en son cœur ce secret qui la torturait : la connaissance de l'adultère, et la vision de cette brusque et terrible
visite du comte, le jour de la catastrophe.

Voilà que maintenant son âme était pénétrée par des souvenirs attendris, doux et mélancoliques, des courtes joies
d'amour que lui avait autrefois données son mari. Elle tressaillait à tout moment à des réveils inattendus de sa mémoire ;
et elle le revoyait tel qu'il avait été en ces jours de fiançailles,
et tel aussi qu'elle l'avait chéri en ses seules heures de passion
écloses sous le grand soleil de la Corse. Tous les défauts dimi-
nuaient, toutes les duretés disparaissaient, les infidélités elles-

---

1. **Syncopes** : pertes de connaissance brutales et complètes, généralement
brèves.

mêmes s'atténuaient maintenant dans l'éloignement grandissant du tombeau fermé. Et Jeanne, envahie par une sorte de vague gratitude posthume[1] pour cet homme qui l'avait tenue en ses bras, pardonnait les souffrances passées pour ne songer qu'aux moments heureux. Puis le temps marchant toujours et les mois tombant sur les mois poudrèrent d'oubli, comme d'une poussière accumulée, toutes ses réminiscences[2] et ses douleurs ; et elle se donna tout entière à son fils.

Il devint l'idole, l'unique pensée des trois êtres réunis autour de lui ; et il régnait en despote. Une sorte de jalousie se déclara même entre ces trois esclaves qu'il avait, Jeanne regardant nerveusement les grands baisers donnés au baron après les séances de cheval sur un genou. Et tante Lison négligée par lui comme elle l'avait toujours été par tout le monde, traitée parfois en bonne par ce maître qui ne parlait guère encore, s'en allait pleurer dans sa chambre en comparant les insignifiantes caresses mendiées par elle et obtenues à peine aux étreintes qu'il gardait pour sa mère et pour son grand-père.

Deux années tranquilles, sans aucun événement, passèrent dans la préoccupation incessante de l'enfant. Au commencement du troisième hiver on décida qu'on irait habiter Rouen jusqu'au printemps ; et toute la famille émigra. Mais, en arrivant dans l'ancienne maison abandonnée et humide, Paul eut une bronchite si grave qu'on craignit une pleurésie[3] ; et les trois parents éperdus déclarèrent qu'il ne pouvait se passer de l'air des Peuples. On l'y ramena dès qu'il fut guéri.

---

1. **Posthume** : qui vient après la mort.
2. **Réminiscences** : souvenirs.
3. **Pleurésie** : inflammation de la plèvre, membrane enveloppant les poumons.

Alors commença une série d'années monotones et douces.

50 Toujours ensemble autour du petit, tantôt dans sa chambre, tantôt dans le grand salon, tantôt dans le jardin, ils s'extasiaient sur ses bégayements, sur ses expressions drôles, sur ses gestes.

Sa mère l'appelait Paulet par câlinerie, il ne pouvait arti-
55 culer ce mot et le prononçait Poulet, ce qui éveillait des rires interminables. Le surnom de Poulet lui resta. On ne le désignait plus autrement.

Comme il grandissait vite, une des passionnantes occupations des trois parents que le baron appelait « ses trois mères »
60 était de mesurer sa taille.

On avait tracé sur le lambris[1] contre la porte du salon une série de petits traits au canif indiquant de mois en mois les progrès de sa croissance. Cette échelle, baptisée « échelle de Poulet », tenait une place considérable dans l'existence de
65 tout le monde.

Puis un nouvel individu vint jouer un rôle important dans la famille, le chien « Massacre », négligé par Jeanne préoccupée uniquement de son fils. Nourri par Ludivine et logé dans un vieux baril devant l'écurie, il vivait solitaire, toujours
70 à la chaîne.

Paul un matin le remarqua, et se mit à crier pour aller l'embrasser. On l'y conduisit avec des craintes infinies. Le chien fit fête à l'enfant qui beugla quand on voulut les séparer. Alors Massacre fut lâché et installé dans la maison.

75 Il devint l'inséparable de Paul, l'ami de tous les instants. Ils se roulaient ensemble, dormaient côte à côte sur le tapis. Puis

---

1. Lambris : revêtement en bois pour les plafonds et les murs.

bientôt Massacre coucha dans le lit de son camarade qui ne consentait plus à le quitter. Jeanne se désolait parfois à cause des puces ; et tante Lison en voulait au chien de prendre une si grosse part de l'affection du petit, de l'affection volée par cette bête, lui semblait-il, de l'affection qu'elle aurait tant désirée.

De rares visites étaient échangées avec les Briseville et les Coutelier. Le maire et le médecin troublaient seuls la solitude du vieux château. Jeanne, depuis le meurtre de la chienne et les soupçons que lui avait inspirés le prêtre lors de la mort horrible de la comtesse et de Julien, n'entrait plus à l'église, irritée contre le Dieu qui pouvait avoir de pareils ministres[1].

L'abbé Tolbiac, de temps à autre, anathématisait[2] en des allusions directes le château hanté par l'Esprit du Mal, l'Esprit d'Éternelle Révolte, l'Esprit d'Erreur et de Mensonge, l'Esprit d'Iniquité[3], l'Esprit de Corruption et d'Impureté. Il désignait ainsi le baron.

Son église d'ailleurs était désertée ; et, quand il allait le long des champs où les laboureurs poussaient leur charrue, les paysans ne s'arrêtaient pas pour lui parler, ne se détournaient point pour le saluer. Il passait en outre pour sorcier, parce qu'il avait chassé le démon d'une femme possédée[4]. Il connaissait, disait-on, des paroles mystérieuses pour écarter les sorts, qui n'étaient, selon lui, que des espèces de farces de Satan. Il imposait les mains aux vaches[5] qui

---

1. **Ministres** : prêtres. Ceux-ci étaient en effet considérés comme des intermédiaires entre la divinité et les croyants et chargés de célébrer le culte divin.
2. **Anathématisait** : voir note 1, p. 229.
3. **Iniquité** : injustice.
4. **Possédée** : habitée par une puissance diabolique.
5. **Il imposait les mains aux vaches** : il désenvoûtait les vaches en posant ses mains dessus.

donnaient du lait bleu ou qui portaient la queue en cercle, et par quelques mots inconnus il faisait retrouver les objets perdus.

105 Son esprit étroit et fanatique s'adonnait avec passion à l'étude des livres religieux contenant l'histoire des apparitions du Diable sur la terre, les diverses manifestations de son pouvoir, ses influences occultes[1] et variées, toutes les ressources qu'il avait, et les tours ordinaires de ses ruses. Et comme il se croyait appelé particulièrement à combattre cette

110 Puissance mystérieuse et fatale, il avait appris toutes les formules d'exorcismes indiquées dans les manuels ecclésiastiques.

Il croyait sans cesse sentir errer dans l'ombre le Malin Esprit[2]; et la phrase latine revenait à tout moment sur ses

115 lèvres : *Sicut leo rugiens circuit quaerens quem devoret*[3].

Alors une crainte se répandit, une terreur de sa force cachée. Ses confrères eux-mêmes, prêtres ignorants des campagnes, pour qui Béelzébuth[4] est article de foi[5], qui, troublés par les prescriptions minutieuses des rites en cas de

120 manifestation de cette puissance du mal, en arrivent à confondre la religion avec la magie, considéraient l'abbé Tolbiac comme un peu sorcier ; et ils le respectaient autant pour le pouvoir obscur qu'ils lui supposaient que pour l'inattaquable austérité de sa vie.

---

1. Occultes : secrètes.
2. Malin Esprit : le diable.
3. *Sicut leo rugiens circuit quaerens quem devoret :* (latin) « Comme un lion rugissant, il fait des tours sur lui-même, en cherchant qui dévorer. »
4. Béelzébuth : prince des démons dans la Bible.
5. Article de foi : point fondamental d'une croyance religieuse.

Quand il rencontrait Jeanne, il ne la saluait pas.

Cette situation inquiétait et désolait tante Lison, qui ne comprenait point, en son âme craintive de vieille fille, qu'on n'allât pas à l'église. Elle était pieuse sans doute, sans doute elle se confessait et communiait ; mais personne ne le savait, ne cherchait à le savoir.

Quand elle se trouvait seule, toute seule avec Paul, elle lui parlait, tout bas, du bon Dieu. Il l'écoutait à peu près quand elle lui racontait les histoires miraculeuses des premiers temps du monde ; mais, quand elle lui disait qu'il faut aimer, beaucoup, beaucoup le bon Dieu, il répondait parfois : « Où qu'il est, tante ? » Alors elle montrait le ciel avec son doigt : « Là-haut, Poulet, mais il ne faut pas le dire. » Elle avait peur du baron.

Mais un jour Poulet lui déclara : « Le bon Dieu, il est partout, mais il est pas dans l'église. » Il avait parlé à son grand-père des révélations mystérieuses de tante.

L'enfant prenait dix ans ; sa mère semblait en avoir quarante. Il était fort, turbulent, hardi pour grimper dans les arbres, mais il ne savait pas grand-chose. Les leçons l'ennuyant, il les interrompait tout de suite. Et, toutes les fois que le baron le retenait un peu longtemps devant un livre, Jeanne aussitôt arrivait, disant : « Laisse-le donc jouer maintenant. Il ne faut pas le fatiguer, il est si jeune. » Pour elle, il avait toujours six mois ou un an. C'est à peine si elle se rendait compte qu'il marchait, courait, parlait comme un petit homme ! et elle vivait dans une peur constante qu'il ne tombât, qu'il n'eût froid, qu'il n'eût chaud en s'agitant, qu'il ne mangeât trop pour son estomac, ou trop peu pour sa croissance.

155   Quand il eut douze ans, une grosse difficulté surgit; celle de la première communion[1].

Lise un matin vint trouver Jeanne et lui représenta qu'on ne pouvait laisser plus longtemps le petit sans instruction religieuse et sans remplir ses premiers devoirs. Elle argu-
160   menta de toutes les façons, invoquant mille raisons, et, avant tout, l'opinion des gens qu'ils voyaient. La mère, troublée, indécise, hésitait, affirmant qu'on pouvait attendre encore.

Mais un mois plus tard, comme elle rendait une visite à la
165   vicomtesse de Briseville, cette dame lui demanda par hasard : « C'est cette année sans doute que votre Paul va faire sa première communion. » Et Jeanne, prise au dépourvu, répondit : « Oui, Madame. » Ce simple mot la décida, et, sans en rien confier à son père, elle pria Lise de conduire l'enfant
170   au catéchisme.

Pendant un mois tout alla bien; mais Poulet revint un soir avec la gorge enrouée. Et le lendemain il toussait. Sa mère affolée l'interrogea, et elle apprit que le curé l'avait envoyé attendre la fin de la leçon à la porte de l'église dans le courant
175   d'air du porche, parce qu'il s'était mal tenu.

Elle le garda donc chez elle et lui fit apprendre elle-même cet alphabet[2] de la religion. Mais l'abbé Tolbiac, malgré les supplications de Lison, refusa de l'admettre parmi les communiants, comme étant insuffisamment instruit.

180   Il en fut de même l'an suivant. Alors le baron exaspéré jura que l'enfant n'avait pas besoin de croire à cette niaiserie, à ce

---

1. Première communion : cérémonie au cours de laquelle l'enfant chrétien reçoit pour la première fois le sacrement de l'eucharistie.
2. Alphabet : connaissance de base, ici en matière de religion.

symbole puéril de la transsubstantiation[1], pour être un honnête homme : et il fut décidé qu'il serait élevé en chrétien, mais non pas en catholique pratiquant[2], et qu'à sa majorité il demeurerait libre de devenir ce qu'il lui plairait.

Et Jeanne, quelque temps après, ayant fait une visite aux Briseville, n'en reçut point en retour. Elle s'étonna, connaissant la méticuleuse politesse de ses voisins ; mais la marquise de Coutelier lui révéla avec hauteur la raison de cette abstention.

Se regardant, par la situation de son mari, et par son titre bien authentique, et par sa fortune considérable, comme une sorte de reine de la noblesse normande, la marquise gouvernait en vraie reine, parlait en liberté, se montrait gracieuse ou cassante selon les occasions, admonestait[3], redressait, félicitait à tout propos. Jeanne donc s'étant présentée chez elle, cette dame, après quelques paroles glaciales, prononça d'un ton sec : « La société se divise en deux classes : les gens qui croient à Dieu et ceux qui n'y croient pas. Les uns, même les plus humbles, sont nos amis, nos égaux ; les autres ne sont rien pour nous. »

Jeanne, sentant l'attaque, répliqua : « Mais ne peut-on croire à Dieu sans fréquenter les églises ? »

La marquise répondit : « Non, Madame ; les fidèles vont prier Dieu dans son église comme on va trouver les hommes en leurs demeures. »

Jeanne blessée reprit : « Dieu est partout, Madame. Quant à moi qui crois, du fond du cœur, à sa bonté, je ne le sens

---

1. Transsubstantiation : dogme catholique reposant sur la transformation du pain et du vin en sang et corps du Christ.
2. Catholique pratiquant : catholique qui observe les pratiques de sa religion.
3. Admonestait : réprimandait avec sévérité.

plus présent quand certains prêtres se trouvent entre lui et moi. »

210 La marquise se leva : « Le prêtre porte le drapeau de l'Église, Madame ; quiconque ne suit pas le drapeau est contre lui, et contre nous. »

Jeanne s'était levée à son tour, frémissante : « Vous croyez, Madame, au Dieu d'un parti[1]. Moi, je crois au Dieu des 215 honnêtes gens. »

Elle salua et sortit.

Les paysans aussi la blâmaient entre eux de n'avoir point fait faire à Poulet sa première communion. Ils n'allaient point aux offices[2], n'approchaient point des sacrements[3], ou bien ne 220 les recevaient qu'à Pâques selon les prescriptions formelles de l'Église ; mais pour les mioches[4], c'était autre chose ; et tous auraient reculé devant l'audace d'élever un enfant hors de cette loi commune, parce que la Religion, c'est la Religion.

Elle vit bien cette réprobation[5], et s'indigna en son âme de 225 toutes ces pactisations[6], de ces arrangements de conscience, de cette universelle peur de tout, de la grande lâcheté gîtée[7] au fond de tous les cœurs, et parée, quand elle se montre, de tant de masques respectables.

Le baron prit la direction des études de Paul, et le mit au 230 latin. La mère n'avait plus qu'une recommandation : « Surtout

---

1. Dieu d'un parti : Dieu qui soutiendrait la noblesse conservatrice.
2. Offices : voir note 1, p. 38.
3. Sacrements : cérémonies destinées à la consécration religieuse de différentes phases de la vie du catholique pratiquant.
4. Mioches : (familier) petits enfants.
5. Réprobation : critique, désapprobation.
6. Pactisations : actions de transiger avec quelque chose.
7. Gîtée : cachée.

ne le fatigue pas » ; et elle rôdait, inquiète, près de la chambre aux leçons, petit père lui en ayant interdit l'entrée parce qu'elle interrompait à tout instant l'enseignement pour demander : « Tu n'as pas froid aux pieds, Poulet ? » Ou bien : « Tu n'as pas mal à la tête, Poulet ? » Ou bien pour arrêter le maître : « Ne le fais pas tant parler, tu vas lui fatiguer la gorge. »

Dès que le petit était libre, il descendait jardiner avec mère et tante. Ils avaient maintenant un grand amour pour la culture de la terre ; et tous trois plantaient des jeunes arbres au printemps, semaient des graines dont l'éclosion et la poussée les passionnaient, taillaient des branches, coupaient des fleurs pour faire des bouquets.

Le plus grand souci du jeune homme était la production des salades. Il dirigeait quatre grands carrés du potager où il élevait avec un soin extrême Laitues, Romaines, Chicorées, Barbes de capucin, Royales[1], toutes les espèces connues de ces feuilles comestibles. Il bêchait, arrosait, sarclait[2], repiquait[3], aidé de ses deux mères qu'il faisait travailler comme des femmes de journée[4]. On les voyait pendant des heures entières à genoux dans les plates-bandes, maculant[5] leurs robes et leurs mains occupées à introduire la racine des jeunes plantes en des trous qu'elles creusaient d'un seul doigt piqué d'aplomb dans la terre.

---

1. Laitues, Romaines, Chicorées, Barbes de capucin, Royales : différentes variétés de salade.
2. Sarclait : arrachait une plante avec ses racines.
3. Repiquait : replantait.
4. Femmes de journée : travailleuses que l'on emploie dans une ferme en les payant à la journée.
5. Maculant : tachant.

Poulet devenait grand, il atteignait quinze ans ; et l'échelle du salon marquait un mètre cinquante-huit, mais il restait enfant d'esprit, ignorant, niais, étouffé entre ces deux jupes et ce vieil homme aimable qui n'était plus du siècle.

Un soir enfin le baron parla du collège ; et Jeanne aussitôt se mit à sangloter. Tante Lison effarée se tenait dans un coin sombre.

La mère répondait : « Qu'a-t-il besoin de tant savoir. Nous en ferons un homme des champs, un gentilhomme campagnard. Il cultivera ses terres comme font beaucoup de nobles. Il vivra et vieillira heureux dans cette maison où nous aurons vécu avant lui, où nous mourrons. Que peut-on demander de plus ? »

Mais le baron hochait la tête. « Que répondras-tu s'il vient te dire, lorsqu'il aura vingt-cinq ans : "Je ne suis rien, je ne sais rien par ta faute, par la faute de ton égoïsme maternel. Je me sens incapable de travailler, de devenir quelqu'un, et pourtant je n'étais pas fait pour la vie obscure, humble, et triste à mourir, à laquelle ta tendresse imprévoyante m'a condamné". »

Elle pleurait toujours, implorant son fils. « Dis, Poulet, tu ne me reprocheras jamais de t'avoir trop aimé, n'est-ce pas ? »

Et le grand enfant, surpris, promettait : « Non, maman.

— Tu me le jures ? »

— Oui, maman.

— Tu veux rester ici, n'est-ce pas ?

— Oui, maman. »

Alors le baron parla ferme et haut : « Jeanne, tu n'as pas le droit de disposer de cette vie. Ce que tu fais là est lâche et presque criminel ; tu sacrifies ton enfant à ton bonheur particulier. »

Elle cacha sa figure dans ses mains, poussant des sanglots précipités, et elle balbutiait dans ses larmes : « J'ai été si malheureuse... si malheureuse ! Maintenant que je suis tranquille avec lui, on me l'enlève... Qu'est-ce que je deviendrai... toute seule... à présent ?... »

Son père se leva, vint s'asseoir auprès d'elle, la prit dans ses bras. « Et moi, Jeanne ? » Elle le saisit si brusquement par le cou, l'embrassa avec violence, puis, toute suffoquée encore, elle articula au milieu d'étranglements : « Oui. Tu as raison... peut-être... petit père. J'étais folle, mais j'ai tant souffert. Je veux bien qu'il aille au collège. »

Et, sans trop comprendre ce qu'on allait faire de lui, Poulet, à son tour, se mit à larmoyer.

Alors ses trois mères l'embrassant, le câlinant, l'encouragèrent. Et lorsqu'on monta se coucher, tous avaient le cœur serré et tous pleurèrent dans leurs lits, même le baron qui s'était contenu.

Il fut décidé qu'à la rentrée on mettrait le jeune homme au collège du Havre ; et il eut, pendant tout l'été, plus de gâteries que jamais.

Sa mère gémissait souvent à la pensée de la séparation. Elle prépara son trousseau[1] comme s'il allait entreprendre un voyage de dix ans ; puis, un matin d'octobre, après une nuit sans sommeil, les deux femmes et le baron montèrent avec lui dans la calèche qui partit au trot des deux chevaux.

---

1. Trousseau : voir note 1, p. 66.

On avait déjà choisi, dans un autre voyage, sa place au dortoir et sa place en classe. Jeanne, aidée de tante Lison, passa tout le jour à ranger les hardes[1] dans la petite commode.

315 Comme le meuble ne contenait pas le quart de ce qu'on avait apporté, elle alla trouver le proviseur pour en obtenir un second. L'économe[2] fut appelé; il représenta que tant de linge et d'effets[3] ne feraient que gêner sans servir jamais; et il refusa, au nom du règlement, de céder une autre commode.

320 La mère désolée se résolut alors à louer une chambre dans un petit hôtel voisin en recommandant à l'hôtelier d'aller lui-même porter à Poulet tout ce dont il aurait besoin, au premier appel de l'enfant.

Puis on fit un tour sur la jetée pour regarder sortir et entrer 325 les navires.

Le triste soir tomba sur la ville qui s'illumina peu à peu. On entra pour dîner dans un restaurant. Aucun d'eux n'avait faim; et ils se regardaient d'un œil humide pendant que les plats défilaient devant eux et s'en retournaient presque pleins.

330 Puis on se mit en marche lentement vers le collège. Des enfants de toutes les tailles arrivaient de tous les côtés, conduits par leurs familles ou par des domestiques. Beaucoup pleuraient. On entendait un bruit de larmes dans la grande cour à peine éclairée.

335 Jeanne et Poulet s'étreignirent longtemps. Tante Lison restait derrière, oubliée tout à fait et la figure dans son mouchoir. Mais le baron, qui s'attendrissait, abrégea les adieux en entraînant sa fille. La calèche attendait devant la

---

1. Hardes : voir note 4, p. 28.
2. Économe : gestionnaire d'une communauté, d'un établissement.
3. Effets : vêtements.

porte ; ils montèrent dedans tous trois et s'en retournèrent
dans la nuit vers les Peuples.

Parfois un gros sanglot passait dans l'ombre.

Le lendemain Jeanne pleura jusqu'au soir. Le jour suivant
elle fit atteler le phaéton[1] et partit pour Le Havre. Poulet
semblait avoir déjà pris son parti de la séparation. Pour la
première fois de sa vie il avait des camarades ; et le désir de
jouer le faisait frémir sur sa chaise au parloir.

Jeanne revint ainsi tous les deux jours, et le dimanche pour
les sorties. Ne sachant que faire pendant les classes, entre les
récréations, elle demeurait assise au parloir, n'ayant ni la force
ni le courage de s'éloigner du collège. Le proviseur la fit prier
de monter chez lui, et il lui demanda de venir moins souvent.
Elle ne tint pas compte de cette recommandation.

Il la prévint alors que, si elle continuait à empêcher son fils
de jouer pendant les heures d'ébats[2], et de travailler en le
troublant sans cesse, on se verrait forcé de le lui rendre ; et le
baron fut prévenu par un mot. Elle demeura donc gardée à
vue aux Peuples, comme une prisonnière.

Elle attendait chaque vacance avec plus d'anxiété que son
enfant.

Et une inquiétude incessante agitait son âme. Elle se mit à
rôder[3] par le pays, se promenant seule avec le chien Massacre
pendant des jours entiers, en rêvassant dans le vide. Parfois
elle restait assise durant tout un après-midi à regarder la mer
du haut de la falaise ; parfois, elle descendait jusqu'à Yport à
travers le bois, refaisant des promenades anciennes dont le

1. **Phaéton :** voir note 2, p. 173.
2. **Heures d'ébats :** heures de récréation.
3. **Rôder :** parcourir un lieu, une région, sans but ni direction précise.

souvenir la poursuivait. Comme c'était loin, comme c'était loin, le temps où elle parcourait ce même pays, jeune fille, et grise[1] de rêves.

Chaque fois qu'elle revoyait son fils, il lui semblait qu'ils avaient été séparés pendant dix ans. Il devenait homme de mois en mois ; de mois en mois elle devenait une vieille femme. Son père paraissait son frère, et tante Lison, qui ne vieillissait point, restée fanée[2] dès son âge de vingt-cinq ans, avait l'air d'une sœur aînée.

Poulet ne travaillait guère ; il doubla sa quatrième. La troisième alla tant bien que mal ; mais il fallut recommencer la seconde ; et il se trouva en rhétorique[3] alors qu'il atteignait vingt ans.

Il était devenu un grand garçon blond, avec des favoris[4] déjà touffus et une apparence de moustaches. C'était lui maintenant qui venait aux Peuples chaque dimanche. Comme il prenait depuis longtemps des leçons d'équitation, il louait simplement un cheval et faisait la route en deux heures.

Dès le matin Jeanne partait au-devant de lui avec la tante et le baron qui se courbait peu à peu et marchait ainsi qu'un petit vieux, les mains rejointes derrière son dos comme pour s'empêcher de tomber sur le nez.

Ils allaient tout doucement le long de la route, s'asseyant parfois sur le fossé, et regardant au loin si on n'apercevait pas encore le cavalier. Dès qu'il apparaissait comme un point noir sur la ligne blanche, les trois parents agitaient leurs

---

1. Grise : voir note 1, p. 62.

2. Fanée : qui a perdu sa fraîcheur, son éclat.

3. Rhétorique : classe de première.

4. Favoris : touffe de barbe qu'on laisse pousser sur les joues.

mouchoirs ; et il mettait son cheval au galop pour arriver comme un ouragan, ce qui faisait palpiter de peur Jeanne et Lison et s'exalter le grand-père qui criait « Bravo » dans un enthousiasme d'impotent[1].

Bien que Paul eût la tête de plus que sa mère, elle le traitait toujours comme un marmot, lui demandant encore : « Tu n'as pas froid aux pieds, Poulet ? » et, quand il se promenait devant le perron, après déjeuner, en fumant une cigarette, elle ouvrait la fenêtre pour lui crier : « Ne sors pas nu-tête[2], je t'en supplie, tu vas attraper un rhume de cerveau. »

Et elle frémissait d'inquiétude quand il repartait à cheval dans la nuit : « Surtout ne va pas trop vite, mon petit Poulet, sois prudent, pense à ta pauvre mère qui serait désespérée s'il t'arrivait quelque chose. »

Mais voilà qu'un samedi matin elle reçut une lettre de Paul annonçant qu'il ne viendrait pas le lendemain parce que des amis avaient organisé une partie de plaisir à laquelle il était invité.

Elle fut torturée d'angoisses, pendant toute la journée du dimanche comme sous la menace d'un malheur ; puis, le jeudi, n'y tenant plus, elle partit pour Le Havre.

Il lui parut changé sans qu'elle se rendît compte en quoi. Il semblait animé, parlait d'une voix plus mâle. Et soudain il lui dit, comme une chose toute naturelle : « Sais-tu, maman, puisque tu es venue aujourd'hui, je n'irai pas encore aux Peuples dimanche prochain, parce que nous recommençons notre fête. »

---

1. Impotent : personne qui a de grandes difficultés pour bouger.
2. Nu-tête : sans chapeau.

Elle resta toute saisie, suffoquée comme s'il eût annoncé
420 qu'il partait pour le nouveau monde ; puis, quand elle put
enfin parler : « Oh ! Poulet, qu'as-tu ? dis-moi, que se passe-
t-il ? » Il se mit à rire et l'embrassa : « Mais rien de rien,
maman. Je vais m'amuser avec des amis, c'est de mon âge. »

Elle ne trouva pas un mot à répondre, et, quand elle fut
425 toute seule dans la voiture, des idées singulières l'assaillirent.
Elle ne l'avait plus reconnu son Poulet, son petit Poulet de
jadis. Pour la première fois elle s'apercevait qu'il était grand,
qu'il n'était plus à elle, qu'il allait vivre de son côté sans
s'occuper des vieux. Il lui semblait qu'en un jour il s'était
430 transformé. Quoi ! c'était son fils, son pauvre petit enfant qui
lui faisait autrefois repiquer des salades, ce fort garçon barbu
dont la volonté s'affirmait !

Et pendant trois mois Paul ne vint voir ses parents que de
temps en temps, toujours hanté d'un désir évident de repartir
435 au plus vite, cherchant chaque soir à gagner une heure. Jeanne
s'effrayait, et le baron sans cesse la consolait répétant :
« Laisse-le faire ; il a vingt ans, ce garçon. »

Mais, un matin, un vieil homme assez mal vêtu demanda
en français d'Allemagne[1] : « Matame la vicomtesse. » Et, après
440 beaucoup de saluts cérémonieux, il tira de sa poche un portefeuille sordide en déclarant : « Ché un bétit bapier bour fous »,
et il tendit, en le dépliant, un morceau de papier graisseux.
Elle lut, relut, regarda le Juif[2], relut encore et demanda :
« Qu'est-ce que cela veut dire ? »

---

1. En français d'Allemagne : parlant français avec un accent allemand.
2. Juif : (péjoratif) usurier. Ce sens du mot est dû au fait que les métiers d'argent
étaient interdits aux chrétiens et réservés aux juifs au Moyen Âge

45 L'homme, obséquieux[1], expliqua : « Ché fé fous tire. Votre fils il afé pesoin d'un peu d'archent, et comme ché safais que fous êtes une ponne mère, che lui prêté quelque betite chose bour son pesoin. »

Elle tremblait. « Mais pourquoi ne m'en a-t-il pas demandé
50 à moi ? » Le Juif expliqua longuement qu'il s'agissait d'une dette de jeu devant être payée le lendemain avant midi, que Paul n'étant pas encore majeur, personne ne lui aurait rien prêté et que son « honneur été gombromise » sans le « bétit service obligeant » qu'il avait rendu à ce jeune
55 homme.

Jeanne voulait appeler le baron, mais elle ne pouvait se lever tant l'émotion la paralysait. Enfin elle dit à l'usurier[2] : « Voulez-vous avoir la complaisance de sonner ? »

Il hésitait, craignant une ruse. Il balbutia : « Si che fous
60 chène, che refiendrai. » Elle remua la tête pour dire non. Il sonna ; et ils attendirent, muets, l'un en face de l'autre.

Quand le baron fut arrivé, il comprit tout de suite la situation. Le billet[3] était de quinze cents francs. Il en paya mille en disant à l'homme entre les yeux : « Surtout ne revenez
65 pas. » L'autre remercia, salua, et disparut.

Le grand-père et la mère partirent aussitôt pour Le Havre ; mais, en arrivant au collège, ils apprirent que depuis un mois Paul n'y était point venu. Le principal avait reçu quatre lettres signées de Jeanne pour annoncer un malaise de son élève, et
70 ensuite pour donner des nouvelles. Chaque lettre était accom-

---

1. Obséquieux : qui manifeste un excès de respect et de politesse.
2. Usurier : personne qui prête de l'argent avec un taux d'intérêt bien supérieur au taux légal.
3. Billet : engagement de payer écrit.

pagnée d'un certificat de médecin ; le tout faux, naturellement. Ils furent atterrés, et ils restaient là, se regardant.

Le principal, désolé, les conduisit chez le commissaire de
police. Les deux parents couchèrent à l'hôtel.

475 Le lendemain on retrouva le jeune homme chez une fille
entretenue[1] de la ville. Son grand-père et sa mère l'emme-
nèrent aux Peuples sans qu'un mot fût échangé entre eux tout
le long de la route. Jeanne pleurait, la figure dans son
mouchoir. Paul regardait la campagne d'un air indifférent.

480 En huit jours on découvrit que pendant les trois derniers mois
il avait fait quinze mille francs de dettes. Les créanciers ne s'étaient
point montrés d'abord, sachant qu'il serait bientôt majeur.

Aucune explication n'eut lieu. On voulait le reconquérir
par la douceur. On lui faisait manger des mets[2] délicats, on le
485 choyait[3], on le gâtait. C'était au printemps ; on lui loua un
bateau à Yport, malgré les terreurs de Jeanne, pour qu'il pût
faire à son gré des promenades en mer.

On ne lui laissait point de cheval de crainte qu'il n'allât au
Havre.

490 Il demeurait désœuvré[4], irritable, parfois brutal. Le baron
s'inquiétait de ses études incomplètes. Jeanne, affolée à la
pensée d'une séparation, se demandait cependant ce qu'on
allait faire de lui.

Un soir il ne rentra pas. On apprit qu'il était sorti en
495 barque avec deux matelots. Sa mère éperdue descendit nu-tête
jusqu'à Yport, dans la nuit.

---

1. **Fille entretenue** : femme qui vit avec l'argent de son amant.
2. **Mets** : aliments préparés pour un repas.
3. **Choyait** : voir note 5, p. 38.
4. **Désœuvré** : qui ne fait rien.

Quelques hommes attendaient sur la plage la rentrée de l'embarcation.

Un petit feu apparut au large ; il approchait en se balançant. Paul ne se trouvait plus à bord. Il s'était fait conduire au Havre.

La police eut beau le rechercher, elle ne le retrouva pas. La fille qui l'avait caché une première fois avait aussi disparu, sans laisser de traces, son mobilier vendu, et son terme[1] payé. Dans la chambre de Paul, aux Peuples, on découvrit deux lettres de cette créature[2] qui paraissait folle d'amour pour lui. Elle parlait d'un voyage en Angleterre, ayant trouvé les fonds nécessaires, disait-elle.

Et les trois habitants du château vécurent silencieux et sombres dans l'enfer morne des tortures morales. Les cheveux de Jeanne, gris déjà, étaient devenus blancs. Elle se demandait naïvement pourquoi la destinée la frappait ainsi.

Elle reçut une lettre de l'abbé Tolbiac :

Madame, la main de Dieu s'est appesantie sur vous[3]. Vous Lui avez refusé votre enfant ; Il vous l'a pris à son tour pour le jeter à une prostituée. N'ouvrirez-vous pas les yeux à cet enseignement du Ciel ? La miséricorde[4] du Seigneur est infinie. Peut-être vous pardonnera-t-il si vous revenez vous agenouiller devant Lui. Je suis son humble serviteur, je vous ouvrirai la porte de sa demeure quand vous y viendrez frapper.

Elle demeura longtemps avec cette lettre sur les genoux. C'était vrai, peut-être, ce que disait ce prêtre. Et toutes les incertitudes religieuses se mirent à déchirer sa conscience.

---

1. Terme : loyer.
2. Créature : femme de mauvaise vie.
3. La main de Dieu s'est appesantie sur vous : Dieu vous punit.
4. Miséricorde : voir note 2, p. 155.

Dieu pouvait-il être vindicatif[1] et jaloux comme les hommes ?
mais s'il ne se montrait pas jaloux, personne ne le craindrait,
525 personne ne l'adorerait plus. Pour se faire mieux connaître à
nous, sans doute, il se manifestait aux humains avec leurs
propres sentiments. Et le doute lâche, qui pousse aux églises
les hésitants, les troublés, entrant en elle, elle courut furtive-
ment, un soir, à la nuit tombante, jusqu'au presbytère, et,
530 s'agenouillant aux pieds du maigre abbé, sollicita l'absolution.

Il lui promit un demi-pardon, Dieu ne pouvant déverser
toutes ses grâces sur un toit qui recouvrait un homme comme
le baron : « Vous sentirez bientôt, affirma-t-il, les effets de la
Divine Mansuétude[2]. »

535 Elle reçut, en effet, deux jours plus tard, une lettre de son
fils ; et elle la considéra, dans l'affolement de sa peine, comme
le début des soulagements promis par l'abbé.

Ma chère maman, n'aie pas d'inquiétude. Je suis à Londres, en
bonne santé, mais j'ai grand besoin d'argent. Nous n'avons plus un
540 *sou et nous ne mangeons pas tous les jours. Celle qui m'accompagne et*
que j'aime de toute mon âme a dépensé tout ce qu'elle avait pour ne pas
me quitter : cinq mille francs ; et tu comprends que je suis engagé d'hon-
neur à lui rendre cette somme d'abord. Tu serais donc bien aimable de
m'avancer une quinzaine de mille francs sur l'héritage de papa,
545 *puisque je vais être bientôt majeur ; tu me tireras d'un grand embarras.*

Adieu, ma chère maman, je t'embrasse de tout mon cœur, ainsi que
grand-père et tante Lison. J'espère te revoir bientôt.

Ton fils,

Vicomte Paul de Lamare.

---

1. Vindicatif : qui a pour volonté de se venger.
2. Mansuétude : bienveillance.

50 Il lui avait écrit ! Donc il ne l'oubliait pas. Elle ne songea point qu'il demandait de l'argent. On lui en enverrait puisqu'il n'en avait plus. Qu'importait l'argent ! Il lui avait écrit !

Et elle courut, en pleurant, porter cette lettre au baron. Tante Lison fut appelée ; et on relut, mot à mot, ce papier qui
55 parlait de lui. On en discuta chaque terme.

Jeanne, sautant de la complète désespérance à une sorte d'enivrement d'espoir, défendait Paul :

« Il reviendra, il va revenir puisqu'il écrit. »

Le baron, plus calme, prononça : « C'est égal, il nous a
60 quittés pour cette créature. Il l'aime donc mieux que nous, puisqu'il n'a pas hésité. »

Une douleur subite et épouvantable traversa le cœur de Jeanne ; et tout de suite une haine s'alluma en elle contre cette maîtresse qui lui volait son fils ; une haine inapaisable,
65 sauvage, une haine de mère jalouse. Jusqu'alors toute sa pensée avait été pour Paul. À peine songeait-elle qu'une drôlesse[1] était la cause de ses égarements. Mais soudain cette réflexion du baron avait évoqué cette rivale, lui avait révélé sa puissance fatale ; et elle sentit qu'entre cette femme et elle une
70 lutte commençait acharnée, et elle sentait aussi qu'elle aimerait mieux perdre son fils que de le partager avec l'autre.

Et toute sa joie s'écroula.

Ils envoyèrent les quinze mille francs et ne reçurent plus de nouvelles pendant cinq mois.

75 Puis un homme d'affaires se présenta pour régler les détails de la succession de Julien. Jeanne et le baron rendirent les

---

1. **Drôlesse** : femme de mauvaise vie.

comptes sans discuter, abandonnant même l'usufruit[1] qui revenait à la mère. Et, rentré à Paris, Paul toucha cent vingt mille francs. Il écrivit alors quatre lettres en six mois, donnant
580 de ses nouvelles en style concis et terminant par de froides protestations de tendresse : « Je travaille, affirmait-il ; j'ai trouvé une position à la Bourse. J'espère aller vous embrasser quelque jour aux Peuples, mes chers parents. »

Il ne disait pas un mot de sa maîtresse ; et ce silence signi-
585 fiait plus que s'il eût parlé d'elle durant quatre pages. Jeanne, dans ces lettres glacées, sentait cette femme embusquée, implacable, l'ennemie éternelle des mères, la fille.

Les trois solitaires discutaient sur ce qu'on pouvait faire pour sauver Paul ; et ils ne trouvaient rien. Un voyage à Paris ?
590 À quoi bon ?

Le baron disait : « Il faut laisser s'user sa passion. Il nous reviendra tout seul. »

Et leur vie était lamentable.

Jeanne et Lison allaient ensemble à l'église en se cachant
595 du baron.

Un temps assez long s'écoula sans nouvelles, puis, un matin, une lettre désespérée les terrifia.

Ma pauvre maman, je suis perdu, je n'ai plus qu'à me brûler la cervelle si tu ne viens pas à mon secours. Une spéculation qui
600 *présentait pour moi toutes les chances de succès vient d'échouer ; et je dois quatre-vingt-cinq mille francs. C'est le déshonneur si je ne paye pas, la ruine, l'impossibilité de rien faire désormais. Je suis perdu. Je te le répète, je me brûlerai la cervelle plutôt que de survivre à cette honte. Je l'aurais peut-être fait déjà sans les*

---

1. Usufruit : jouissance d'un bien qui appartient à quelqu'un d'autre.

505 *encouragements d'une femme dont je ne parle jamais et qui est ma*
Providence[1].

Je t'embrasse du fond du cœur, ma chère maman ; c'est peut-être
pour toujours. Adieu.

PAUL.

510 Des liasses de papiers d'affaires joints à cette lettre
donnaient des explications détaillées sur le désastre.

Le baron répondit poste pour poste[2] qu'on allait aviser. Puis
il partit pour Le Havre afin de se renseigner ; et il hypothéqua
des terres[3] pour se procurer l'argent qui fut envoyé à Paul.

515 Le jeune homme répondit trois lettres de remerciements
enthousiastes et de tendresses passionnées, annonçant sa
venue immédiate pour embrasser ses chers parents.

Il ne vint pas.

Une année entière s'écoula.

520 Jeanne et le baron allaient partir pour Paris afin de le
trouver et de tenter un dernier effort quand on apprit par un
mot qu'il était à Londres de nouveau, montant une entreprise
de paquebots à vapeur, sous la raison sociale[4] « PAUL
DELAMARE ET CIE ». Il écrivait :

525 *C'est la fortune assurée pour moi, peut-être la richesse. Et je ne*
risque rien. Vous voyez d'ici tous les avantages. Quand je vous
reverrai, j'aurai une belle position dans le monde. Il n'y a que les
affaires pour se tirer d'embarras aujourd'hui.

Trois mois plus tard la compagnie de paquebots était mise
530 en faillite et le directeur poursuivi pour irrégularités dans les

---

1. Providence : voir note 2, p. 54.
2. Poste pour poste : dès la réception de la lettre.
3. Hypothéqua des terres : offrit des terres en garantie pour rembourser les dettes.
4. Raison sociale : dénomination d'une société.

écritures commerciales[1]. Jeanne eut une crise de nerfs qui dura plusieurs heures ; puis elle prit le lit.

Le baron repartit au Havre, s'informa, vit des avocats, des hommes d'affaires, des avoués, des huissiers, constata que le déficit de la société *Delamare* était de deux cent trente-cinq mille francs, et il hypothéqua de nouveau ses biens. Le château des Peuples et les deux fermes y attenantes furent grevés[2] pour une grosse somme.

Un soir, comme il réglait les dernières formalités dans le cabinet d'un homme d'affaires, il roula sur le parquet, frappé d'une attaque d'apoplexie[3].

Jeanne fut prévenue par un cavalier. Quand elle arriva, il était mort.

Elle le ramena aux Peuples, tellement anéantie que sa douleur était plutôt de l'engourdissement que du désespoir.

L'abbé Tolbiac refusa au corps l'entrée de l'église, malgré les supplications éperdues des deux femmes. Le baron fut enterré à la nuit tombante, sans cérémonie aucune.

Paul connut l'événement par un des agents liquidateurs de sa faillite. Il était encore caché en Angleterre. Il écrivit pour s'excuser de n'être point venu, ayant appris trop tard le malheur. « D'ailleurs, maintenant que tu m'as tiré d'affaire, ma chère maman, je rentre en France, et je t'embrasserai bientôt. »

Jeanne vivait dans un tel affaissement d'esprit qu'elle semblait ne plus rien comprendre.

Et vers la fin de l'hiver tante Lison, âgée alors de soixante-huit ans, eut une bronchite qui dégénéra en fluxion de

---

1. Écritures commerciales : comptabilité.

2. Grevés : frappés d'une hypothèque.

3. Apoplexie : arrêt subit de toutes les fonctions cérébrales.

poitrine[1]; et elle expira doucement en balbutiant: «Ma pauvre petite Jeanne, je vais demander au bon Dieu qu'il ait pitié de toi. »

Jeanne la suivit au cimetière, vit tomber la terre sur le cercueil, et, comme elle s'affaissait avec l'envie au cœur de mourir aussi, de ne plus souffrir, de ne plus penser, une forte paysanne la saisit dans ses bras et l'emporta comme elle eût fait d'un petit enfant.

En rentrant au château, Jeanne, qui venait de passer cinq nuits au chevet de la vieille fille, se laissa mettre au lit sans résistance par cette campagnarde inconnue qui la maniait avec douceur et autorité; et elle tomba dans un sommeil d'épuisement, accablée de fatigue et de souffrance.

Elle s'éveilla vers le milieu de la nuit. Une veilleuse brûlait sur la cheminée. Une femme dormait dans un fauteuil. Qui était cette femme? Elle ne la reconnaissait pas, et elle cherchait, s'étant penchée au bord de sa couche, pour bien distinguer ses traits sous la lueur tremblotante de la mèche flottant sur l'huile dans un verre de cuisine.

Il lui semblait pourtant qu'elle avait vu cette figure. Mais quand? Mais où? La femme dormait paisiblement, la tête inclinée sur l'épaule, le bonnet tombé par terre. Elle pouvait avoir quarante ou quarante-cinq ans. Elle était forte, colorée, carrée, puissante. Ses larges mains pendaient des deux côtés du siège. Ses cheveux grisonnaient. Jeanne la regardait obstinément dans ce trouble d'esprit du réveil après le sommeil fiévreux qui suit les grands malheurs.

---

1. Fluxion de poitrine: pneumonie.

685   Certes elle avait vu ce visage ! Était-ce autrefois ? Était-ce récemment ? Elle n'en savait rien, et cette obsession l'agitait, l'énervait. Elle se leva doucement pour regarder de plus près la dormeuse, et elle s'approcha sur la pointe des pieds. C'était la femme qui l'avait relevée au cimetière, puis couchée. Elle
690   se rappelait cela confusément.

    Mais l'avait-elle rencontrée ailleurs, à une autre époque de sa vie ? Ou bien la croyait-elle reconnaître seulement dans le souvenir obscur de la dernière journée ? Et puis comment était-elle là, dans sa chambre ? Pourquoi ?

695   La femme souleva sa paupière, aperçut Jeanne et se dressa brusquement. Elles se trouvaient face à face, si près que leurs poitrines se frôlaient. L'inconnue grommela[1] : « Comment ! vous v'là d'bout ! Vous allez attraper du mal à c't'heure. Voulez-vous bien vous r'coucher ! »

700   Jeanne demanda : « Qui êtes-vous ? »

    Mais la femme, ouvrant les bras, la saisit, l'enleva de nouveau, et la reporta sur son lit avec la force d'un homme. Et comme elle la reposait doucement sur ses draps, penchée, presque couchée sur Jeanne, elle se mit à pleurer en l'embras-
705   sant éperdument sur les joues, dans les cheveux, sur les yeux, lui trempant la figure de ses larmes, et balbutiant : « Ma pauvre maîtresse, mam'zelle Jeanne, ma pauvre maîtresse, vous ne me reconnaissez donc point ? »

    Et Jeanne s'écria : « Rosalie, ma fille. » Et, lui jetant les
710   deux bras au cou, elle l'étreignit en la baisant ; et elles sanglo-taient toutes les deux, enlacées étroitement, mêlant leurs pleurs, ne pouvant plus desserrer leurs bras.

---

1. Grommela : murmura.

Rosalie se calma la première : « Allons, faut être sage, dit-elle, et ne pas attraper froid. » Et elle ramassa les couvertures, reborda le lit, replaça l'oreiller sous la tête de son ancienne maîtresse qui continuait à suffoquer, toute vibrante de vieux souvenirs surgis en son âme.

Elle finit par demander : « Comment es-tu revenue, ma pauvre fille ? »

Rosalie répondit : « Pardi, est-ce que j'allais vous laisser comme ça, toute seule, maintenant ! »

Jeanne reprit : « Allume donc une bougie que je te voie. » Et, quand la lumière fut apportée sur la table de nuit, elles se considérèrent longtemps sans dire un mot. Puis Jeanne tendant la main à sa vieille bonne murmura : « Je ne t'aurais jamais reconnue, ma fille, tu es bien changée, sais-tu, mais pas tant que moi, encore. »

Et Rosalie, contemplant cette femme à cheveux blancs, maigre et fanée, qu'elle avait quittée jeune, belle et fraîche, répondit : « Ça c'est vrai que vous êtes changée, madame Jeanne, et plus que de raison. Mais songez aussi que v'là vingt-quatre ans que nous nous sommes pas vues. »

Elles se turent, réfléchissant de nouveau. Jeanne, enfin, balbutia : « As-tu été heureuse, au moins ? »

Et Rosalie, hésitant dans la crainte de réveiller quelque souvenir trop douloureux, bégayait : « Mais… oui…, oui…, Madame. J'ai pas trop à me plaindre, j'ai été plus heureuse que vous… pour sûr. Il n'y a qu'une chose qui m'a toujours gâté le cœur[1], c'est de n'être pas restée ici… » Puis elle se tut brusquement, saisie d'avoir touché à cela sans y songer.

---

1. Gâté le cœur : fait de la peine.

Mais Jeanne reprit avec douceur : « Que veux-tu, ma fille, on ne fait pas toujours ce qu'on veut. Tu es veuve aussi, n'est-ce pas ? » Puis une angoisse fit trembler sa voix, et elle continua : « As-tu d'autres... d'autres enfants ?

745 — Non, Madame.

— Et, lui, ton... ton fils, qu'est-ce qu'il est devenu ? En es-tu satisfaite ?

— Oui, Madame, c'est un bon gars qui travaille d'attaque. Il s'est marié v'là six mois, et il prend ma ferme, donc,
750 puisque me v'là revenue avec vous. »

Jeanne, tremblant d'émotion, murmura : « Alors, tu ne me quitteras plus, ma fille ? »

Et Rosalie, d'un ton brusque : « Pour sûr, Madame, que j'ai pris mes dispositions pour ça. »

755 Puis elles ne parlèrent pas de quelque temps.

Jeanne malgré elle se remettait à comparer leurs existences, mais sans amertume au cœur, résignée maintenant aux cruautés injustes du sort. Elle dit :

« Ton mari, comment a-t-il été pour toi ?

760 — Oh ! c'était un brave homme, Madame, et pas faignant[1], qui a su amasser[2] du bien. Il est mort du mal de poitrine[3]. »

Alors Jeanne, s'asseyant sur son lit, envahie d'un besoin de savoir : « Voyons, raconte-moi tout, ma fille, toute ta vie. Cela me fera du bien, aujourd'hui. »

765 Et Rosalie, approchant une chaise, s'assit et se mit à parler d'elle, de sa maison, de son monde, entrant dans les menus détails chers aux gens de campagne, décrivant sa cour, riant

---

1. **Faignant** : fainéant.
2. **Amasser** : accumuler.
3. **Mal de poitrine** : affection des bronches ou des poumons.

parfois de choses anciennes déjà qui lui rappelaient de bons moments passés, haussant le ton peu à peu en fermière habituée à commander. Elle finit par déclarer : « Oh ! j'ai du bien au soleil[1], aujourd'hui. Je ne crains rien. » Puis elle se troubla encore et reprit plus bas : « C'est à vous que je dois ça tout de même : aussi vous savez que je n'veux pas de gages[2]. Ah ! mais non. Ah ! mais non ! Et puis, si vous n'voulez point, je m'en vas. »

Jeanne reprit : « Tu ne prétends pourtant pas me servir pour rien ? »

— Ah ! mais que oui, Madame. De l'argent ! Vous me donneriez de l'argent ! Mais j'en ai quasiment autant que vous. Savez-vous seulement c'qui vous reste avec tous vos gribouillis d'hypothèques et d'empruntages, et d'intérêts qui n'sont pas payés et qui s'augmentent à chaque terme[3] ? Savez-vous ? non, n'est-ce pas ? Eh bien, je vous promets que vous n'avez seulement plus dix mille livres de revenu. Pas dix mille, entendez-vous. Mais je vas vous régler tout ça, et vite encore. »

Elle s'était remise à parler haut, s'emportant, s'indignant de ces intérêts négligés, de cette ruine menaçante. Et comme un vague sourire attendri passait sur la figure de sa maîtresse, elle s'écria, révoltée :

« Il ne faut pas rire de ça, Madame, parce que sans argent, il n'y a plus que des manants[4]. »

Jeanne lui reprit les mains et les garda dans les siennes ; puis elle prononça lentement, toujours poursuivie par la

---

1. **J'ai du bien au soleil** : j'ai des économies.
2. **Gages** : salaire d'un domestique.
3. **Terme** : échéance.
4. **Manants** : voir note 2, p. 221.

pensée qui l'obsédait : « Oh ! moi, je n'ai pas eu de chance.
795 Tout a mal tourné pour moi. La fatalité[1] s'est acharnée sur ma
vie. »

Mais Rosalie hocha la tête : « Faut pas dire ça, Madame,
faut pas dire ça. Vous avez mal été mariée, v'là tout. On n'se
marie pas comme ça aussi, sans seulement connaître son
800 prétendu[2]. »

Et elles continuèrent à parler d'elles ainsi qu'auraient fait
deux vieilles amies.

Le soleil se leva comme elles causaient encore.

---

1. Fatalité : circonstances malheureuses, destin.
2. Prétendu : fiancé.

XII

Rosalie, en huit jours, eut pris le gouvernement[1] absolu des choses et des gens du château. Jeanne résignée obéissait passivement. Faible et traînant les jambes comme jadis petite mère, elle sortait au bras de sa servante qui la promenait à pas lents, la sermonnait[2], la réconfortait avec des paroles brusques et tendres, la traitant comme une enfant malade.

Elles causaient toujours d'autrefois, Jeanne avec des larmes dans la gorge, Rosalie avec le ton tranquille des paysans impassibles. La vieille bonne revint plusieurs fois sur les questions d'intérêts en souffrance[3] ; puis elle exigea qu'on lui livrât les papiers que Jeanne, ignorante de toute affaire, lui cachait par honte pour son fils.

Alors, pendant une semaine, Rosalie fit chaque jour un voyage à Fécamp pour se faire expliquer les choses par un notaire qu'elle connaissait.

Puis un soir, après avoir mis au lit sa maîtresse, elle s'assit à son chevet, et brusquement : « Maintenant que vous v'là couchée, Madame, nous allons causer. »

Et elle exposa la situation.

---

1. **Gouvernement** : direction.
2. **Sermonnait** : faisait la leçon.
3. **En souffrance** : en attente.

20   Lorsque tout serait réglé, il resterait environ sept à huit mille francs de rentes. Rien de plus.

    Jeanne répondit : « Que veux-tu, ma fille ? Je sens bien que je ne ferai pas de vieux os ; j'en aurai toujours assez. »

    Mais Rosalie se fâcha : « Vous, Madame, c'est possible ;
25 mais M. Paul, vous ne lui laisserez rien alors ? »

    Jeanne frissonna. « Je t'en prie, ne me parle jamais de lui. Je souffre trop quand j'y pense.

    – Je veux vous en parler au contraire, parce que vous n'êtes pas brave[1], voyez-vous, madame Jeanne. Il fait des bêtises ; eh
30 bien, il n'en fera pas toujours : et puis il se mariera ; il aura des enfants. Il faudra de l'argent pour les élever. Écoutez-moi bien : vous allez vendre les Peuples !... »

    Jeanne, d'un sursaut, s'assit dans son lit : « Vendre les Peuples ! Y penses-tu ? Oh ! jamais, par exemple ! »

35   Mais Rosalie ne se troubla pas. « Je vous dis que vous les vendrez, moi, Madame, parce qu'il le faut. »

    Et elle expliqua ses calculs, ses projets, ses raisonnements.

    Une fois les Peuples et les deux fermes attenantes vendues à un amateur qu'elle avait trouvé, on garderait quatre fermes
40 situées à Saint-Léonard, et qui, dégrevées[2] de toute hypothèque, constitueraient un revenu de huit mille trois cents francs. On mettrait de côté treize cents francs par an pour les réparations et l'entretien des biens ; il resterait donc sept mille francs sur lesquels on prendrait cinq mille pour les dépenses
45 de l'année ; et on en réserverait deux mille pour former une caisse de prévoyance.

---

1. Brave : courageuse.
2. Dégrevées : exonérées.

Elle ajouta : « Tout le reste est mangé, c'est fini. Et puis c'est moi qui garderai la clef, vous entendez ; et quant à M. Paul, il n'aura plus rien, mais rien ; il vous prendrait jusqu'au dernier sou. »

Jeanne, qui pleurait en silence, murmura :

« Mais s'il n'a pas de quoi manger ?

— Il viendra manger chez nous, donc, s'il a faim. Il y aura toujours un lit et du fricot[1] pour lui. Croyez-vous qu'il aurait fait toutes ces bêtises-là si vous ne lui aviez pas donné un sou du commencement ?

— Mais il avait des dettes, il aurait été déshonoré.

— Quand vous n'aurez plus rien, ça l'empêchera-t-il d'en faire ? Vous avez payé, c'est bien ; mais vous ne payerez plus, c'est moi qui vous le dis. Maintenant, bonsoir, Madame. »

Et elle s'en alla.

Jeanne ne dormit point, bouleversée à la pensée de vendre les Peuples, de s'en aller, de quitter cette maison où toute sa vie était attachée.

Quand elle vit entrer Rosalie dans sa chambre, le lendemain, elle lui dit : « Ma pauvre fille, je ne pourrai jamais me décider à m'éloigner d'ici. »

Mais la bonne se fâcha : « Faut que ça soit comme ça pourtant, Madame. Le notaire va venir tantôt avec celui qui a envie du château. Sans ça, dans quatre ans vous n'auriez plus un radis. »

Jeanne restait anéantie, répétant : « Je ne pourrai pas ; je ne pourrai jamais. »

Une heure plus tard, le facteur lui remit une lettre de Paul qui demandait encore dix mille francs. Que faire ? Éperdue,

---

1. Fricot : repas.

75 elle consulta Rosalie qui leva les bras : « Qu'est-ce que je vous
disais, Madame ? Ah ! vous auriez été propres[1] tous les deux
si je n'étais pas revenue ! » Et Jeanne, pliant sous la volonté de
sa bonne, répondit au jeune homme :

Mon cher fils, je ne puis plus rien pour toi. Tu m'as ruinée ; je me
80 *vois même forcée de vendre les Peuples. Mais n'oublie point que j'aurai*
toujours un abri quand tu voudras te réfugier auprès de ta vieille mère
que tu as bien fait souffrir.

JEANNE.

Et lorsque le notaire arriva avec M. Jeoffrin, ancien raffi-
85 neur de sucre[2], elle les reçut elle-même et les invita à tout
visiter en détail.

Un mois plus tard elle signait le contrat de vente, et achetait en même temps une petite maison bourgeoise sise[3] auprès
de Goderville, sur la grand-route de Montivilliers, dans le
90 hameau de Batteville.

Puis, jusqu'au soir elle se promena toute seule dans l'allée
de petite mère, le cœur déchiré et l'esprit en détresse, adres-
sant à l'horizon, aux arbres, au banc vermoulu sous le platane,
à toutes ces choses si connues qu'elles semblaient entrées dans
95 ses yeux et dans son âme, au bosquet, au talus devant la lande
où elle s'était si souvent assise, d'où elle avait vu courir vers la
mer le comte de Fourville en ce jour terrible de la mort de
Julien, à un vieil orme[4] sans tête contre lequel elle s'appuyait
souvent, à tout ce jardin familier, des adieux désespérés et
100 sanglotants.

---

1. Propres : (ironique) en difficulté.
2. Raffineur de sucre : propriétaire d'une usine qui traite la canne à sucre.
3. Sise : située.
4. Orme : voir note 1, p. 23.

Rosalie vint la prendre par le bras pour la forcer à rentrer.

Un grand paysan de vingt-cinq ans attendait devant la porte. Il la salua d'un ton amical comme s'il la connaissait de longtemps. « Bonjour, madame Jeanne, ça va bien ? La mère m'a dit de venir pour le déménagement. Je voudrais savoir c'que vous emporterez, vu que je ferai ça de temps en temps pour ne pas nuire aux travaux de la terre. »

C'était le fils de sa bonne, le fils de Julien, le frère de Paul.

Il lui sembla que son cœur s'arrêtait ; et pourtant elle aurait voulu embrasser ce garçon.

Elle le regardait, cherchant s'il ressemblait à son mari, s'il ressemblait à son fils. Il était rouge, vigoureux, avec les cheveux blonds et les yeux bleus de sa mère. Et pourtant il ressemblait à Julien. En quoi ? Par quoi ? Elle ne le savait pas trop ; mais il avait quelque chose de lui dans l'ensemble de la physionomie[1].

Le gars reprit : « Si vous pouviez me montrer ça tout de suite, ça m'obligerait[2]. »

Mais elle ne savait pas encore ce qu'elle se déciderait à enlever, sa nouvelle maison étant fort petite et elle le pria de revenir au bout de la semaine.

Alors son déménagement la préoccupa, apportant une distraction triste dans sa vie morne et sans attentes.

Elle allait de pièce en pièce, cherchant les meubles qui lui rappelaient des événements, ces meubles amis qui font partie de notre vie, presque de notre être, connus depuis la jeunesse et auxquels sont attachés des souvenirs de joies ou de

---

1. Physionomie : ensemble des traits du visage.
2. Ça m'obligerait : ça m'aiderait.

tristesses, des dates de notre histoire, qui ont été les compa-
gnons muets de nos heures douces ou sombres, qui ont vieilli,
130   qui se sont usés à côté de nous, dont l'étoffe est crevée par
places et la doublure déchirée, dont les articulations branlent,
dont la couleur s'est effacée.

Elle les choisissait un à un, hésitant souvent, troublée
comme avant de prendre des déterminations capitales, reve-
135   nant à tout instant sur sa décision, balançant les mérites de
deux fauteuils ou de quelque vieux secrétaire comparé à une
ancienne table à ouvrage[1].

Elle ouvrait les tiroirs, cherchait à se rappeler des faits ;
puis, quand elle s'était bien dit : « Oui, je prendrai ceci », on
140   descendait l'objet dans la salle à manger.

Elle voulut garder tout le mobilier de sa chambre, son lit,
ses tapisseries, sa pendule, tout.

Elle prit quelques sièges du salon, ceux dont elle avait aimé
les dessins dès sa petite enfance ; le renard et la cigogne, le renard
145   et le corbeau, la cigale et la fourmi, et le héron mélancolique.

Puis, en rôdant par tous les coins de cette demeure qu'elle
allait abandonner, elle monta, un jour, dans le grenier.

Elle demeura saisie d'étonnement ; c'était un fouillis d'objets
de toute nature, les uns brisés, les autres salis seulement, les
150   autres montés là on ne sait pourquoi, parce qu'ils ne plaisaient
plus, parce qu'ils avaient été remplacés. Elle apercevait mille
bibelots connus jadis, et disparus tout à coup sans qu'elle y eût
songé, des riens qu'elle avait maniés, ces vieux petits objets
insignifiants qui avaient traîné quinze ans à côté d'elle, qu'elle
155   avait vus chaque jour sans les remarquer, et qui, tout à coup,

---

1. **Table à ouvrage** : table où sont rangés les travaux de couture.

retrouvés là, dans ce grenier, à côté d'autres plus anciens dont elle se rappelait parfaitement les places aux premiers temps de son arrivée, prenaient une importance soudaine de témoins oubliés, d'amis retrouvés. Ils lui faisaient l'effet de ces gens
60   qu'on a fréquentés longtemps sans qu'ils se soient jamais révélés et qui soudain, un soir, à propos de rien, se mettent à bavarder sans fin, à raconter toute leur âme qu'on ne soupçonnait pas.

Elle allait de l'un à l'autre avec des secousses au cœur, se disant : « Tiens, c'est moi qui ai fêlé cette tasse de Chine, un
65   soir, quelques jours avant mon mariage. – Ah ! voici la petite lanterne de mère et la canne que petit père a cassée en voulant ouvrir la barrière dont le bois était gonflé par la pluie. »

Il y avait aussi là-dedans beaucoup de choses qu'elle ne connaissait pas, qui ne lui rappelaient rien, venues de ses
70   grands-parents, ou de ses arrière-grands-parents, de ces choses poudreuses qui ont l'air exilées dans un temps qui n'est plus le leur, et qui semblent tristes de leur abandon, dont personne ne sait l'histoire, les aventures, personne n'ayant vu ceux qui les ont choisies, achetées, possédées, aimées, personne n'ayant
75   connu les mains qui les maniaient familièrement et les yeux qui les regardaient avec plaisir.

Jeanne les touchait, les retournait, marquant ses doigts dans la poussière accumulée ; et elle demeurait là au milieu de ces vieilleries, sous le jour terne qui tombait par quelques
80   petits carreaux de verre encastrés dans la toiture.

Elle examinait minutieusement[1] des chaises à trois pieds, cherchant si elles ne lui rappelaient rien, une bassinoire[2]

---

1. **Minutieusement** : soigneusement.
2. **Bassinoire** : bassine de métal que l'on remplit de braise pour chauffer un lit.

en cuivre, une chaufferette[1] défoncée qu'elle croyait reconnaître et un tas d'ustensiles de ménage hors de service.

185 Puis elle fit un lot de ce qu'elle voulait emporter, et, redescendant, elle envoya Rosalie le chercher. La bonne indignée refusait de descendre « ces saletés ». Mais Jeanne, qui n'avait cependant plus aucune volonté, tint bon cette fois ; et il fallut obéir.

190 Un matin le jeune fermier, fils de Julien, Denis Lecoq, s'en vint avec sa charrette pour faire un premier voyage. Rosalie l'accompagna afin de veiller au déchargement et de déposer les meubles aux places qu'ils devaient occuper.

Restée seule, Jeanne se mit à errer par les chambres du
195 château, saisie d'une crise affreuse de désespoir, embrassant, en des élans d'amour exalté, tout ce qu'elle ne pouvait prendre avec elle, les grands oiseaux blancs des tapisseries du salon, des vieux flambeaux, tout ce qu'elle rencontrait. Elle allait d'une pièce à l'autre, affolée, les yeux ruisselants de larmes ;
200 puis elle sortit pour « dire adieu » à la mer.

C'était vers la fin de septembre, un ciel bas et gris semblait peser sur le monde ; les flots tristes et jaunâtres s'étendaient à perte de vue. Elle resta longtemps debout sur la falaise, roulant en sa tête des pensées torturantes. Puis, comme la nuit
205 tombait, elle rentra, ayant souffert en ce jour autant qu'en ses plus grands chagrins.

Rosalie était revenue et l'attendait, enchantée de la nouvelle maison, la déclarant bien plus gaie que ce grand coffre de bâtiment qui n'était seulement pas au bord d'une route.

210 Jeanne pleura toute la soirée.

---

1. Chaufferette : voir note 1, p. 114.

Depuis qu'ils savaient le château vendu, les fermiers n'avaient pour elle que bien juste les égards qu'ils lui devaient[1], l'appelant entre eux « La Folle », sans trop savoir pourquoi, sans doute parce qu'ils devinaient, avec leur instinct de brutes, sa sentimentalité maladive et grandissante, ses rêvasseries exaltées, tout le désordre de sa pauvre âme secouée par le malheur.

La veille de son départ, elle entra, par hasard, dans l'écurie. Un grognement la fit tressaillir. C'était Massacre auquel elle n'avait plus songé depuis des mois. Aveugle et paralytique, parvenu à un âge que ces animaux n'atteignent guère, il vivait encore sur un lit de paille, soigné par Ludivine qui ne l'oubliait pas. Elle le prit dans ses bras, l'embrassa et l'emporta dans la maison. Gros comme une tonne[2], il se traînait à peine sur ses pattes écartées et raides, et il aboyait à la façon des chiens de bois qu'on donne aux enfants.

Le dernier jour enfin se leva. Jeanne avait couché dans l'ancienne chambre de Julien, la sienne étant démeublée.

Elle sortit de son lit, exténuée et haletante, comme si elle eût fait une grande course. La voiture contenant les malles et le reste du mobilier était déjà chargée dans la cour. Une autre carriole à deux roues était attelée derrière, qui devait emporter la maîtresse et la bonne.

Le père Simon et Ludivine resteraient seuls jusqu'à l'arrivée du nouveau propriétaire ; puis ils se retireraient chez des parents, Jeanne leur ayant constitué une petite rente[3]. Ils avaient des économies d'ailleurs. C'étaient maintenant de très

---

1. Les égards qu'ils lui devaient : le respect qu'ils devaient à une noble.

2. Un tonne : un tonneau.

3. Rente : revenu.

vieux serviteurs, inutiles et bavards. Marius, ayant pris femme, avait depuis longtemps quitté la maison.

240 Vers huit heures, la pluie se mit à tomber, une pluie fine et glacée que chassait une légère brise de mer. Il fallut tendre des couvertures sur la charrette. Les feuilles s'envolaient déjà des arbres.

Sur la table de la cuisine des tasses de café au lait fumaient.
245 Jeanne s'assit devant la sienne et la but à petites gorgées, puis, se levant : « Allons ! » dit-elle.

Elle mit son chapeau, son châle, et, pendant que Rosalie la chaussait de caoutchoucs [1], elle prononça, la gorge serrée : « Te rappelles-tu, ma fille, comme il pleuvait quand nous sommes
250 parties de Rouen pour venir ici… »

Elle eut une sorte de spasme, porta ses deux mains sur sa poitrine et s'abattit sur le dos, sans connaissance.

Pendant plus d'une heure elle demeura comme morte ; puis elle rouvrit les yeux, et des convulsions la saisirent accompa-
255 gnées d'un débordement de larmes.

Quand elle se fut un peu calmée, elle se sentit si faible qu'elle ne pouvait plus se lever. Mais Rosalie, qui redoutait d'autres crises si on retardait le départ, alla chercher son fils. Ils la prirent, l'enlevèrent, l'emportèrent, la déposèrent dans la carriole, sur le
260 banc de bois garni de cuir ciré ; et la vieille bonne, montée à côté de Jeanne, enveloppa ses jambes, lui couvrit les épaules d'un gros manteau, puis, tenant ouvert un parapluie au-dessus de sa tête, elle s'écria : « Vite, Denis, allons-nous-en. »

Le jeune homme grimpa près de sa mère et, s'asseyant sur
265 une seule cuisse, faute de place, il lança au grand trot

---

1. Caoutchoucs : chaussures de caoutchouc pour se protéger de la pluie.

son cheval dont l'allure saccadée[1] faisait sauter les deux femmes.

Quand on tourna au coin du village, on aperçut quelqu'un marchant de long en large sur la route, c'était l'abbé Tolbiac
70 qui semblait guetter ce départ.

Il s'arrêta pour laisser passer la voiture. Il tenait d'une main sa soutane relevée par crainte de l'eau du chemin, et ses jambes maigres, vêtues de bas noirs, finissaient en d'énormes souliers fangeux.

75 Jeanne baissa les yeux pour ne pas rencontrer son regard ; et Rosalie, qui n'ignorait rien, devint furieuse. Elle murmurait : « Manant, manant[2] ! » puis, saisissant la main de son fils : « Fiches-y donc un coup de fouet. »

Mais le jeune homme, au moment où il passait contre le
80 prêtre, fit tomber brusquement dans l'ornière[3] la roue de sa guimbarde[4] lancée à toute vitesse, et un flot de boue, jaillissant, couvrit l'ecclésiastique des pieds à la tête.

Et Rosalie radieuse se retourna pour lui montrer le poing, pendant que le prêtre s'essuyait avec son grand mouchoir.

85 Ils allaient depuis cinq minutes quand Jeanne soudain s'écria : « Massacre que nous avons oublié ! »

Il fallut s'arrêter, et Denis, descendant, courut chercher le chien, tandis que Rosalie tenait les guides.

Le jeune homme enfin reparut portant en ses bras la grosse bête
90 informe et pelée[5] qu'il déposa entre les jupes des deux femmes.

---

1. Saccadée : discontinue et brusque.
2. Manant : voir note 2, p. 227.
3. Ornière : voir note 3, p. 64.
4. Guimbarde : vieille voiture.
5. Pelée : sans poils.

XIII

La voiture s'arrêta deux heures plus tard devant une petite maison de briques bâtie au milieu d'un verger planté de poiriers en quenouilles[1], sur le bord de la grand-route.

Quatre tonnelles[2] en treillage habillées de chèvrefeuilles[3] et de clématites[4] formaient les quatre coins de ce jardin disposé par petits carrés à légumes que séparaient d'étroits chemins bordés d'arbres fruitiers.

Une haie vive[5] très élevée entourait de partout cette propriété, qu'un champ séparait de la ferme voisine. Une forge[6] la précédait de cent pas sur la route. Les autres habitations les plus proches se trouvaient distantes d'un kilomètre.

La vue alentour s'étendait sur la plaine du pays de Caux, toute parsemée de fermes qu'enveloppaient les quatre doubles lignes de grands arbres enfermant la cour à pommiers.

Jeanne, aussitôt arrivée, voulait se reposer, mais Rosalie ne le lui permit pas, craignant qu'elle ne se remît à rêvasser.

Le menuisier de Goderville était là, venu pour l'installation; et on commença tout de suite l'emménagement

---

1. En quenouilles : taillés en pointe.
2. Tonnelles : voir note 4, p. 209.
3. Chèvrefeuilles : arbustes grimpants à fleurs.
4. Clématites : plantes grimpantes à fleurs.
5. Haie vive : alignement d'arbres et d'arbustes formant la limite d'un terrain.
6. Forge : atelier où l'on travaille le fer.

des meubles apportés déjà, en attendant la dernière voiture qui ne pouvait tarder.

Ce fut un travail considérable, exigeant de longues réflexions et de grands raisonnements.

Puis la charrette au bout d'une heure apparut à la barrière, et il fallut la décharger sous la pluie.

La maison, quand le soir tomba, était dans un complet désordre, pleine d'objets empilés au hasard ; et Jeanne harassée[1] s'endormit aussitôt qu'elle fut au lit.

Les jours suivants elle n'eut pas le temps de s'attendrir tant elle se trouva accablée de besogne. Elle prit même un certain plaisir à faire jolie sa nouvelle demeure, la pensée que son fils y reviendrait la poursuivant sans cesse. Les tapisseries de son ancienne chambre furent tendues dans la salle à manger, qui servait en même temps de salon ; et elle organisa avec un soin particulier une des deux pièces du premier qui prit en sa pensée le nom « d'appartement de Poulet ».

Elle se réserva la seconde, Rosalie habitant au-dessus, à côté du grenier.

La petite maison arrangée avec soin était gentille, et Jeanne s'y plut dans les premiers temps, bien que quelque chose lui manquât dont elle ne se rendait pas bien compte.

Un matin, le clerc[2] de notaire de Fécamp lui apporta trois mille six cents francs, prix des meubles laissés aux Peuples et estimés par un tapissier. Elle ressentit, en recevant cet argent, un frémissement de plaisir ; et, dès que l'homme fut parti, elle s'empressa de mettre son chapeau, voulant gagner

---

1. Harassée : très fatiguée.
2. Clerc : employé d'une étude de notaire.

Goderville au plus vite pour faire tenir[1] à Paul cette somme inespérée.

Mais, comme elle se hâtait sur la grand-route, elle rencontra Rosalie qui revenait du marché. La bonne eut un soupçon sans deviner tout de suite la vérité ; puis, quand elle l'eut découverte, car Jeanne ne lui savait plus rien cacher, elle posa son panier par terre pour se fâcher tout à son aise.

Et elle cria, les poings sur les hanches ; puis elle prit sa maîtresse du bras droit, son panier du bras gauche, et, toujours furieuse, elle se remit en marche vers la maison.

Dès qu'elles furent rentrées, la bonne exigea la remise de l'argent. Jeanne le donna en gardant les six cents francs ; mais sa ruse fut vite percée par la servante mise en défiance ; et elle dut livrer le tout.

Rosalie consentit cependant à ce que ce reliquat[2] fût envoyé au jeune homme.

Il remercia au bout de quelques jours. « Tu m'as rendu un grand service, ma chère maman, car nous étions dans une profonde misère. »

Jeanne cependant ne s'accoutumait guère à Batteville ; il lui semblait sans cesse qu'elle ne respirait plus comme autrefois, qu'elle était plus seule encore, plus abandonnée, plus perdue. Elle sortait pour faire un tour, gagnait le hameau de Verneuil, revenait par les Trois-Mares puis, une fois rentrée, se relevait, prise d'une envie de ressortir comme si elle eût oublié d'aller là justement où elle devait se rendre, où elle avait envie de se promener.

---

1. **Tenir** : parvenir.
2. **Reliquat** : reste d'une somme d'argent.

Et cela, tous les jours, recommençait sans qu'elle comprît la raison de cet étrange besoin. Mais, un soir, une phrase lui vint inconsciemment qui lui révéla le secret de ses inquiétudes. Elle dit, en s'asseyant, pour dîner : « Oh ! comme j'ai envie de voir la mer ! »

Ce qui lui manquait si fort, c'était la mer, sa grande voisine depuis vingt-cinq ans, la mer avec son air salé, ses colères, sa voix grondeuse, ses souffles puissants, la mer que chaque matin elle voyait de sa fenêtre des Peuples, qu'elle respirait jour et nuit, qu'elle sentait près d'elle, qu'elle s'était mise à aimer comme une personne sans s'en douter.

Massacre vivait également dans une extrême agitation. Il s'était installé, dès le soir de son arrivée, dans le bas du buffet de la cuisine, sans qu'il fût possible de l'en déloger. Il restait là tout le jour, presque immobile, se retournant seulement de temps en temps avec un grognement sourd.

Mais, aussitôt que venait la nuit, il se levait et se traînait vers la porte du jardin, en heurtant les murs. Puis, quand il avait passé dehors les quelques minutes qu'il lui fallait, il rentrait, s'asseyait sur son derrière devant le fourneau encore chaud, et, dès que ses deux maîtresses étaient parties se coucher, il se mettait à hurler.

Il hurlait ainsi toute la nuit, d'une voix plaintive et lamentable, s'arrêtant parfois une heure pour reprendre sur un ton plus déchirant encore. On l'attacha devant la maison dans un baril. Il hurla sous les fenêtres. Puis, comme il était infirme et bien près de mourir, on le remit à la cuisine.

Le sommeil devenait impossible pour Jeanne qui entendait le vieil animal gémir et gratter sans cesse, cherchant à se reconnaître dans cette maison nouvelle, comprenant bien qu'il n'était plus chez lui.

105   Rien ne le pouvait calmer. Assoupi le long du jour, comme si ses yeux éteints, la conscience de son infirmité, l'eussent empêché de se mouvoir, alors que tous les êtres vivent et s'agitent, il se mettait à rôder sans repos dès que tombait le soir, comme s'il n'eût plus osé vivre et remuer que dans les
110 ténèbres, qui font tous les êtres aveugles.

On le trouva mort un matin. Ce fut un grand soulagement.

L'hiver s'avançait ; et Jeanne se sentait envahie par une invincible désespérance. Ce n'était pas une de ces douleurs aiguës qui semblent tordre l'âme, mais une morne et lugubre
115 tristesse.

Aucune distraction ne la réveillait. Personne ne s'occupait d'elle. La grand-route devant sa porte se déroulait à droite et à gauche presque toujours vide. De temps en temps un tilbury[1] passait au trot, conduit par un homme à figure rouge
120 dont la blouse, gonflée au vent de la course, faisait une sorte de ballon bleu ; parfois c'était une charrette lente, ou bien on voyait venir de loin deux paysans, l'homme et la femme, tout petits à l'horizon, puis grandissant, puis, quand ils avaient dépassé la maison, rediminuant, redevenant gros comme deux
125 insectes, là-bas, tout au bout de la ligne blanche qui s'allongeait à perte de vue, montant et descendant selon les molles ondulations du sol.

Quand l'herbe se remit à pousser, une fillette en jupe courte passait tous les matins devant la barrière, conduisant deux
130 vaches maigres qui broutaient le long des fossés de la route.

---

1. **Tilbury** : voiture à deux places tirée par deux chevaux.

Elle revenait le soir, de la même allure endormie, faisant un pas toutes les dix minutes derrière ses bêtes.

Jeanne, chaque nuit, rêvait qu'elle habitait encore les Peuples.

Elle s'y retrouvait comme autrefois avec père et petite mère, et parfois même avec tante Lison. Elle refaisait des choses oubliées et finies, s'imaginait soutenir madame Adélaïde voyageant dans son allée. Et chaque réveil était suivi de larmes.

Elle pensait toujours à Paul, se demandant : « Que fait-il ? Comment est-il maintenant ? Songe-t-il à moi quelquefois ? » En se promenant lentement dans les chemins creux entre les fermes, elle roulait dans sa tête toutes ces idées qui la martyrisaient ; mais elle souffrait surtout d'une jalousie inapaisable contre cette femme inconnue qui lui avait ravi son fils. Cette haine seule la retenait, l'empêchait d'agir, d'aller le chercher, de pénétrer chez lui. Il lui semblait voir la maîtresse debout sur la porte et demandant : « Que voulez-vous ici, Madame ? » Sa fierté de mère se révoltait de la possibilité de cette rencontre ; et un orgueil hautain de femme toujours pure, sans défaillances et sans tache, l'exaspérait de plus en plus contre toutes ces lâchetés de l'homme asservi par les sales pratiques de l'amour charnel qui rend lâches les cœurs eux-mêmes. L'humanité lui semblait immonde[1] quand elle songeait à tous les secrets malpropres des sens, aux caresses qui avilissent, à tous les mystères devinés des accouplements indissolubles.

Le printemps et l'été passèrent encore.

---

1. Immonde : répugnante.

Mais quand l'automne revint avec les longues pluies, le ciel
160 grisâtre, les nuages sombres, une telle lassitude de vivre ainsi
la saisit, qu'elle se résolut à tenter un grand effort pour
reprendre son Poulet.

La passion du jeune homme devait être usée à présent.

Elle lui écrivit une lettre éplorée.

165 *Mon cher enfant, je viens te supplier de revenir auprès de moi.*
Songe donc que je suis vieille et malade, toute seule, toute l'année, avec
une bonne. J'habite maintenant une petite maison auprès de la route.
C'est bien triste. Mais si tu étais là tout changerait pour moi. Je n'ai
que toi au monde et je ne t'ai pas vu depuis sept ans ! Tu ne sauras
170 *jamais comme j'ai été malheureuse et combien j'avais reposé mon cœur*
sur toi. Tu étais ma vie, mon rêve, mon seul espoir, mon seul amour et
tu me manques, et tu m'as abandonnée !

Oh ! reviens, mon petit Poulet, reviens m'embrasser, reviens auprès
de ta vieille mère qui te tend des bras désespérés.

175 JEANNE.

Il répondit quelques jours plus tard.

Ma chère maman, je ne demanderais pas mieux que d'aller te voir,
mais je n'ai pas le sou. Envoie-moi quelque argent et je viendrai.
J'avais du reste l'intention d'aller te trouver pour te parler d'un projet
180 *qui me permettrait de faire ce que tu me demandes.*

Le désintéressement et l'affection de celle qui a été ma compagne
dans les vilains jours que je traverse demeurent sans limites à mon
égard. Il n'est pas possible que je reste plus longtemps sans reconnaître
publiquement son amour et son dévouement si fidèles. Elle a du reste
185 *de très bonnes manières que tu pourras apprécier. Et elle est très*
instruite, elle lit beaucoup. Enfin, tu ne te fais pas l'idée de ce qu'elle
a toujours été pour moi. Je serais une brute, si je ne lui témoignais
pas ma reconnaissance. Je viens donc te demander l'autorisation

de l'épouser. Tu me pardonnerais mes escapades et nous habiterions tous ensemble dans ta nouvelle maison.

Si tu la connaissais, tu m'accorderais tout de suite ton consentement. Je t'assure qu'elle est parfaite, et très distinguée. Tu l'aimerais, j'en suis certain. Quant à moi, je ne pourrais pas vivre sans elle.

J'attends ta réponse avec impatience, ma chère maman, et nous t'embrassons de tout cœur.

Ton fils.

VICOMTE PAUL DE LAMARE.

Jeanne fut atterrée. Elle demeurait immobile, la lettre sur les genoux, devinant la ruse de cette fille qui avait sans cesse retenu son fils, qui ne l'avait pas laissé venir une seule fois, attendant son heure, l'heure où la vieille mère désespérée, ne pouvant plus résister au désir d'étreindre son enfant, faiblirait, accorderait tout.

Et la grosse douleur de cette préférence obstinée de Paul pour cette créature déchirait son cœur. Elle répétait : « Il ne m'aime pas. Il ne m'aime pas. »

Rosalie entra. Jeanne balbutia : « Il veut l'épouser maintenant. »

La bonne eut un sursaut : « Oh ! Madame, vous ne permettrez pas ça. M. Paul ne va pas ramasser cette traînée[1]. »

Et Jeanne accablée, mais révoltée, répondit : « Ça, jamais, ma fille. Et, puisqu'il ne veut pas venir, je vais aller le trouver, moi, et nous verrons laquelle de nous deux l'emportera. »

Et elle écrivit tout de suite à Paul pour annoncer son arrivée, et pour le voir autre part que dans le logis habité par cette gueuse.

---

1. **Traînée** : prostituée.

Puis, en attendant une réponse, elle fit ses préparatifs. Rosalie commença à empiler dans une vieille malle le linge et les effets de sa maîtresse. Mais comme elle pliait une robe, une ancienne robe de campagne, elle s'écria : « Vous n'avez seulement rien à vous mettre sur le dos. Je ne vous permettrai pas d'aller comme ça. Vous feriez honte à tout le monde ; et les dames de Paris vous regarderaient comme une servante. »

Jeanne la laissa faire. Et les deux femmes se rendirent ensemble à Goderville pour choisir une étoffe à carreaux verts, qui fut confiée à la couturière du bourg. Puis elles entrèrent chez le notaire maître Roussel, qui faisait chaque année un voyage d'une quinzaine dans la capitale, afin d'obtenir de lui des renseignements. Car Jeanne depuis vingt-huit ans n'avait pas revu Paris.

Il fit des recommandations nombreuses sur la manière d'éviter les voitures, sur les procédés pour n'être pas volé, conseillant de coudre l'argent dans la doublure des vêtements et de ne garder dans la poche que l'indispensable ; il parla longuement des restaurants à prix moyens dont il désigna deux ou trois fréquentés par des femmes ; et il indiqua l'hôtel de Normandie où il descendait lui-même, auprès de la gare du chemin de fer. On pouvait s'y présenter de sa part.

Depuis six ans, ces chemins de fer, dont on parlait partout, fonctionnaient entre Paris et Le Havre. Mais Jeanne, obsédée de chagrin, n'avait pas encore vu ces voitures à vapeur qui révolutionnaient tout le pays.

Cependant Paul ne répondait pas.

Elle attendit huit jours, puis quinze jours, allant chaque matin sur la route au-devant du facteur qu'elle abordait en frémissant : « Vous n'avez rien pour moi, père Malandain ? »

Et l'homme répondait toujours de sa voix enrouée par les intempéries des saisons : « Encore rien c'te fois, ma bonne dame. »

C'était cette femme assurément qui empêchait Paul de répondre !

Jeanne alors résolut de partir tout de suite. Elle voulait prendre Rosalie avec elle, mais la bonne refusa de la suivre pour ne pas augmenter les frais de voyage.

Elle ne permit pas d'ailleurs à sa maîtresse d'emporter plus de trois cents francs : « S'il vous en faut d'autres, vous m'écrirez donc, et j'irai chez le notaire pour qu'il vous fasse parvenir ça. Si je vous en donne plus, c'est M. Paul qui l'empochera. »

Et, un matin de décembre, elles montèrent dans la carriole de Denis Lecoq qui vint les chercher pour les conduire à la gare, Rosalie faisant jusque-là la conduite à sa maîtresse.

Elles prirent d'abord des renseignements sur le prix des billets, puis, quand tout fut réglé et la malle enregistrée, elles attendirent devant ces lignes de fer, cherchant à comprendre comment manœuvrait cette chose, si préoccupées de ce mystère qu'elles ne pensaient plus aux tristes raisons du voyage.

Enfin, un sifflement lointain leur fit tourner la tête, et elles aperçurent une machine noire qui grandissait. Cela arriva avec un bruit terrible, passa devant elles en traînant une longue chaîne de petites maisons roulantes ; et, un employé ayant ouvert une porte, Jeanne embrassa Rosalie en pleurant et monta dans une de ces cases.

Rosalie, émue, criait :

« Au revoir, Madame ; bon voyage, à bientôt ! »

– Au revoir, ma fille. »

Un coup de sifflet partit encore, et tout le chapelet[1] de voitures se remit à rouler doucement d'abord, puis plus vite, puis avec une rapidité effrayante.

Dans le compartiment où se trouvait Jeanne, deux messieurs dormaient adossés à deux coins.

Elle regardait passer les campagnes, les arbres, les fermes, les villages, effarée de cette vitesse, se sentant prise dans une vie nouvelle, emportée dans un monde nouveau qui n'était plus le sien, celui de sa tranquille jeunesse et de sa vie monotone.

Le soir venait, lorsque le train entra dans Paris.

Un commissionnaire prit la malle de Jeanne ; et elle le suivit effarée, bousculée, inhabile à passer dans la foule remuante, courant presque derrière l'homme, dans la crainte de le perdre de vue.

Quand elle fut dans le bureau de l'hôtel, elle s'empressa d'annoncer :

« Je vous suis recommandée par M. Roussel. »

La patronne, une énorme femme sérieuse, assise à son bureau, demanda :

« Qui ça, M. Roussel ? »

Jeanne interdite reprit : « Mais le notaire de Goderville, qui descend chez vous tous les ans. »

La grosse dame déclara :

« C'est possible. Je ne le connais pas. Vous voulez une chambre ?

– Oui, madame. »

---

1. Chapelet : file.

Et un garçon, prenant son bagage, monta l'escalier devant elle.

Elle se sentait le cœur serré. Elle s'assit devant une petite table et demanda qu'on lui montât un bouillon avec une aile de poulet. Elle n'avait rien pris depuis l'aurore.

Elle mangea tristement à la lueur d'une bougie, songeant à mille choses, se rappelant son passage en cette même ville au retour de son voyage de noces, les premiers signes du caractère de Julien, apparus lors de ce séjour à Paris. Mais elle était jeune alors, et confiante, et vaillante. Maintenant elle se sentait vieille, embarrassée, craintive même, faible et troublée pour un rien. Quand elle eut fini son repas, elle se mit à la fenêtre et regarda la rue pleine de monde. Elle avait envie de sortir, et n'osait point. Elle allait infailliblement[1] se perdre, pensait-elle. Elle se coucha ; et souffla sa lumière.

Mais le bruit, cette sensation d'une ville inconnue, et le trouble du voyage la tenaient éveillée. Les heures s'écoulaient. Les rumeurs du dehors s'apaisaient peu à peu sans qu'elle pût dormir, énervée par ce demi-repos des grandes villes. Elle était habituée à ce calme et profond sommeil des champs, qui engourdit tout, les hommes, les bêtes et les plantes ; et elle sentait maintenant, autour d'elle, toute une agitation mystérieuse. Des voix presque insaisissables lui parvenaient comme si elles eussent glissé dans les murs de l'hôtel. Parfois, un plancher craquait, une porte se fermait, une sonnette tintait.

Tout à coup, vers deux heures du matin, alors qu'elle commençait à s'assoupir, une femme poussa des cris dans une

---

1. **Infailliblement** : certainement.

chambre voisine; Jeanne s'assit brusquement dans son lit;
puis elle crut entendre un rire d'homme.

335   Alors, à mesure qu'approchait le jour, la pensée de Paul
l'envahit; et elle s'habilla dès que le crépuscule parut.

Il habitait rue du Sauvage, dans la Cité. Elle voulut s'y
rendre à pied pour obéir aux recommandations d'économie de
Rosalie. Il faisait beau; l'air froid piquait la chair; des gens

340   pressés couraient sur les trottoirs. Elle allait le plus vite
possible, suivant une rue indiquée au bout de laquelle elle
devait tourner à droite, puis à gauche; puis arrivée sur une
place, il lui faudrait s'informer de nouveau. Elle ne trouva pas
la place et se renseigna auprès d'un boulanger qui lui donna

345   des indications différentes. Elle repartit, s'égara, erra, suivit
d'autres conseils, se perdit tout à fait.

Affolée, elle marchait maintenant presque au hasard. Elle
allait se décider à appeler un cocher quand elle aperçut la
Seine. Alors elle longea les quais.

350   Au bout d'une heure environ, elle entrait dans la rue du
Sauvage, une sorte de ruelle toute noire. Elle s'arrêta devant
la porte, tellement émue qu'elle ne pouvait plus faire un pas.

Il était là, dans cette maison, Poulet.

Elle sentait trembler ses genoux et ses mains; enfin elle

355   entra, suivit un couloir, vit la case du portier, et demanda en
tendant une pièce d'argent: « Pourriez-vous monter dire à
M. Paul de Lamare qu'une vieille dame, une amie de sa mère,
l'attend en bas? »

Le portier répondit:

360   « Il n'habite plus ici, Madame. »

Un grand frisson la parcourut. Elle balbutia:

« Ah! où… où demeure-t-il maintenant?

— Je ne sais pas. »

Elle se sentit étourdie comme si elle allait tomber et elle demeura quelque temps sans pouvoir parler. Enfin, par un effort violent, elle reprit sa raison, et murmura :

« Depuis quand est-il parti ? »

L'homme la renseigna abondamment. « Voilà quinze jours. Ils sont partis comme ça, un soir, et pas revenus. Ils devaient[1] partout dans le quartier ; aussi vous comprenez bien qu'ils n'ont pas laissé leur adresse. »

Jeanne voyait des lueurs, des grands jets de flamme, comme si on lui eût tiré des coups de fusil devant les yeux. Mais une idée fixe la soutenait, la faisait demeurer debout, calme en apparence, et réfléchie. Elle voulait savoir et retrouver Poulet.

« Alors il n'a rien dit, en s'en allant ?

— Oh ! rien du tout, ils se sont sauvés pour ne pas payer, voilà.

— Mais, il doit envoyer chercher ses lettres par quelqu'un.

— Plus souvent que je les donnerais[2]. Et puis ils n'en recevaient pas dix par an. Je leur en ai monté une pourtant deux jours avant qu'ils s'en aillent. »

C'était sa lettre sans doute. Elle dit précipitamment : « Écoutez, je suis sa mère, à lui, et je suis venue pour le chercher. Voilà dix francs pour vous. Si vous avez quelque nouvelle ou quelque renseignement sur lui, apportez-les-moi à l'hôtel de Normandie, rue du Havre, et je vous paierai bien. »

Il répondit : « Comptez sur moi, Madame. »

---

1. **Devaient** : avaient des dettes.
2. **Plus souvent que je les donnerais** : je ne les donnerais sûrement pas.

390 Et elle se sauva.

Elle se remit à marcher sans s'inquiéter où elle allait. Elle se hâtait comme pressée par une course importante ; elle filait le long des murs, heurtée par des gens à paquets ; elle traversait les rues sans regarder les voitures venir, injuriée par les

395 cochers ; elle trébuchait aux marches des trottoirs auxquelles elle ne prenait point garde ; elle courait devant elle, l'âme perdue.

Tout à coup elle se trouva dans un jardin et elle se sentit si fatiguée qu'elle s'assit sur un banc. Elle y demeura fort long-

400 temps apparemment, pleurant sans s'en apercevoir, car des passants s'arrêtaient pour la regarder. Puis elle sentit qu'elle avait très froid ; et elle se leva pour repartir ; ses jambes la portaient à peine tant elle était accablée et faible.

Elle voulait entrer prendre un bouillon dans un restaurant,

405 mais elle n'osait pas pénétrer dans ces établissements, prise d'une espèce de honte, d'une peur, d'une sorte de pudeur de son chagrin qu'elle sentait visible. Elle s'arrêtait une seconde devant la porte, regardait au-dedans, voyait tous ces gens attablés et mangeant, et s'enfuyait intimidée, se disant :

410 « J'entrerai dans le prochain. » Et elle ne pénétrait pas davantage dans le suivant.

À la fin elle acheta chez un boulanger un petit pain en forme de lune, et elle se mit à le croquer tout en marchant. Elle avait grand-soif, mais elle ne savait où aller boire et elle

415 s'en passa.

Elle franchit une voûte et se trouva dans un autre jardin entouré d'arcades. Elle reconnut alors le Palais-Royal.

Comme le soleil et la marche l'avaient un peu réchauffée, elle s'assit encore une heure ou deux.

Une foule entrait, une foule élégante qui causait, souriait, saluait, cette foule heureuse dont les femmes sont belles et les hommes riches, qui ne vit que pour la parure et les joies.

Jeanne, effarée d'être au milieu de cette cohue brillante, se leva pour s'enfuir ; mais soudain la pensée lui vint qu'elle pourrait rencontrer Paul en ce lieu ; et elle se mit à errer en épiant les visages allant et venant sans cesse, d'un bout à l'autre du Jardin, de son pas humble et rapide.

Des gens se retournaient pour la regarder, d'autres riaient et se la montraient. Elle s'en aperçut et se sauva, pensant que, sans doute, on s'amusait de sa tournure et de sa robe à carreaux verts choisie par Rosalie et exécutée sur ses indications par la couturière de Goderville.

Elle n'osait même plus demander sa route aux passants. Elle s'y hasarda pourtant et finit par retrouver son hôtel.

Elle passa le reste du jour sur une chaise, aux pieds de son lit, sans remuer. Puis elle dîna, comme la veille, d'un potage et d'un peu de viande. Puis elle se coucha, accomplissant chaque acte machinalement, par habitude.

Le lendemain elle se rendit à la préfecture de police pour qu'on lui retrouvât son enfant. On ne put rien lui promettre ; on s'en occuperait cependant.

Alors elle vagabonda par les rues, espérant toujours le rencontrer. Et elle se sentait plus seule dans cette foule agitée, plus perdue, plus misérable qu'au milieu des champs déserts.

Quand elle rentra, le soir, à l'hôtel, on lui dit qu'un homme l'avait demandée de la part de M. Paul et qu'il reviendrait le lendemain. Un flot de sang lui jaillit au cœur et elle ne ferma pas l'œil de la nuit. Si c'était lui ? Oui, c'était lui assurément,

450 bien qu'elle ne l'eût pas reconnu aux détails qu'on lui avait donnés.

Vers neuf heures du matin on heurta sa porte, elle cria : « Entrez ! » prête à s'élancer, les bras ouverts. Un inconnu se présenta. Et, pendant qu'il s'excusait de l'avoir dérangée, et

455 qu'il expliquait son affaire, une dette de Paul qu'il venait réclamer, elle se sentait pleurer sans vouloir le laisser paraître, enlevant les larmes du bout du doigt, à mesure qu'elles glissaient au coin des yeux.

Il avait appris sa venue par le concierge de la rue du

460 Sauvage, et, comme il ne pouvait retrouver le jeune homme, il s'adressait à la mère. Et il tendait un papier qu'elle prit sans songer à rien. Elle lut un chiffre : 90 francs, tira son argent et paya.

Elle ne sortit pas ce jour-là.

465 Le lendemain d'autres créanciers se présentèrent. Elle donna tout ce qui lui restait, ne réservant qu'une vingtaine de francs ; et elle écrivit à Rosalie pour lui dire sa situation.

Elle passait ses jours à errer, attendant la réponse de sa bonne, ne sachant que faire, où tuer les heures lugubres, les

470 heures interminables, n'ayant personne à qui dire un mot tendre, personne qui connût sa misère. Elle allait au hasard harcelée à présent par un besoin de partir, de retourner là-bas, dans sa petite maison sur le bord de la route solitaire.

Elle n'y pouvait plus vivre quelques jours auparavant tant

475 la tristesse l'accablait, et maintenant elle sentait bien qu'elle ne saurait plus, au contraire, vivre que là, où ses mornes habitudes s'étaient enracinées.

Enfin, un soir, elle trouva une lettre et deux cents francs. Rosalie disait : *Madame Jeanne, revenez bien vite, car je ne vous*

80 *enverrai plus rien. Quant à M. Paul, c'est moi qu'irai le chercher*
quand nous aurons de ses nouvelles.

Je vous salue. Votre servante.

ROSALIE.

Et Jeanne repartit pour Batteville, un matin qu'il neigeait,
85 et qu'il faisait grand froid.

XIV

Alors elle ne sortit plus, elle ne remua plus. Elle se levait chaque matin à la même heure, regardait le temps par sa fenêtre, puis descendait s'asseoir devant le feu dans la salle.

Elle restait là des jours entiers, immobile, les yeux plantés
5   sur la flamme, laissant aller à l'aventure ses lamentables pensées et suivant le triste défilé de ses misères. Les ténèbres peu à peu envahissaient la petite pièce sans qu'elle eût fait d'autre mouvement que pour remettre du bois au feu. Rosalie alors apportait la lampe et s'écriait : « Allons, madame Jeanne, il faut vous
10   secouer ou bien vous n'aurez pas encore faim ce soir. »

Elle était souvent poursuivie d'idées fixes qui l'obsédaient et torturée par des préoccupations insignifiantes, les moindres choses, dans sa tête malade, prenant une importance extrême.

Elle revivait surtout dans le passé, dans le vieux passé,
15   hantée par les premiers temps de sa vie et par son voyage de noces, là-bas en Corse. Des paysages de cette île, oubliés depuis longtemps, surgissaient soudain devant elle dans les tisons de sa cheminée ; et elle se rappelait tous les détails, tous les petits faits, toutes les figures rencontrées là-bas ; la tête du
20   guide Jean Ravoli la poursuivait ; et elle croyait parfois entendre sa voix.

Puis elle songeait aux douces années de l'enfance de Paul, alors qu'il lui faisait repiquer des salades, et qu'elle s'agenouillait dans la terre grasse à côté de tante Lison, rivalisant de soins toutes les deux pour plaire à l'enfant, luttant à celle qui ferait reprendre les jeunes plantes avec le plus d'adresse et obtiendrait le plus d'élèves[1].

Et, tout bas, ses lèvres murmuraient : « Poulet, mon petit Poulet », comme si elle lui eût parlé et, sa rêverie s'arrêtant sur ce mot, elle essayait parfois pendant des heures d'écrire dans le vide, de son doigt tendu, les lettres qui le composaient. Elle les traçait lentement, devant le feu, s'imaginant les voir, puis, croyant s'être trompée, elle recommençait le P d'un bras tremblant de fatigue, s'efforçant de dessiner le nom jusqu'au bout ; puis, quand elle avait fini, elle recommençait.

À la fin elle ne pouvait plus, mêlait tout, modelait d'autres mots, s'énervant jusqu'à la folie.

Toutes les manies[2] des solitaires la possédaient. La moindre chose changée de place l'irritait.

Rosalie souvent la forçait à marcher, l'emmenait sur la route ; mais Jeanne au bout de vingt minutes déclarait : « Je n'en puis plus, ma fille », et elle s'asseyait au bord du fossé.

Bientôt tout mouvement lui fut odieux, et elle restait au lit le plus tard possible.

Depuis son enfance, une seule habitude lui était demeurée invariablement tenace, celle de se lever tout d'un coup aussitôt après avoir bu son café au lait. Elle tenait d'ailleurs à ce mélange d'une façon exagérée ; et la privation lui en aurait été plus sensible que celle de n'importe quoi. Elle attendait, chaque matin, l'arrivée de Rosalie avec une impatience un peu

---

1. Élèves : plantes dont on dirige la croissance.
2. Manies : habitudes, obsessions.

sensuelle ; et, dès que la tasse pleine était posée sur la table de nuit, elle se mettait sur son séant et la vidait vivement d'une manière un peu goulue. Puis, rejetant ses draps, elle commençait à se vêtir.

55   Mais peu à peu elle s'habitua à rêvasser quelques secondes après avoir reposé le bol dans son assiette ; puis elle s'étendit de nouveau dans le lit ; puis elle prolongea de jour en jour cette paresse jusqu'au moment où Rosalie revenait, furieuse, et l'habillait presque de force.

60   Elle n'avait plus, d'ailleurs, une apparence de volonté et, chaque fois que sa servante lui demandait un conseil, lui posait une question, s'informait de son avis, elle répondait : « Fais comme tu voudras, ma fille. »

Elle se croyait si directement poursuivie par une malchance
65   obstinée contre elle qu'elle devenait fataliste[1] comme un Oriental ; et l'habitude de voir s'évanouir ses rêves et s'écrouler ses espoirs faisait qu'elle n'osait plus rien entreprendre, et qu'elle hésitait des journées entières avant d'accomplir la chose la plus simple, persuadée qu'elle s'engageait
70   toujours dans la mauvaise voie et que cela tournerait mal.

Elle répétait à tout moment : « C'est moi qui n'ai pas eu de chance dans la vie. » Alors Rosalie s'écriait : « Qu'est-ce que vous diriez donc s'il vous fallait travailler pour avoir du pain, si vous étiez obligée de vous lever tous les jours à six heures
75   du matin pour aller en journée[2] ! Il y en a bien qui sont obligées de faire ça, pourtant, et, quand elles deviennent trop vieilles, elles meurent de misère. »

---

1. Fataliste : résignée.
2. Aller en journée : travailler pendant la journée.

Jeanne répondait : « Songe donc que je suis toute seule, que mon fils m'a abandonnée. » Et Rosalie alors se fâchait furieusement : « En voilà une affaire ! Eh bien ! et les enfants qui sont au service militaire ! et ceux qui vont s'établir en Amérique. »

L'Amérique représentait pour elle un pays vague où l'on va faire fortune et dont on ne revient jamais.

Elle continuait : « Il y a toujours un moment où il faut se séparer, parce que les vieux et les jeunes ne sont pas faits pour rester ensemble. » Et elle concluait d'un ton féroce : « Eh bien, qu'est-ce que vous diriez s'il était mort ? »

Et Jeanne, alors, ne répondait plus rien.

Un peu de force lui revint, quand l'air s'amollit[1] aux premiers jours du printemps, mais elle n'employait ce retour d'activité qu'à se jeter de plus en plus dans ses pensées sombres.

Comme elle était montée au grenier, un matin, pour chercher quelque objet, elle ouvrit par hasard une caisse pleine de vieux calendriers ; on les avait conservés selon la coutume de certaines gens de campagne.

Il lui sembla qu'elle retrouvait les années elles-mêmes de son passé, et elle demeura saisie d'une étrange et confuse émotion devant ce tas de cartons carrés.

Elle les prit et les emporta dans la salle en bas. Il y en avait de toutes les tailles, des grands et des petits. Et elle se mit à les ranger par années sur la table. Soudain elle retrouva le premier, celui qu'elle avait apporté aux Peuples.

---

1. S'amollit : s'adoucit.

105   Elle le contempla longtemps, avec les jours biffés[1] par elle le matin de son départ de Rouen, le lendemain de sa sortie du couvent. Et elle pleura. Elle pleura des larmes mornes et lentes, de pauvres larmes de vieille en face de sa vie misérable, étalée devant elle sur cette table.

110   Et une idée la saisit qui fut bientôt une obsession terrible, incessante, acharnée. Elle voulait retrouver presque jour par jour ce qu'elle avait fait.

    Elle piqua contre les murs, sur la tapisserie, l'un après l'autre, ces cartons jaunis, et elle passait des heures, en face de 115 l'un ou de l'autre, se demandant : « Que m'est-il arrivé, ce mois-là ? »

    Elle avait marqué de traits les dates mémorables de son histoire, et elle parvenait parfois à retrouver un mois entier, reconstituant un à un, groupant, rattachant l'un à l'autre tous 120 les petits faits qui avaient précédé ou suivi un événement important.

    Elle réussit, à force d'attention obstinée, d'efforts de mémoire, de volonté concentrée, à rétablir presque entière- ment ses deux premières années aux Peuples, les souvenirs 125 lointains de sa vie lui revenant avec une facilité singulière et une sorte de relief.

    Mais les années suivantes lui semblaient se perdre dans un brouillard, se mêler, enjamber, l'une sur l'autre ; et elle demeurait parfois un temps infini, la tête penchée vers un 130 calendrier, l'esprit tendu sur l'Autrefois, sans parvenir même à se rappeler si c'était dans ce carton-là que tel souvenir pouvait être retrouvé.

---

1. Biffés : barrés.

Elle allait de l'un à l'autre autour de la salle qu'entouraient, comme les gravures d'un chemin de la croix[1], ces tableaux des jours finis. Brusquement elle arrêtait sa chaise devant l'un d'eux, et restait jusqu'à la nuit immobile à le regarder, enfoncée en ses recherches.

Puis tout à coup, quand toutes les sèves se réveillèrent sous la chaleur du soleil, quand les récoltes se mirent à pousser par les champs, les arbres à verdir, quand les pommiers dans les cours s'épanouirent comme des boules roses et parfumèrent la plaine, une grande agitation la saisit.

Elle ne tenait plus en place ; elle allait et venait, sortait et rentrait vingt fois par jour, et vagabondait parfois au loin le long des fermes, s'exaltant dans une sorte de fièvre de regret.

La vue d'une marguerite blottie[2] dans une touffe d'herbe, d'un rayon de soleil glissant entre les feuilles, d'une flaque d'eau dans une ornière[3] où se mirait le bleu du ciel, la remuait, l'attendrissait, la bouleversait en lui redonnant des sensations lointaines, comme l'écho de ses émotions de jeune fille, quand elle rêvait par la campagne.

Elle avait frémi des mêmes secousses, savouré cette douceur et cette griserie[4] troublante des jours tièdes, quand elle attendait l'avenir. Elle retrouvait tout cela maintenant que l'avenir était clos. Elle en jouissait encore dans son cœur ; mais elle en souffrait en même temps, comme si la joie éternelle du monde réveillé en pénétrant sa peau séchée, son sang

---

1. Chemin de croix : chemin parcouru par le Christ portant sa croix.
2. Blottie : repliée.
3. Ornière : voir note 3, p. 64.
4. Griserie : voir note 2, p. 99.

refroidi, son âme accablée, n'y pouvait plus jeter qu'un
charme affaibli et douloureux.

Il lui semblait aussi que quelque chose était un peu changé
partout autour d'elle. Le soleil devait être un peu moins chaud
que dans sa jeunesse, le ciel un peu moins bleu, l'herbe un peu
moins verte ; et les fleurs, plus pâles et moins odorantes, n'eni-
vraient plus tout à fait autant.

Dans certains jours, cependant, un tel bien-être de vie la
pénétrait, qu'elle se reprenait à rêvasser, à espérer, à attendre ;
car peut-on, malgré la rigueur acharnée du sort, ne pas espérer
toujours, quand il fait beau ?

Elle allait, elle allait devant elle, pendant des heures et des
heures, comme fouettée par l'excitation de son âme. Et parfois
elle s'arrêtait tout à coup, et s'asseyait au bord de la route pour
réfléchir à des choses tristes. Pourquoi n'avait-elle pas été
aimée comme d'autres ? Pourquoi n'avait-elle pas même
connu les simples bonheurs d'une existence calme ?

Et parfois encore elle oubliait un moment qu'elle était
vieille, qu'il n'y avait plus rien devant elle, hors quelques ans
lugubres[1] et solitaires, que toute sa route était parcourue ; et
elle bâtissait, comme jadis, à seize ans, des projets doux à son
cœur ; elle combinait des bouts d'avenir charmants. Puis la
dure sensation du réel tombait sur elle ; elle se relevait courbaturée comme sous la chute d'un poids qui lui aurait
cassé les reins ; et elle reprenait plus lentement le chemin de
sa demeure en murmurant : «Oh ! vieille folle ! vieille
folle ! »

---

1. **Lugubres** : funèbres, qui évoquent la mort.

Rosalie maintenant lui répétait à tout moment : « Mais restez donc tranquille, Madame, qu'est-ce que vous avez à vous émouvoir[1] comme ça ? »

Et Jeanne répondait tristement : « Que veux-tu, je suis comme Massacre aux derniers jours. »

La bonne, un matin, entra plus tôt dans sa chambre, et déposant sur sa table de nuit le bol de café au lait : « Allons, buvez vite. Denis est devant la porte qui nous attend. Nous allons aux Peuples parce que j'ai affaire là-bas. »

Jeanne crut qu'elle allait s'évanouir tant elle se sentit émue ; et elle s'habilla en tremblant d'émotion, effarée et défaillante à la pensée de revoir sa chère maison.

Un ciel radieux s'étalait sur le monde ; et le bidet[2], pris de gaietés, faisait parfois un temps de galop. Quand on entra dans la commune d'Étouvent, Jeanne sentit qu'elle respirait avec peine tant sa poitrine palpitait ; et quand elle aperçut les piliers de brique de la barrière, elle dit à voix basse deux ou trois fois, et malgré elle : « Oh ! oh ! oh ! » comme devant les choses qui révolutionnent le cœur.

On détela la carriole chez les Couillard ; puis, pendant que Rosalie et son fils allaient à leurs affaires, les fermiers offrirent à Jeanne de faire un tour au château, les maîtres étant absents, et on lui donna les clefs.

Elle partit seule, et, lorsqu'elle fut devant le vieux manoir du côté de la mer, elle s'arrêta pour le regarder. Rien n'était changé au-dehors. Le vaste bâtiment grisâtre avait ce jour-là sur ses murs ternis des sourires de soleil. Tous les contrevents étaient clos.

---

1. Émouver : déformation du verbe *émouvoir*.
2. Bidet : voir note 1, p. 120.

Un petit morceau d'une branche morte tomba sur sa robe,
elle leva les yeux ; il venait du platane. Elle s'approcha du gros
215 arbre à la peau lisse et pâle, et le caressa de la main comme une
bête. Son pied heurta, dans l'herbe, un morceau de bois
pourri ; c'était le dernier fragment du banc où elle s'était assise
si souvent avec tous les siens, du banc qu'on avait posé le jour
même de la première visite de Julien.

220 Alors elle gagna la double porte du vestibule et eut grand-
peine à l'ouvrir, la lourde clef rouillée refusant de tourner. La
serrure enfin céda avec un dur grincement des ressorts ; et le
battant, un peu résistant lui-même, s'enfonça sous une
poussée.

225 Jeanne tout de suite, et presque courant, monta jusqu'à sa
chambre. Elle ne la reconnut pas, tapissée d'un papier clair ;
mais, ayant ouvert une fenêtre, elle demeura remuée jusqu'au
fond de sa chair devant tout cet horizon tant aimé, le bosquet,
les ormes[1], la lande, et la mer semée de voiles brunes qui
230 semblaient immobiles au loin.

Alors elle se mit à rôder par la grande demeure vide. Elle
regardait, sur les murailles, des taches familières à ses yeux.
Elle s'arrêta devant un petit trou creusé dans le plâtre par le
baron qui s'amusait souvent, en souvenir de son jeune temps,
235 à faire des armes avec sa canne contre la cloison quand il
passait devant cet endroit.

Dans la chambre de petite mère elle retrouva, piquée
derrière une porte, dans un coin sombre, auprès du lit, une
fine épingle à tête d'or qu'elle avait enfoncée là autrefois (elle
240 se le rappelait maintenant), et qu'elle avait, depuis, cherchée

---

1. **Ormes** : voir note 1, p. 23.

pendant des années. Personne ne l'avait trouvée. Elle la prit comme une inappréciable relique[1] et la baisa.

Elle allait partout, cherchait, reconnaissait des traces presque invisibles dans les tentures des chambres qu'on n'avait point changées, revoyait ces figures bizarres que l'imagination prête souvent aux dessins des étoffes, des marbres, aux ombres des plafonds salis par le temps.

Elle marchait à pas muets, toute seule dans l'immense château silencieux, comme à travers un cimetière. Toute sa vie gisait là-dedans.

Elle descendit au salon. Il était sombre derrière ses volets fermés et elle fut quelque temps avant d'y rien distinguer ; puis, son regard s'habituant à l'obscurité, elle reconnut peu à peu les hautes tapisseries où se promenaient des oiseaux. Deux fauteuils étaient restés devant la cheminée comme si on venait de les quitter ; et l'odeur même de la pièce, une odeur qu'elle avait toujours gardée, comme les êtres ont la leur, une odeur vague, bien reconnaissable cependant, douce senteur indécise des vieux appartements, pénétrait Jeanne, l'enveloppait de souvenirs, grisait sa mémoire. Elle restait haletante, aspirant cette haleine du passé, et les yeux fixés sur les deux sièges. Et soudain, dans une brusque hallucination qu'enfanta son idée fixe, elle crut voir, elle vit, comme elle les avait vus si souvent, son père et sa mère chauffant leurs pieds au feu.

Elle recula épouvantée, heurta du dos le bord de la porte, s'y soutint pour ne pas tomber, les yeux toujours tendus sur les fauteuils.

La vision avait disparu.

---

1. **Relique** : voir note 2, p. 36.

Elle demeura éperdue pendant quelques minutes ; puis elle
270 reprit lentement la possession d'elle-même et voulut s'enfuir,
ayant peur d'être folle. Son regard tomba par hasard sur le
lambris auquel elle s'appuyait ; et elle aperçut l'échelle de
Poulet.

Toutes les légères marques grimpaient sur la peinture à des
275 intervalles inégaux ; et des chiffres tracés au canif indiquaient les
âges, les mois, et la croissance de son fils. Tantôt c'était l'écriture
du baron, plus grande, tantôt la sienne, plus petite, tantôt celle
de tante Lison, un peu tremblée. Et il lui sembla que l'enfant
d'autrefois était là, devant elle, avec ses cheveux blonds, collant
280 son petit front contre le mur pour qu'on mesurât sa taille.

Le baron criait : « Jeanne, il a grandi d'un centimètre
depuis six semaines. »

Elle se mit à baiser le lambris, avec une frénésie d'amour.

Mais on l'appelait au dehors. C'était la voix de Rosalie :
285 « Madame Jeanne, madame Jeanne, on vous attend pour
déjeuner. » Elle sortit, perdant la tête. Et elle ne comprenait
plus rien de ce qu'on lui disait. Elle mangea des choses qu'on
lui servit, écouta parler sans savoir de quoi, causa sans doute
avec les fermières qui s'informaient de sa santé, se laissa
290 embrasser, embrassa elle-même des joues qu'on lui tendait, et
elle remonta dans la voiture.

Quand elle perdit de vue, à travers les arbres, la haute
toiture du château, elle eut dans la poitrine un déchirement
horrible. Elle sentait en son cœur qu'elle venait de dire adieu
295 pour toujours à sa maison.

On s'en revint à Batteville.

Au moment où elle allait rentrer dans sa nouvelle demeure,
elle aperçut quelque chose de blanc sous la porte ; c'était une

lettre que le facteur avait glissée là en son absence. Elle reconnut aussitôt qu'elle venait de Paul, et l'ouvrit, tremblant d'angoisse. Il disait :

Ma chère maman, je ne t'ai pas écrit plus tôt parce que je ne voulais pas te faire faire à Paris un voyage inutile, devant moi-même aller te voir incessamment[1]. Je suis à l'heure présente sous le coup d'un grand malheur et dans une grande difficulté. Ma femme est mourante après avoir accouché d'une petite fille, voici trois jours ; et je n'ai pas le sou. Je ne sais que faire de l'enfant que ma concierge élève au biberon comme elle peut, mais j'ai peur de la perdre. Ne pourrais-tu t'en charger ? Je ne sais absolument que faire et je n'ai pas d'argent pour la mettre en nourrice. Réponds poste pour poste.

Ton fils qui t'aime.

PAUL.

Jeanne s'affaissa sur une chaise, ayant à peine la force d'appeler Rosalie. Quand la bonne fut là, elles relurent la lettre ensemble, puis demeurèrent silencieuses, l'une en face de l'autre, longtemps.

Rosalie, enfin, parla : « J'vas aller chercher la petite, moi, Madame. On ne peut pas la laisser comme ça. »

Jeanne répondit : « Va, ma fille. »

Elles se turent encore, puis la bonne reprit : « Mettez votre chapeau, Madame, et puis allons à Goderville chez le notaire. Si l'autre va mourir, faut que M. Paul l'épouse, pour la petite, plus tard. »

Et Jeanne, sans répondre un mot, mit son chapeau. Une joie profonde et inavouable inondait son cœur, une joie perfide qu'elle voulait cacher à tout prix, une de ces joies

---

1. Incessamment : prochainement.

abominables dont on rougit, mais dont on jouit ardemment dans le secret mystérieux de l'âme : la maîtresse de son fils allait mourir.

330   Le notaire donna à la bonne des indications détaillées qu'elle se fit répéter plusieurs fois ; puis, sûre de ne pas commettre d'erreur, elle déclara : « Ne craignez rien, je m'en charge maintenant. »

    Elle partit pour Paris la nuit même.

335   Jeanne passa deux jours dans un trouble de pensée qui la rendait incapable de réfléchir à rien. Le troisième matin elle reçut un seul mot de Rosalie annonçant son retour par le train du soir. Rien de plus.

    Vers trois heures elle fit atteler la carriole d'un voisin qui la
340 conduisit à la gare de Beuzeville[1] pour attendre sa servante.

    Elle restait debout sur le quai, l'œil tendu sur la ligne droite des rails qui fuyaient en se rapprochant là-bas, là-bas, au bout de l'horizon. De temps en temps elle regardait l'horloge. – Encore dix minutes. – Encore cinq minutes. – Encore
345 deux minutes. – Voici l'heure. – Rien n'apparaissait sur la voie lointaine. Puis tout à coup elle aperçut une tache blanche, une fumée, puis, au-dessous, un point noir qui grandit, grandit, accourant à toute vitesse. La grosse machine enfin, ralentissant sa marche, passa, en ronflant, devant Jeanne
350 qui guettait avidement[2] les portières. Plusieurs s'ouvrirent ; des gens descendaient, des paysans en blouse, des fermières avec des paniers, des petits bourgeois en chapeau mou.

---

1. Beuzeville : Bréauté-Beuzeville, gare proche de Goderville sur la ligne Paris-Le Havre.

2. Avidement : impatiemment.

Enfin elle aperçut Rosalie qui portait en ses bras une sorte de paquet de linge.

Elle voulut aller vers elle, mais elle craignait de tomber tant ses jambes étaient devenues molles. Sa bonne, l'ayant vue, la rejoignit avec son air calme ordinaire; et elle dit: « Bonjour, Madame; me v'là revenue, c'est pas sans peine. »

Jeanne balbutia: « Eh bien ? »

Rosalie répondit: « Eh bien, elle est morte c'te nuit. Ils sont mariés, v'là la petite. » Et elle tendit l'enfant qu'on ne voyait point dans ses linges.

Jeanne la reçut machinalement et elles sortirent de la gare, puis montèrent dans la voiture.

Rosalie reprit: « M. Paul viendra dès l'enterrement fini. Demain à la même heure, faut croire. »

Jeanne murmura « Paul… » et n'ajouta rien.

Le soleil baissait vers l'horizon, inondant de clarté les plaines verdoyantes, tachées de place en place par l'or des colzas[1] en fleur, et par le sang des coquelicots. Une quiétude infinie planait sur la terre tranquille où germaient les sèves. La carriole allait grand train, le paysan claquant de la langue pour exciter son cheval.

Et Jeanne regardait droit devant elle en l'air, dans le ciel que coupait, comme des fusées, le vol cintré des hirondelles. Et soudain une tiédeur douce, une chaleur de vie traversant ses robes, gagna ses jambes, pénétra sa chair; c'était la chaleur du petit être qui dormait sur ses genoux.

Alors une émotion infinie l'envahit. Elle découvrit brusquement la figure de l'enfant qu'elle n'avait pas encore vue: la

---

1. Colzas: plantes dont les graines fournissent de l'huile.

fille de son fils. Et comme la frêle créature, frappée par la lumière vive, ouvrait ses yeux bleus en remuant la bouche, Jeanne se mit à l'embrasser furieusement, la soulevant dans ses bras, la criblant de baisers.

385   Mais Rosalie, contente et bourrue[1], l'arrêta. « Voyons, voyons, madame Jeanne, finissez ; vous allez la faire crier. »

Puis elle ajouta, répondant sans doute à sa propre pensée : « La vie, voyez-vous, ça n'est jamais si bon ni si mauvais qu'on croit. »

---

1. Bourrue : rude.

Autres récits
de destins de femmes :
La Veillée, Rose, La Parure

Présentation

Le choix de ces trois nouvelles engage une réflexion sur le destin de femmes qui, comme Jeanne dans *Une vie*, font l'expérience d'une existence régie par l'écart entre illusions et réalité.

■ Du roman *Une vie* à la nouvelle *La Veillée*

Maupassant publie pour la première fois la nouvelle *La Veillée* dans *Gil Blas* le 7 juin 1882 sous la signature qu'il utilisait souvent pour ses chroniques et nouvelles : « Maufrigneuse ».

Quatre mois après la rédaction du chapitre IX d'*Une vie* qui date de février 1882, Maupassant reprend la scène de la veillée mortuaire de la mère. Ce chapitre et la nouvelle présentent beaucoup d'analogies dans leurs éléments narratifs : le décor intérieur, le contexte printanier, le départ du prêtre content de pouvoir aller se coucher tôt, la découverte de la correspondance qui révèle la liaison adultère de la mère. Cependant, l'auteur choisit de remplacer le seul personnage de Jeanne par les figures de deux enfants : un magistrat et une religieuse. Représentants de deux lois morales, ces personnages sont aussitôt érigés en juges du comportement de leur mère. Ici, la condamnation de l'adultère est donc sans ambiguïté, tandis que Jeanne, bien que choquée, se livrait à une méditation sur la destinée. Cette évolution s'explique par les exigences de l'écriture de la forme courte de la nouvelle qui doit trouver, pour son efficacité, une conclusion nette et bien marquée afin de se refermer sur elle-même, contrairement au chapitre d'un roman qui s'insère dans une suite d'enchaînements romanesques.

■ *Rose* ou le désir inassouvi

Toujours publiée dans *Gil Blas* sous la signature « Maufrigneuse », cette nouvelle date du 29 janvier 1884. Elle sera recueillie l'année suivante dans *Les Contes du jour et de la nuit*.

Maupassant dresse le contexte du récit autour d'un épisode qu'il a réellement vécu durant ses séjours à Cannes : la bataille des fleurs. Le début du conte est par ailleurs à rapprocher du début d'une chronique publiée en 1886 évoquant le même cadre. Cependant, le véritable intérêt du texte réside dans l'étude des conséquences liées à un désir inassouvi. Marguerite, l'un des deux personnages féminins de la nouvelle, est consciente d'un manque fondamental dans sa vie : « nous désirons toujours quelque chose de plus… pour le cœur. » Elle raconte en effet une histoire étrange : sa femme de chambre, qui possédait les meilleures qualités du métier, se révèle, dans un premier effet de chute du conte, être un homme, recherché en outre par la police car violeur et meurtrier.

Le paradoxe mis en scène par Maupassant est à son comble. Dans un deuxième effet de chute, la nouvelle révèle que le désir d'amour est tellement pressant et envahissant pour cette femme qu'elle finit par se sentir humiliée de ne pas avoir été désirée, même si l'homme en question est un criminel. L'auteur touche ainsi à l'un des sujets chers à son maître Flaubert et qu'il a notamment si bien traité dans le roman *Une vie* : la solitude absolue de la femme qui, esclave de cette détresse, ne peut que continuer à désirer vainement et dans l'échec.

■ *La Parure* ou l'héroïne maupassantienne qui rêve à un autre destin

Cette nouvelle est publiée dans *Le Gaulois* du 17 février 1884 et recueillie en 1885 dans *Les Contes du jour et de la nuit*.

Ce conte est l'une des grandes réussites de Maupassant, preuve de sa virtuosité en tant que nouvelliste. Le dénouement constitue en effet une surprise qui modifie toute la portée de l'histoire racontée : le hasard tourne en dérision les désirs et les rêves de toute la vie d'une femme réduite à la misère pour avoir souhaité porter une parure de diamants un soir de bal. Mme Loisel est une autre héroïne maupassantienne qui rêve à un destin exaltant suivant des modèles inaccessibles qui la mènent à l'insatisfaction et à la perte. Comme Jeanne à son retour de voyage de noces, Mme Loisel se rend compte au lendemain du bal que sa vie est totalement dépourvue de prince charmant.

Jeanne et Mme Loisel sont des avatars d'Emma Bovary : leur condition de femme du XIXe siècle les empêche de comprendre le monde. Elles sont ainsi victimes de ce qu'on a appelé, à la suite du personnage de Flaubert, le bovarysme : une évasion dans la rêverie naïve pour s'imaginer autre que ce que l'on est.

Dans cette nouvelle, apparaît pour la première fois le nom d'une des figures principales de *Bel-Ami* : Mme Forestier, la propriétaire de la parure dans le conte. Maupassant montrera dans son roman le chemin possible de l'évolution de la femme : à ces héroïnes perdues dans leurs rêves, il opposera Mme Forestier, indépendante, séduisante, déterminée, manipulatrice.

La Veillée[1]

(1882)

Elle était morte sans agonie[2], tranquillement, comme une femme dont la vie fut irréprochable ; et elle reposait maintenant dans son lit, sur le dos, les yeux fermés, les traits calmes, ses longs cheveux blancs soigneusement arrangés comme si elle eût fait sa toilette encore dix minutes avant la mort, toute sa physionomie[3] pâle de trépassée[4] si recueillie[5], si reposée, si résignée qu'on sentait bien quelle âme douce avait habité ce corps, quelle existence sans trouble[6] avait menée cette aïeule[7] sereine, quelle fin sans secousses et sans remords avait eue cette sage.

À genoux, près du lit, son fils, un magistrat[8] aux principes inflexibles[9], et sa fille, Marguerite, en religion sœur Eulalie, pleuraient éperdument[10]. Elle les avait dès l'enfance armés d'une intraitable[11] morale, leur enseignant la religion sans

---

1. **La veillée** : action de garder un défunt avant les obsèques.
2. **Agonie** : moment qui précède la mort.
3. **Physionomie** : ensemble des traits du visage.
4. **Trépassée** : morte.
5. **Recueillie** : repliée sur la vie intérieure.
6. **Existence sans trouble** : vie sans désordre, tranquille.
7. **Aïeule** : qui est à l'origine d'une famille.
8. **Magistrat** : fonctionnaire ayant une autorité judiciaire.
9. **Inflexibles** : rigoureux.
10. **Éperdument** : énormément.
11. **Intraitable** : exigeante, stricte.

faiblesses et le devoir sans pactisations[1]. Lui, l'homme, était
15 devenu magistrat, et brandissant la loi[2], il frappait sans pitié
les faibles, les défaillants[3]; elle, la fille, toute pénétrée de la
vertu qui l'avait baignée en cette famille austère[4], avait
épousé Dieu[5], par dégoût des hommes.

Ils n'avaient guère connu leur père; ils savaient seulement
20 qu'il avait rendu leur mère malheureuse, sans apprendre
d'autres détails.

La religieuse baisait follement une main pendante de la
morte, une main d'ivoire pareille au grand Christ couché sur
le lit. De l'autre côté du corps étendu, l'autre main semblait
25 tenir encore le drap froissé de ce geste errant qu'on nomme le
pli des agonisants; et le linge en avait conservé comme de
petites vagues de toile, comme un souvenir de ces derniers
mouvements qui précèdent l'éternelle immobilité[6].

Quelques coups légers frappés à la porte firent relever les
30 deux têtes sanglotantes, et le prêtre, qui venait de dîner,
rentra. Il était rouge, essoufflé, de la digestion commencée;
car il avait mêlé fortement son café de cognac pour lutter
contre la fatigue des dernières nuits passées et de la nuit de
veille qui commençait.

35 Il semblait triste, de cette fausse tristesse d'ecclésiastique[7]
pour qui la mort est un gagne-pain[8]. Il fit le signe de la croix,

---

1. Pactisations: arrangements.
2. Brandissant la loi: se servant de la loi comme justification.
3. Défaillants: faibles, fragiles.
4. Austère: sévère.
5. Avait épousé Dieu: s'était consacrée à Dieu en devenant religieuse.
6. L'éternelle immobilité: la mort.
7. Ecclésiastique: prêtre.
8. Gagne-pain: travail permettant de gagner sa vie.

et, s'approchant avec son geste professionnel : « Eh bien ! mes pauvres enfants, je viens vous aider à passer ces tristes heures. » Mais sœur Eulalie soudain se releva. « Merci, mon père, nous désirons, mon frère et moi, rester seuls auprès d'elle. Ce sont nos derniers moments à la voir, nous voulons nous retrouver tous les trois, comme jadis, quand nous... nous... nous étions petits, et que notre pau... pauvre mère... » Elle ne put achever, tant les larmes jaillissaient, tant la douleur l'étouffait.

Mais le prêtre s'inclina, rasséréné, songeant à son lit. « Comme vous voudrez, mes enfants. » Il s'agenouilla, se signa[1], pria, se releva, et sortit doucement en murmurant : « C'était une sainte. »

Ils restèrent seuls, la morte et ses enfants. Une pendule cachée jetait dans l'ombre son petit bruit régulier ; et par la fenêtre ouverte les molles odeurs des foins et des bois pénétraient avec une languissante[2] clarté de lune. Aucun son dans la campagne que les notes volantes des crapauds et parfois un ronflement d'insecte nocturne entrant comme une balle et heurtant un mur. Une paix infinie, une divine mélancolie, une silencieuse sérénité entouraient cette morte, semblaient s'envoler d'elle, s'exhaler[3] au-dehors, apaiser la nature même.

Alors le magistrat, toujours à genoux, la tête plongée dans les toiles[4] du lit, d'une voix lointaine, déchirante, poussée à travers les draps et les couvertures, cria : « Maman, maman, maman ! » Et la sœur, s'abattant sur le parquet, heurtant au

---

1. Se signa : fit le signe de la croix.
2. Languissante : mélancolique.
3. S'exhaler : s'évaporer, s'échapper.
4. Toiles : tissus.

bois son front de fanatique, convulsée[1], tordue, vibrante[2], comme en une crise d'épilepsie, gémit : «Jésus, Jésus,
65 maman, Jésus ! »

Et secoués tous deux par un ouragan de douleur, ils haletaient[3], râlaient.

Puis la crise, lentement, se calma, et ils se remirent à pleurer d'une façon plus molle, comme les accalmies
70 pluvieuses suivent les bourrasques[4] sur la mer soulevée[5].

Puis, longtemps après, ils se relevèrent et se mirent à regarder le cher cadavre. Et les souvenirs, ces souvenirs lointains, hier si doux, aujourd'hui si torturants[6], tombaient sur leur esprit avec tous ces petits détails oubliés, ces petits
75 détails intimes et familiers, qui refont vivant l'être disparu. Ils se rappelaient des circonstances, des paroles, des sourires, des intonations de voix de celle qui ne leur parlerait plus. Ils la revoyaient heureuse et calme, retrouvaient des phrases qu'elle leur disait, et un petit mouvement de la main qu'elle
80 avait parfois, comme pour battre la mesure, quand elle prononçait un discours important.

Et ils l'aimaient comme ils ne l'avaient jamais aimée. Et ils s'apercevaient, en mesurant leur désespoir, combien ils l'avaient chérie, combien ils allaient se trouver maintenant
85 abandonnés.

---

1. Convulsée : bouleversée.

2. Vibrante : émue.

3. Haletaient : respiraient sur un rythme court, précipité.

4. Bourrasques : coups de vent violents.

5. Soulevée : agitée.

6. Torturants : qui font extrêmement souffrir.

C'étaient leur soutien, leur guide, toute leur jeunesse, toute la joyeuse partie de leur existence qui disparaissaient, c'était leur lien avec la vie, la mère, la maman, la chair créatrice, l'attache avec les aïeux qu'ils n'auraient plus. Ils devenaient maintenant des solitaires, des isolés, ils ne pouvaient plus regarder derrière eux.

La religieuse dit à son frère : « Tu sais, comme maman lisait toujours ses vieilles lettres ; elles sont toutes là, dans son tiroir. Si nous les lisions à notre tour, si nous revivions toute sa vie cette nuit près d'elle ? Ce serait comme un chemin de la croix[1], comme une connaissance que nous ferions avec sa mère à elle, avec nos grands-parents inconnus, dont les lettres sont là, et dont elle nous parlait si souvent, t'en souvient-il ? »

Et ils prirent dans le tiroir une dizaine de petits paquets de papier jaunes, ficelés avec soin et rangés l'un contre l'autre. Ils jetèrent sur le lit ces reliques[2], et choisissant l'une d'elles sur qui le mot « Père » était écrit, ils l'ouvrirent et lurent.

C'étaient ces si vieilles épîtres[3] qu'on retrouve dans les vieux secrétaires de familles, ces épîtres qui sentent l'autre siècle. La première disait : « Ma chérie » ; une autre : « Ma belle petite fille » ; puis d'autres : « Ma chère enfant » ; puis encore : « Ma chère fille ». Et soudain la religieuse se mit à lire tout haut, à relire à la morte son histoire, tous ses tendres souve-

---

1. Chemin de la croix : chemin parcouru par le Christ portant sa croix avant sa mort par crucifixion.
2. Reliques : objets auxquels on attache une grande valeur sentimentale, et que l'on garde en souvenir. Le terme a une connotation religieuse.
3. Épîtres : lettres.

110 nirs. Et le magistrat, un coude sur le lit, écoutait, les yeux sur
sa mère. Et le cadavre immobile semblait heureux.

Sœur Eulalie s'interrompant, dit tout à coup : « Il faudra
les mettre dans sa tombe, lui faire un linceul[1] de tout cela,
l'ensevelir là-dedans. » Et elle prit un autre paquet sur lequel
115 aucun mot révélateur n'était écrit. Et elle commença, d'une
voix haute : « Mon adorée, je t'aime à en perdre la tête. Depuis
hier, je souffre comme un damné[2] brûlé par ton souvenir. Je
sens tes lèvres sous les miennes, tes yeux sous mes yeux, ta
chair sous ma chair. Je t'aime, je t'aime ! Tu m'as rendu fou.
120 Mes bras s'ouvrent, je halète[3], soulevé par un immense désir
de t'avoir encore. Tout mon corps t'appelle, te veut. J'ai gardé
dans ma bouche le goût de tes baisers... »

Le magistrat s'était redressé ; la religieuse s'interrompit ;
il lui arracha la lettre, chercha la signature. Il n'y en avait
125 pas, mais seulement sous ces mots : « Celui qui t'adore », le
nom : « Henry ». Leur père s'appelait René. Ce n'était donc
pas lui. Alors le fils, d'une main rapide, fouilla dans le paquet
de lettres, en prit une autre, et il lut : « Je ne puis plus me
passer de tes caresses... » Et debout, sévère comme à son
130 tribunal, il regarda la morte impassible[4]. La religieuse, droite
comme une statue, avec des larmes restées au coin des yeux,
considérant son frère, attendait. Alors il traversa la chambre
à pas lents, gagna la fenêtre et, le regard perdu dans la nuit,
songea.

---

1. Linceul : pièce de toile dans laquelle on ensevelit un mort, ici il s'agit de
couvrir le corps de la défunte avec les lettres retrouvées.

2. Damné : personne condamnée aux peines de l'Enfer.

3. Halète : voir note 3, p. 320.

4. Impassible : qui ne montre aucune émotion.

35 Quand il se retourna, sœur Eulalie, l'œil sec maintenant, était toujours debout, près du lit, la tête baissée.

Il s'approcha, ramassa vivement les lettres qu'il rejetait pêle-mêle[1] dans le tiroir ; puis il ferma les rideaux du lit.

40 Et quand le jour fit pâlir les bougies qui veillaient sur la table, le fils lentement quitta son fauteuil, et sans revoir encore une fois la mère qu'il avait séparée d'eux, condamnée, il dit lentement : « Maintenant, retirons-nous, ma sœur. »

---

1. Pêle-mêle : en vrac, dans le désordre.

Rose

(1884)

Les deux jeunes femmes ont l'air ensevelies sous une couche de fleurs. Elles sont seules dans l'immense landau[1] chargé de bouquets comme une corbeille géante. Sur la banquette du devant, deux bannettes[2] de satin blanc sont pleines de violettes de Nice, et sur la peau d'ours qui couvre les genoux un amoncellement[3] de roses, de mimosas, de giroflées[4], de marguerites, de tubéreuses[5] et de fleurs d'oranger, noués avec des faveurs[6] de soie, semble écraser les deux corps délicats, ne laissant sortir de ce lit éclatant et parfumé que les épaules, les bras et un peu des corsages[7] dont l'un est bleu et l'autre lilas.

Le fouet du cocher porte un fourreau[8] d'anémones[9], les traits[10] des chevaux sont capitonnés[11] avec des ravenelles[12], les

---

1. Landau : voiture à cheval découverte, à quatre roues et à quatre places vis-à-vis.
2. Bannettes : paniers d'osier.
3. Amoncellement : accumulation.
4. Giroflées : plantes à fleurs parfumées.
5. Tubéreuses : plantes à fleurs blanches en grappe.
6. Faveurs : rubans étroits.
7. Corsages : vêtements qui recouvrent le buste, portés par les femmes.
8. Fourreau : enveloppe rigide destinée à contenir des objets, étui.
9. Anémones : fleurs aux couleurs variées et éclatantes.
10. Traits : cordes servant à tirer une voiture à cheval.
11. Capitonnés : garnis, remplis.
12. Ravenelles : nom usuel du radis sauvage.

rayons des roues sont vêtus de réséda[1]; et, à la place des
lanternes, deux bouquets ronds, énormes, ont l'air des deux
15 yeux étranges de cette bête roulante et fleurie.

Le landau parcourt au grand trot la route, la rue d'Antibes[2],
précédé, suivi, accompagné par une foule d'autres voitures
enguirlandées[3], pleines de femmes disparues sous un flot de
violettes. Car c'est la fête des fleurs à Cannes.

20 On arrive au boulevard de la Foncière, où la bataille[4] a lieu.
Tout le long de l'immense avenue, une double file d'équipages
enguirlandés va et revient comme un ruban sans fin. De l'un à
l'autre on se jette des fleurs. Elles passent dans l'air comme des
balles, vont frapper les frais visages, voltigent et retombent
25 dans la poussière où une armée de gamins les ramasse.

Une foule compacte, rangée sur les trottoirs, et maintenue par
les gendarmes à cheval qui passent brutalement et repoussent
les curieux à pied comme pour ne point permettre aux vilains[5]
de se mêler aux riches, regarde, bruyante et tranquille.

30 Dans les voitures, on s'appelle, on se reconnaît, on se
mitraille avec des roses. Un char plein de jolies femmes,
vêtues de rouge comme des diables, attire et séduit les yeux.
Un monsieur qui ressemble aux portraits d'Henri IV[6]
lance avec une ardeur[7] joyeuse un énorme bouquet retenu

---

1. Réséda : plante à fleurs parfumées.

2. Rue d'Antibes : rue qui traverse Cannes d'ouest en est et se prolonge par
l'avenue d'Antibes.

3. Enguirlandées : décorées de guirlandes, d'ornements.

4. Bataille : la bataille de fleurs à laquelle on suppose que le conte fait allusion,
s'est déroulée à Cannes sur le boulevard de la Foncière le jeudi 24 janvier 1884.

5. Vilains : paysans.

6. Henri IV : né Henri de Bourbon (1553-1610) fut roi de Navarre (Henri III
de Navarre, 1572-1610) puis roi de France (1589-1610).

7. Ardeur : vivacité.

35 par un élastique. Sous la menace du choc les femmes se
cachent les yeux et les hommes baissent la tête, mais le
projectile gracieux, rapide et docile[1], décrit une courbe et
revient à son maître qui le jette aussitôt vers une figure
nouvelle.

40   Les deux jeunes femmes vident à pleines mains leur
arsenal[2] et reçoivent une grêle[3] de bouquets ; puis, après une
heure de bataille, un peu lasses[4] enfin, elles ordonnent au
cocher de suivre la route du golfe Juan[5], qui longe la mer.

        Le soleil disparaît derrière l'Esterel[6], dessinant en noir, sur
45 un couchant[7] de feu, la silhouette dentelée[8] de la longue
montagne. La mer calme s'étend, bleue et claire, jusqu'à
l'horizon où elle se mêle au ciel, et l'escadre[9], ancrée au milieu
du golfe, a l'air d'un troupeau de bêtes monstrueuses, immobiles sur l'eau, animaux apocalyptiques[10], cuirassés[11] et bossus,
50 coiffés de mâts frêles comme des plumes, et avec des yeux qui
s'allument quand vient la nuit.

        Les jeunes femmes, étendues sous la lourde fourrure,
regardent languissamment[12]. L'une dit enfin :

---

1. Docile : obéissant, qui se laisse manier facilement.

2. Arsenal : dépôt de munitions ; ici il s'agit des fleurs.

3. Grêle : grande quantité d'objets qui tombent en même temps.

4. Lasses : fatiguées.

5. Route du golfe Juan : il s'agit de l'actuelle route Nationale 7, prolongement
de la rue d'Antibes et de l'avenue d'Antibes.

6. L'Esterel : massif montagneux situé près de Cannes.

7. Couchant : point de l'horizon où le soleil disparaît.

8. Dentelée : découpée comme en dentelle.

9. Escadre : flotte.

10. Apocalyptiques : épouvantables. Dans la Bible l'Apocalypse évoque la fin
du monde.

11. Cuirassés : revêtus d'une cuirasse.

12. Languissamment : d'une manière languissante, sans énergie.

« Comme il y a des soirs délicieux, où tout semble bon. N'est-ce pas, Margot ? »

L'autre reprit :

« Oui, c'est bon. Mais il manque toujours quelque chose.

– Quoi donc ? Moi je me sens heureuse tout à fait. Je n'ai besoin de rien.

– Si. Tu n'y penses pas. Quel que soit le bien-être qui engourdit notre corps, nous désirons toujours quelque chose de plus... pour le cœur. »

Et l'autre, souriant :

« Un peu d'amour ?

– Oui. »

Elles se turent, regardant devant elles, puis celle qui s'appelait Marguerite murmura : « La vie ne me semble pas supportable sans cela. J'ai besoin d'être aimée, ne fût-ce que par un chien. Nous sommes toutes ainsi, d'ailleurs, quoi que tu en dises, Simone.

– Mais non, ma chère. J'aime mieux n'être pas aimée du tout que de l'être par n'importe qui. Crois-tu que cela me serait agréable, par exemple, d'être aimée par... par... »

Elle cherchait par qui elle pourrait bien être aimée, parcourant de l'œil le vaste paysage. Ses yeux, après avoir fait le tour de l'horizon, tombèrent sur les deux boutons de métal qui luisaient dans le dos du cocher, et elle reprit, en riant : « par mon cocher ».

Mme Margot sourit à peine et prononça, à voix basse :

« Je t'assure que c'est très amusant d'être aimée par un domestique. Cela m'est arrivé deux ou trois fois. Ils roulent des yeux[1]

---

1. **Rouler des yeux :** faire les gros yeux.

si drôles que c'est à mourir de rire. Naturellement, on se montre d'autant plus sévère qu'ils sont plus amoureux, puis on les met à la porte, un jour, sous le premier prétexte
85 venu parce qu'on deviendrait ridicule si quelqu'un s'en apercevait. »

Mme Simone écoutait, le regard fixe devant elle, puis elle déclara :

« Non, décidément, le cœur de mon valet de pied[1] ne me
90 paraîtrait pas suffisant. Raconte-moi donc comment tu t'apercevais qu'ils t'aimaient.

— Je m'en apercevais comme avec les autres hommes, lorsqu'ils devenaient stupides.

— Les autres ne me paraissent pas si bêtes à moi, quand ils
95 m'aiment.

— Idiots, ma chère, incapables de causer, de répondre, de comprendre quoi que ce soit.

— Mais toi, qu'est-ce que cela te faisait d'être aimée par un domestique ? Tu étais quoi... émue... flattée ?
100 — Émue ? non – flattée – oui, un peu. On est toujours flatté de l'amour d'un homme quel qu'il soit.

— Oh, voyons, Margot !

— Si, ma chère. Tiens, je vais te dire une singulière[2] aventure qui m'est arrivée. Tu verras comme c'est curieux et confus
105 ce qui se passe en nous dans ces cas-là. »

*

1. **Valet de pied** : domestique.
2. **Singulière** : bizarre.

Il y aura quatre ans à l'automne, je me trouvais sans femme de chambre. J'en avais essayé l'une après l'autre cinq ou six qui étaient ineptes[1], et je désespérais presque d'en trouver une, quand je lus, dans les petites annonces d'un journal, qu'une jeune fille sachant coudre, broder, coiffer, cherchait une place, et qu'elle fournirait les meilleurs renseignements[2]. Elle parlait en outre l'anglais.

J'écrivis à l'adresse indiquée, et, le lendemain, la personne en question se présenta. Elle était assez grande, mince, un peu pâle, avec l'air très timide. Elle avait de beaux yeux noirs, un teint charmant, elle me plut tout de suite. Je lui demandai ses certificats : elle m'en donna un en anglais, car elle sortait, disait-elle, de la maison de lady Rymwell, où elle était restée dix ans.

Le certificat attestait que la jeune fille était partie de son plein gré[3] pour rentrer en France et qu'on n'avait eu à lui reprocher, pendant son long service, qu'un peu de *coquetterie*[4] *française*.

La tournure pudibonde[5] de la phrase anglaise me fit même un peu sourire et j'arrêtai[6] sur-le-champ cette femme de chambre.

Elle entra chez moi le jour même, elle se nommait Rose.

Au bout d'un mois je l'adorais.

C'était une trouvaille, une perle[7], un phénomène[8].

---

1. Ineptes : incompétentes.
2. Renseignements : références.
3. De son plein gré : volontairement.
4. Coquetterie : désir de plaire, de séduire.
5. Pudibonde : très pudique, très discrète.
6. J'arrêtai : j'engageai à mon service.
7. Perle : personne rare, parfaite.
8. Phénomène : personne extraordinaire.

Elle savait coiffer avec un goût infini ; elle chiffonnait[1] les
130   dentelles d'un chapeau mieux que les meilleures modistes[2] et
elle savait même faire les robes.

J'étais stupéfaite de ses facultés. Jamais je ne m'étais
trouvée servie ainsi.

Elle m'habillait rapidement avec une légèreté de mains
135   étonnante. Jamais je ne sentais ses doigts sur ma peau, et rien
ne m'est désagréable comme le contact d'une main de bonne.
Je pris bientôt des habitudes de paresse excessives, tant il
m'était agréable de me laisser vêtir, des pieds à la tête, et de
la chemise aux gants, par cette grande fille timide, toujours
140   un peu rougissante, et qui ne parlait jamais. Au sortir du bain,
elle me frictionnait et me massait pendant que je sommeillais
un peu sur mon divan ; je la considérais, ma foi[3], en amie de
condition inférieure[4], plutôt qu'en simple domestique.

Or, un matin, mon concierge demanda avec mystère à me
145   parler. Je fus surprise et je le fis entrer. C'était un homme très
sûr, un vieux soldat, ancienne ordonnance[5] de mon mari.

Il paraissait gêné de ce qu'il avait à dire. Enfin, il prononça
en bredouillant :

« Madame, il y a en bas le commissaire de police du quar-
150   tier. »

Je demandai brusquement :

« Qu'est-ce qu'il veut ?

---

1. Chiffonnait : arrangeait avec goût et habilité des étoffes, ici le tissu d'un
chapeau.
2. Modiste : personne qui crée des vêtements féminins.
3. Ma foi : en effet.
4. Condition inférieure : classe inférieure. Ici : qui n'est pas noble.
5. Ordonnance : soldat affecté au service personnel d'un officier.

– Il veut faire une perquisition dans l'hôtel[1]. »

Certes, la police est utile, mais je la déteste. Je trouve que
55 ce n'est pas là un métier noble. Et je répondis, irritée autant
que blessée :

« Pourquoi cette perquisition ? À quel propos ? Il n'entrera
pas. »

Le concierge reprit :

60 « Il prétend qu'il y a un malfaiteur caché. »

Cette fois j'eus peur et j'ordonnai d'introduire[2] le commissaire de police auprès de moi pour avoir des explications.
C'était un homme assez bien élevé, décoré de la Légion d'honneur. Il s'excusa, demanda pardon, puis m'affirma que j'avais,
65 parmi les gens de service, un forçat[3] !

Je fus révoltée ; je répondis que je garantissais tout le
domestique[4] de l'hôtel et je le passai en revue.

« Le concierge, Pierre Courtin, ancien soldat.

– Ce n'est pas lui.

70 – Le cocher François Pingau, un paysan champenois[5], fils
d'un fermier de mon père.

– Ce n'est pas lui.

– Un valet d'écurie, pris en Champagne également, et
toujours fils de paysans que je connais, plus un valet de pied[6]
75 que vous venez de voir.

– Ce n'est pas lui.

– Alors, monsieur, vous voyez bien que vous vous trompez.

---

1. Hôtel : magnifique demeure appartenant à une personne très riche.
2. Introduire : faire entrer.
3. Forçat : personne condamnée aux travaux forcés.
4. Tout le domestique : l'ensemble des domestiques appartenant à une maison.
5. Champenois : habitant de la Champagne.
6. Valet de pied : voir note 1, p. 328.

— Pardon, madame, je suis sûr de ne pas me tromper. Comme il s'agit d'un criminel redoutable, voulez-vous avoir la gracieuseté[1] de faire comparaître[2] ici, devant vous et moi, tout votre monde[3]. »

Je résistai d'abord, puis je cédai, et je fis monter tous mes gens, hommes et femmes.

Le commissaire de police les examina d'un seul coup d'œil, puis déclara :

« Ce n'est pas tout.

— Pardon, monsieur, il n'y a plus que ma femme de chambre, une jeune fille que vous ne pouvez confondre avec un forçat[4]. »

Il demanda :

« Puis-je la voir aussi ?

— Certainement. »

Je sonnai Rose[5] qui parut aussitôt. À peine fut-elle entrée que le commissaire fit un signe, et deux hommes que je n'avais pas vus, cachés derrière la porte, se jetèrent sur elle, lui saisirent les mains et les lièrent avec des cordes.

Je poussai un cri de fureur, et je voulus m'élancer pour la défendre. Le commissaire m'arrêta :

« Cette fille, madame, est un homme qui s'appelle Jean-Nicolas Lecapet, condamné à mort en 1879 pour assassinat précédé de viol. Sa peine fut commuée[6] en prison perpétuelle. Il s'échappa voici quatre mois. Nous le cherchons depuis lors. »

---

1. Gracieuseté : amabilité.

2. Comparaître : se présenter devant un juge ou une personne ayant une autorité dans un domaine, ici la police.

3. Tout votre monde : tous les domestiques.

4. Forçat : voir note 3, p. 331.

5. Je sonnai Rose : j'appelai Rose avec une sonnerie.

6. Commuée : transformée en une peine moins importante.

J'étais affolée, atterrée. Je ne croyais pas. Le commissaire reprit en riant :

« Je ne puis vous donner qu'une preuve. Il a le bras droit tatoué. » La manche fut relevée. C'était vrai. L'homme de police ajouta avec un certain mauvais goût :

« Fiez-vous-en à nous[1] pour les autres constatations. »

Et on emmena ma femme de chambre !

*

« Eh bien, le croirais-tu, ce qui dominait en moi ce n'était pas la colère d'avoir été jouée[2] ainsi, trompée et ridiculisée ; ce n'était pas la honte d'avoir été ainsi habillée, déshabillée, maniée et touchée par cet homme... mais une... humiliation profonde... une humiliation de femme. Comprends-tu ?

– Non, pas très bien ?

– Voyons... Réfléchis... Il avait été condamné... pour viol, ce garçon... eh bien ! je pensais... à celle qu'il avait violée... et ça..., ça m'humiliait... Voilà... Comprends-tu, maintenant ? »

Et Mme Simone ne répondit pas. Elle regardait droit devant elle, d'un œil fixe et singulier[3], les deux boutons luisants de la livrée[4], avec ce sourire de sphinx[5] qu'ont parfois les femmes.

---

1. Fiez-vous-en à nous : faites-nous confiance.
2. Jouée : dupée, abusée.
3. Singulier : voir note 2, p. 328.
4. Livrée : vêtement que portent les domestiques.
5. Sphinx : monstre de la mythologie grecque à tête et buste de femme, à corps de lion et ailes d'aigle, qui proposait des énigmes aux passants, et qui dévorait ceux qui ne parvenaient pas à les résoudre. Ce qui est pointé ici, c'est le caractère énigmatique du personnage féminin.

La Parure

(1884)

C'était une de ces jolies et charmantes filles, nées, comme par une erreur du destin, dans une famille d'employés. Elle n'avait pas de dot[1], pas d'espérances, aucun moyen d'être connue, comprise, aimée, épousée par un homme riche et distingué ; et elle se laissa marier avec un petit commis[2] du ministère de l'Instruction publique.

Elle fut simple ne pouvant être parée[3], mais malheureuse comme une déclassée[4] ; car les femmes n'ont point de caste[5] ni de race[6], leur beauté, leur grâce et leur charme leur servant de naissance et de famille. Leur finesse native[7], leur instinct d'élégance, leur souplesse d'esprit sont leur seule hiérarchie[8], et font des filles du peuple les égales des plus grandes dames.

---

1. Dot : biens qu'une femme apporte en mariage.

2. Commis : employé.

3. Parée : couverte de beaux vêtements et d'objets de prix.

4. Déclassée : personne qui a été abaissée à une classe sociale inférieure.

5. Caste : classe sociale fermée.

6. Race : ensemble des personnes appartenant à une même lignée, à une même famille.

7. Native : que l'on possède en naissant, innée.

8. Hiérarchie : organisation sociale qui classe les individus en les subordonnant les uns aux autres. Ici, il s'agit d'une classification des qualités de chaque femme qui anéantit les différences sociales.

Elle souffrait sans cesse, se sentant née pour toutes les délicatesses et tous les luxes. Elle souffrait de la pauvreté de son
logement, de la misère des murs, de l'usure des sièges, de la
laideur des étoffes. Toutes ces choses, dont une autre femme
de sa caste ne se serait même pas aperçue, la torturaient et
l'indignaient. La vue de la petite Bretonne qui faisait son
humble ménage éveillait en elle des regrets désolés et des
rêves éperdus[1]. Elle songeait aux antichambres[2] muettes,
capitonnées[3] avec des tentures orientales, éclairées par de
hautes torchères[4] de bronze, et aux deux grands valets en
culotte courte[5] qui dorment dans les larges fauteuils, assoupis
par la chaleur lourde du calorifère[6]. Elle songeait aux grands
salons vêtus de soie ancienne, aux meubles fins portant des
bibelots[7] inestimables, et aux petits salons coquets, parfumés,
faits pour la causerie de cinq heures avec les amis les plus
intimes, les hommes connus et recherchés dont toutes les
femmes envient et désirent l'attention.

Quand elle s'asseyait, pour dîner, devant la table ronde
couverte d'une nappe de trois jours, en face de son mari qui
découvrait la soupière[8] en déclarant d'un air enchanté : « Ah !
le bon pot-au-feu ! je ne sais rien de meilleur[9] que cela… » elle

---

1. Éperdus : très émouvants.

2. Antichambres : grandes pièces qui précèdent un salon de réception.

3. Capitonnées : garnies, ornées.

4. Torchères : grands candélabres destinés à porter des flambeaux.

5. Culotte courte : vêtement qui va de la taille jusqu'au dessous immédiat des genoux. Les valets portent ici ce qu'on appelait l'« habit à la française », un costume de cérémonie.

6. Calorifère : appareil de chauffage.

7. Bibelots : petits objets décoratifs.

8. Découvrait la soupière : enlevait le couvercle de la soupière.

9. Je ne sais rien de meilleur : je ne connais rien de meilleur.

35 songeait aux dîners fins, aux argenteries reluisantes[1], aux tapisseries peuplant[2] les murailles de personnages anciens et d'oiseaux étranges au milieu d'une forêt de féerie ; elle songeait aux
plats exquis servis en des vaisselles merveilleuses, aux galanteries[3] chuchotées et écoutées avec un sourire de sphinx[4], tout en
40 mangeant la chair rose d'une truite ou des ailes de gélinotte[5].

Elle n'avait pas de toilettes[6], pas de bijoux, rien. Et elle
n'aimait que cela ; elle se sentait faite pour cela. Elle eût tant
désiré plaire, être enviée, être séduisante et recherchée.

Elle avait une amie riche, une camarade de couvent qu'elle
45 ne voulait plus aller voir, tant elle souffrait en revenant. Et elle
pleurait pendant des jours entiers, de chagrin, de regret, de
désespoir et de détresse.

Or, un soir, son mari rentra, l'air glorieux, et tenant à la
main une large enveloppe.

50 « Tiens, dit-il, voici quelque chose pour toi. »

Elle déchira vivement le papier et en tira une carte qui
portait ces mots :

« Le ministre de l'Instruction publique et Mme Georges
Ramponneau prient M. et Mme Loisel de leur faire l'honneur de
55 venir passer la soirée à l'hôtel du ministère, le lundi 18 janvier. »

Au lieu d'être ravie, comme l'espérait son mari, elle jeta
avec dépit l'invitation sur la table, murmurant :

« Que veux-tu que je fasse de cela ?

---

1. Reluisantes : qui brillent.
2. Peuplant : remplissant.
3. Galanteries : propos très aimables en vue de plaire à une femme.
4. Sphinx : voir note 5 p. 333.
5. Gélinotte : petite poule à qui l'on fait prendre du poids dans une basse-cour.
6. Toilettes : ensemble des vêtements et accessoires utilisés par une femme.

– Mais, ma chérie, je pensais que tu serais contente. Tu ne sors jamais, et c'est une occasion, cela, une belle ! J'ai eu une peine infinie à l'obtenir. Tout le monde en veut ; c'est très recherché et on n'en donne pas beaucoup aux employés. Tu verras là tout le monde officiel. »

Elle le regardait d'un œil irrité, et elle déclara avec impatience :

« Que veux-tu que je me mette sur le dos pour aller là ? »

Il n'y avait pas songé ; il balbutia :

« Mais la robe avec laquelle tu vas au théâtre. Elle me semble très bien, à moi… »

Il se tut, stupéfait, éperdu[1], en voyant que sa femme pleurait. Deux grosses larmes descendaient lentement des coins des yeux vers les coins de la bouche ; il bégaya :

« Qu'as-tu ? qu'as-tu ? »

Mais, par un effort violent, elle avait dompté[2] sa peine et elle répondit d'une voix calme en essuyant ses joues humides :

« Rien. Seulement je n'ai pas de toilette[3] et par conséquent je ne peux aller à cette fête. Donne ta carte à quelque collègue dont la femme sera mieux nippée[4] que moi. »

Il était désolé. Il reprit :

« Voyons, Mathilde. Combien cela coûterait-il, une toilette convenable, qui pourrait te servir encore en d'autres occasions, quelque chose de très simple ? »

---

1. Éperdu : bouleversé.
2. Dompté : contrôlé, surmonté.
3. Toilette : voir note 6, p. 336.
4. Nippée : habillée.

Elle réfléchit quelques secondes, établissant ses comptes et songeant aussi à la somme qu'elle pouvait demander sans s'attirer un refus immédiat et une exclamation effarée du commis[1] économe.

Enfin, elle répondit en hésitant :

« Je ne sais pas au juste, mais il me semble qu'avec quatre cents francs je pourrais arriver. »

Il avait un peu pâli, car il réservait juste cette somme pour acheter un fusil et s'offrir des parties de chasse, l'été suivant, dans la plaine de Nanterre, avec quelques amis qui allaient tirer des alouettes, par là, le dimanche.

Il dit cependant :

« Soit. Je te donne quatre cents francs. Mais tâche d'avoir une belle robe. »

Le jour de la fête approchait, et Mme Loisel semblait triste, inquiète, anxieuse. Sa toilette était prête cependant. Son mari lui dit un soir :

« Qu'as-tu ? Voyons, tu es toute drôle depuis trois jours. »

Et elle répondit :

« Cela m'ennuie de n'avoir pas un bijou, pas une pierre, rien à mettre sur moi. J'aurai l'air misère[2] comme tout. J'aimerais presque mieux ne pas aller à cette soirée. »

Il reprit :

« Tu mettras des fleurs naturelles. C'est très chic en cette saison-ci. Pour dix francs tu auras deux ou trois roses magnifiques. »

Elle n'était point convaincue.

---

1. Commis : voir note 2, p. 334.
2. L'air misère : l'air misérable.

10 « Non… il n'y a rien de plus humiliant que d'avoir l'air pauvre au milieu de femmes riches. »

Mais son mari s'écria :

« Que tu es bête ! Va trouver ton amie Mme Forestier et demande-lui de te prêter des bijoux. Tu es bien assez liée avec

15 elle pour faire cela. »

Elle poussa un cri de joie.

« C'est vrai. Je n'y avais point pensé. »

Le lendemain, elle se rendit chez son amie et lui conta sa détresse.

20 Mme Forestier alla vers son armoire à glace[1], prit un large coffret, l'apporta, l'ouvrit, et dit à Mme Loisel :

« Choisis, ma chère. »

Elle vit d'abord des bracelets, puis un collier de perles, puis une croix vénitienne, or et pierreries, d'un admirable travail.

25 Elle essayait les parures[2] devant la glace, hésitait, ne pouvait se décider à les quitter, à les rendre. Elle demandait toujours :

« Tu n'as plus rien d'autre ?

– Mais si. Cherche. Je ne sais pas ce qui peut te plaire. »

Tout à coup elle découvrit, dans une boîte de satin noir, une

30 superbe rivière de diamants[3] ; et son cœur se mit à battre d'un désir immodéré[4]. Ses mains tremblaient en la prenant. Elle l'attacha autour de sa gorge[5], sur sa robe montante[6], et demeura en extase devant elle-même.

----

1. Armoire à glace : armoire normande comportant une glace sur ses portes, renfermant tout le linge de la maison.

2. Parures : ensembles assortis de bijoux.

3. Rivière de diamants : long collier de diamants.

4. Immodéré : sans modération, excessif.

5. Gorge : poitrine, buste.

6. Robe montante : robe qui recouvre le haut du buste, la base du cou.

Puis, elle demanda, hésitante, pleine d'angoisse :

135 « Peux-tu me prêter cela, rien que cela ?

– Mais oui, certainement. »

Elle sauta au cou de son amie, l'embrassa avec emportement[1], puis s'enfuit avec son trésor.

Le jour de la fête arriva. Mme Loisel eut un succès[2]. Elle
140 était plus jolie que toutes, élégante, gracieuse, souriante et
folle de joie. Tous les hommes la regardaient, demandaient
son nom, cherchaient à être présentés. Tous les attachés du
cabinet[3] voulaient valser avec elle. Le ministre la remarqua.

Elle dansait avec ivresse, avec emportement, grisée[4] par le
145 plaisir, ne pensant plus à rien, dans le triomphe de sa beauté,
dans la gloire de son succès, dans une sorte de nuage de
bonheur fait de tous ces hommages, de toutes ces admirations,
de tous ces désirs éveillés, de cette victoire si complète et si
douce au cœur des femmes.

150 Elle partit vers quatre heures du matin. Son mari, depuis
minuit, dormait dans un petit salon désert avec trois autres
messieurs dont les femmes s'amusaient beaucoup.

Il lui jeta sur les épaules les vêtements qu'il avait apportés
pour la sortie, modestes vêtements de la vie ordinaire, dont la
155 pauvreté jurait[5] avec l'élégance de la toilette de bal. Elle le
sentit et voulut s'enfuir, pour ne pas être remarquée par les
autres femmes qui s'enveloppaient de riches fourrures.

---

1. Emportement : exaltation, passion.

2. Eut un succès : eut du succès.

3. Attachés du cabinet : personnes appartenant à une administration, ici le cabinet ministériel.

4. Grisée : exaltée, comme ivre.

5. Jurait : contrastait.

Loisel la retenait :

« Attends donc. Tu vas attraper froid dehors. Je vais appeler un fiacre[1]. »

Mais elle ne l'écoutait point et descendait rapidement l'escalier. Lorsqu'ils furent dans la rue, ils ne trouvèrent pas de voiture ; et ils se mirent à chercher, criant après les cochers qu'ils voyaient passer de loin.

Ils descendaient vers la Seine, désespérés, grelottants. Enfin, ils trouvèrent sur le quai un de ces vieux coupés[2] noctambules qu'on ne voit dans Paris que la nuit venue, comme s'ils eussent été honteux de leur misère pendant le jour.

Il les ramena jusqu'à leur porte, rue des Martyrs, et ils remontèrent tristement chez eux. C'était fini, pour elle. Et il songeait, lui, qu'il lui faudrait être au Ministère à dix heures.

Elle ôta les vêtements dont elle s'était enveloppé les épaules, devant la glace, afin de se voir encore une fois dans sa gloire. Mais soudain elle poussa un cri. Elle n'avait plus sa rivière autour du cou !

Son mari, à moitié dévêtu déjà, demanda :

« Qu'est-ce que tu as ? »

Elle se tourna vers lui, affolée :

« J'ai… j'ai… je n'ai plus la rivière de Mme Forestier. »

Il se dressa, éperdu[3] :

« Quoi !… comment !… Ce n'est pas possible ! »

Et ils cherchèrent dans les plis de la robe, dans les plis du manteau, dans les poches, partout. Ils ne la trouvèrent point.

---

1. Fiacre : voiture à cheval à quatre roues et à quatre places pour les transports en ville, que l'on prenait à la course ou à l'heure.
2. Coupés : voitures fermées, à un ou deux chevaux, généralement à deux places.
3. Éperdu : voir note 1, p. 337.

Il demandait :

185 « Tu es sûre que tu l'avais encore en quittant le bal ?

— Oui, je l'ai touchée dans le vestibule[1] du ministère.

— Mais, si tu l'avais perdue dans la rue, nous l'aurions entendue tomber. Elle doit être dans le fiacre.

— Oui. C'est probable. As-tu pris le numéro ?

190 — Non. Et toi, tu ne l'as pas regardé ?

— Non. »

Ils se contemplaient atterrés[2]. Enfin Loisel se rhabilla.

« Je vais, dit-il, refaire tout le trajet que nous avons fait à pied, pour voir si je ne la retrouverai pas. »

195 Et il sortit. Elle demeura en toilette de soirée, sans force pour se coucher, abattue sur une chaise, sans feu[3], sans pensée.

Son mari rentra vers sept heures. Il n'avait rien trouvé.

Il se rendit à la préfecture de Police, aux journaux, pour faire promettre une récompense, aux compagnies de petites

200 voitures, partout enfin où un soupçon d'espoir le poussait.

Elle attendit tout le jour, dans le même état d'effarement devant cet affreux désastre.

Loisel revint le soir, avec la figure creusée[4], pâlie ; il n'avait rien découvert.

205 « Il faut, dit-il, écrire à ton amie que tu as brisé la fermeture de sa rivière et que tu la fais réparer. Cela nous donnera le temps de nous retourner. »

Elle écrivit sous sa dictée.

---

1. **Vestibule** : entrée.
2. **Atterrés** : consternés, catastrophés.
3. **Sans feu** : sans faire de feu dans la cheminée.
4. **Creusée** : minée, consumée, à cause de l'inquiétude.

Au bout d'une semaine, ils avaient perdu toute espérance.

10 Et Loisel, vieilli de cinq ans, déclara :

« Il faut aviser à[1] remplacer ce bijou. »

Ils prirent, le lendemain, la boîte qui l'avait renfermé, et se rendirent chez le joaillier[2], dont le nom se trouvait dedans. Il consulta ses livres :

15 « Ce n'est pas moi, madame, qui ai vendu cette rivière ; j'ai dû seulement fournir l'écrin[3]. »

Alors ils allèrent de bijoutier en bijoutier, cherchant une parure pareille à l'autre, consultant leurs souvenirs, malades tous deux de chagrin et d'angoisse.

20 Ils trouvèrent, dans une boutique du Palais-Royal, un chapelet de diamants[4] qui leur parut entièrement semblable à celui qu'ils cherchaient. Il valait quarante mille francs. On le leur laisserait à trente-six mille.

Ils prièrent donc le joaillier de ne pas le vendre avant trois

25 jours. Et ils firent condition[5] qu'on le reprendrait pour trente-quatre mille francs, si le premier était retrouvé avant la fin de février.

Loisel possédait dix-huit mille francs que lui avait laissés son père. Il emprunterait le reste.

30 Il emprunta, demandant mille francs à l'un, cinq cents à l'autre, cinq louis[6] par-ci, trois louis par-là. Il fit des billets[7],

---

1. Aviser à : réfléchir aux meilleurs moyens de, songer à.

2. Joaillier : personne qui fabrique et/ou vend des bijoux.

3. Écrin : coffret utilisé pour ranger des bijoux.

4. Chapelet de diamants : collier de diamants.

5. Firent condition : conclurent un accord, un marché.

6. Louis : pièces d'or ou d'argent à l'effigie des rois de France.

7. Billets : engagements écrits de payer.

prit des engagements ruineux, eut affaire aux usuriers[1], à toutes les races de prêteurs[2]. Il compromit[3] toute la fin de son existence, risqua sa signature sans savoir même s'il pourrait y 235 faire honneur, et, épouvanté par les angoisses de l'avenir, par la noire misère qui allait s'abattre sur lui, par la perspective de toutes les privations physiques et de toutes les tortures morales, il alla chercher la rivière nouvelle, en déposant sur le comptoir du marchand trente-six mille francs.

240 Quand Mme Loisel reporta la parure à Mme Forestier, celle-ci lui dit, d'un air froissé :

« Tu aurais dû me la rendre plus tôt, car je pouvais en avoir besoin. »

Elle n'ouvrit pas l'écrin, ce que redoutait son amie. Si elle 245 s'était aperçue de la substitution, qu'aurait-elle pensé ? qu'aurait-elle dit ? Ne l'aurait-elle pas prise pour une voleuse ?

Mme Loisel connut la vie horrible des nécessiteux[4]. Elle prit son parti[5], d'ailleurs, tout d'un coup, héroïquement. Il fallait payer cette dette effroyable. Elle payerait. On renvoya 250 la bonne ; on changea de logement ; on loua sous les toits une mansarde[6].

Elle connut les gros travaux du ménage, les odieuses besognes de la cuisine. Elle lava la vaisselle, usant ses ongles

---

1. Usuriers : personnes qui prêtent de l'argent avec un taux d'intérêt supérieur au taux légal.
2. Prêteurs : personnes qui prêtent quelque chose.
3. Compromit : mit dans une situation critique.
4. Nécessiteux : besogneux, misérables.
5. Prit son parti : se résigna, se résolut.
6. Mansarde : pièce aménagée sous un comble, un toit, dont un des murs suit la pente du toit.

roses sur les poteries grasses et le fond des casseroles. Elle
savonna le linge sale, les chemises et les torchons, qu'elle faisait
sécher sur une corde ; elle descendit à la rue, chaque matin, les
ordures, et monta l'eau, s'arrêtant à chaque étage pour souffler.
Et, vêtue comme une femme du peuple, elle alla chez le frui-
tier, chez l'épicier, chez le boucher, le panier au bras, marchan-
dant, injuriée, défendant sou à sou son misérable argent.

Il fallait chaque mois payer des billets[1], en renouveler
d'autres, obtenir du temps.

Le mari travaillait, le soir, à mettre au net[2] les comptes
d'un commerçant, et la nuit, souvent, il faisait de la copie[3] à
cinq sous la page.

Et cette vie dura dix ans.

Au bout de dix ans, ils avaient tout restitué, tout, avec le
taux de l'usure, et l'accumulation des intérêts superposés.

Mme Loisel semblait vieille, maintenant. Elle était
devenue la femme forte, et dure, et rude, des ménages[4]
pauvres. Mal peignée, avec les jupes de travers et les mains
rouges, elle parlait haut, lavait à grande eau les planchers.
Mais parfois, lorsque son mari était au bureau, elle s'asseyait
auprès de la fenêtre, et elle songeait à cette soirée d'autrefois,
à ce bal, où elle avait été si belle et si fêtée.

Que serait-il arrivé si elle n'avait point perdu cette parure ?
Qui sait ? qui sait ? Comme la vie est singulière, changeante !
Comme il faut peu de chose pour vous perdre ou vous sauver !

---

1. **Billets** : voir note 7, p. 343.
2. **Mettre au net** : mettre au propre, recopier de façon claire.
3. **Faisait de la copie** : reproduisait des écrits pour l'imprimerie.
4. **Ménages** : couples.

Or, un dimanche, comme elle était allée faire un tour aux
280 Champs-Élysées pour se délasser des besognes[1] de la semaine,
elle aperçut tout à coup une femme qui promenait un enfant.
C'était Mme Forestier, toujours jeune, toujours belle, toujours
séduisante.

Mme Loisel se sentit émue. Allait-elle lui parler ? Oui,
285 certes. Et maintenant qu'elle avait payé, elle lui dirait tout.
Pourquoi pas ?

Elle s'approcha.

« Bonjour, Jeanne. »

L'autre ne la reconnaissait point, s'étonnant d'être appelée
290 ainsi familièrement par cette bourgeoise[2].

Elle balbutia :

« Mais… madame !… Je ne sais… Vous devez vous
tromper.

— Non. Je suis Mathilde Loisel. »

295 Son amie poussa un cri.

« Oh !… ma pauvre Mathilde, comme tu es changée !…

— Oui, j'ai eu des jours bien durs, depuis que je ne t'ai vue ;
et bien des misères… et cela à cause de toi !…

— De moi… Comment ça ?

300 — Tu te rappelles bien cette rivière de diamants que tu m'as
prêtée pour aller à la fête du Ministère.

— Oui. Eh bien ?

— Eh bien, je l'ai perdue.

— Comment ! puisque tu me l'as rapportée.

---

1. Besognes : travaux.
2. Bourgeoise : personne appartenant à une classe sociale inférieure à celle de la
noblesse.

– Je t'en ai rapporté une autre toute pareille. Et voilà dix ans que nous la payons. Tu comprends que ça n'était pas aisé pour nous, qui n'avions rien… Enfin c'est fini, et je suis rudement[1] contente. »

Mme Forestier s'était arrêtée.

« Tu dis que tu as acheté une rivière de diamants pour remplacer la mienne ?

– Oui. Tu ne t'en étais pas aperçue, hein ? Elles étaient bien pareilles. »

Et elle souriait d'une joie orgueilleuse et naïve.

Mme Forestier, fort émue, lui prit les deux mains.

« Oh ! ma pauvre Mathilde ! Mais la mienne était fausse. Elle valait au plus cinq cents francs !… »

---

1. **Rudement** : très, fortement.

Maupassant au-delà du naturalisme

En 1850, année de la mort d'Honoré de Balzac, Guy de Maupassant naît dans un château près de Dieppe en Normandie. La disparition de Balzac (1799-1850) entraîne un renouvellement du mouvement réaliste qui s'oriente désormais vers les recherches des romanciers naturalistes dont le chef de file est Émile Zola (1840-1902). Maupassant s'inscrit dans ces derniers sillages en prenant soin d'affirmer ses particularités.

DU RÉALISME AU NATURALISME

● Dans l'avant-propos de la *Comédie humaine* (1842), **Balzac** écrit : « Le hasard est le plus grand romancier du monde : pour être fécond, il n'y a qu'à l'étudier. » En effet, l'écrivain disait vouloir être le **secrétaire de la société française** pour en **retranscrire** le quotidien, le **réel**.

● En 1880, **Zola** écrira dans *Le Roman expérimental,* considéré comme le **manifeste de la doctrine naturaliste** : « Le romancier expérimentateur est donc celui qui accepte les faits prouvés, qui montrent dans l'homme et dans la société le mécanisme des phénomènes dont la science est maîtresse. » L'écrivain naturaliste est donc **davantage le témoin de la science que de la seule observation du quotidien**.

● Réalisme et naturalisme se rejoignent cependant sur un même **refus** : celui de l'**invention** et de l'**idéalisation du réel**, affirmant ainsi leur **opposition à l'esthétique romantique**.

● Ce qui distingue les deux mouvements, réalisme et naturalisme, est d'abord l'écart entre deux générations. La préface de *Germinie Lacerteux* (1864) d'Edmond et Jules de Goncourt marque une étape importante dans la séparation d'avec le réalisme : « Aujourd'hui le Roman s'est imposé les études et les devoirs de la science, il peut en revendiquer les libertés et les franchises. ». **Maupassant fait partie d'une nouvelle génération**.

MAUPASSANT ET LE NATURALISME

● Le 16 avril 1877 la jeune génération d'écrivains (Joris-Karl Huysmans, Léon Hennique, Octave Mirbeau, Henry Céard et Maupassant) offre un **dîner historique** aux grands maîtres du roman (Gustave Flaubert, Zola et E. de Goncourt) dans la brasserie parisienne Trapp. Ce dîner, qui constitue un grand événement médiatique dans la presse de l'époque, sera l'**un des actes fondateurs du naturalisme**.

● À partir de **1878**, Maupassant participe aux **soirées littéraires de Médan,** village près de Poissy où Zola a récemment acheté une maison dans laquelle il réunit la nouvelle génération d'écrivains du fameux dîner de Trapp. Ils ne tarderont pas à publier, en **1880**, un **recueil de récits** intitulé *Les Soirées de Médan* qui se propose d'étudier la guerre franco-prussienne de 1870[1]. Cela constitue un **nouvel acte naturaliste** ; Zola écrira notamment dans la préface : « Notre seul souci a été d'affirmer publiquement nos véritables amitiés, et, en même temps, nos tendances littéraires. »

● La publication dans ce recueil de la **nouvelle de Maupassant intitulée *Boule de suif*** sera un **triomphe** : Maupassant devient célèbre du jour au lendemain. Flaubert n'hésitera pas à qualifier de « chef-d'œuvre » le conte de celui qu'il appelle son « disciple », non sans un certain dédain vis-à-vis des nouvelles des autres écrivains et de l'école naturaliste.

MAUPASSANT AU-DELÀ DES ÉCOLES LITTÉRAIRES

● Dans *Boule de suif*, Maupassant étudie la psychologie de la prostituée à la **manière naturaliste** : il analyse son émotivité, son courage et son sens moral.

● Dans cette nouvelle, Maupassant met en scène, parallèlement à l'effondrement de la France face au royaume de Prusse, la défaite de l'être humain qu'est Boule de suif face à sa propre dignité. Cependant, la dimension très **pessimiste** que l'auteur donne à sa nouvelle, ainsi que l'importance accordée à l'**absurdité des choses**, placent la nouvelle **hors du temps**.

● Par ailleurs, Maupassant **ne cultive pas l'amour du détail** avec le souci de la minutie descriptive propre à Zola. La précision chez Maupassant sert à **créer une atmosphère**, à **situer** ou à **caractériser un individu**.

● En 1888, dans la **Préface de *Pierre et Jean*** qui est en réalité une étude sur le roman, Maupassant récuse les notions d'écoles et de norme ; **il s'éloigne du roman expérimental et naturaliste** dont la réalisation lui semble utopique, pour affirmer sa liberté d'écrivain. Il reconnaît son maître en Flaubert pour qui la seule possibilité d'écriture se réalise **en dehors de toute étiquette**. Ainsi, Maupassant préconise l'accueil de toute œuvre littéraire dans sa propre originalité.

---

1. La guerre franco-prussienne de 1870 : conflit qui opposa la France et le royaume de Prusse entre le 19 juillet 1870 et le 29 janvier 1871 et qui se conclut par la défaite de la France et la chute de l'empire de Napoléon III.

Une vie (1883) dans le parcours de Maupassant (1850-1893)

En 1883 Maupassant publie son premier roman : Une vie. Il est alors âgé de 33 ans et a déjà inauguré une collaboration régulière avec les journaux Le Gaulois et Gil Blas sous forme de contes et de chroniques. La première apparition de son génie de conteur se manifeste en 1880 avec la publication en recueil de sa nouvelle Boule de suif. En l'espace de seulement dix ans, entre 1880 et 1890, l'écrivain sera extrêmement prolifique, avant de sombrer dans la folie et la mort qui survient en 1893.

LE JEUNE MAUPASSANT ET SON MAÎTRE FLAUBERT

● Après son succès au baccalauréat au lycée de Rouen en 1869, Maupassant noue avec **Flaubert** une **amitié** qui ne fera que grandir. Ami fraternel d'Alfred Le Poittevin, oncle de Maupassant, Flaubert sera « comme un père » pour le jeune Guy et le guidera fidèlement dans sa carrière littéraire.

● Maupassant laissera un témoignage direct de cette précieuse amitié du « maître » dans sa **Préface de *Pierre et Jean*** (1888) :

« Plus tard, Flaubert, que je voyais quelquefois, se prit d'affection pour moi. J'osai lui soumettre quelques essais. Il les lut avec bonté et me répondit : « Je ne sais pas si vous aurez du talent. Ce que vous m'avez apporté prouve une certaine intelligence, mais n'oubliez point ceci, jeune homme, que le talent — suivant le mot de Chateaubriand — n'est qu'une longue patience. Travaillez. » [...] Pendant sept ans je fis des vers, je fis des contes, je fis des nouvelles, je fis même un drame détestable. Il n'en est rien resté. Le maître lisait tout, puis le dimanche suivant, en déjeunant, développait ses critiques et enfonçait en moi, peu à peu, deux ou trois principes qui sont le résumé de ses longs et patients enseignements. »

Ces sept années couvrent la période 1872-1879, qui précède la publication de *Boule de suif*.

● À **Croisset**, dans la **résidence campagnarde de Flaubert**, Maupassant côtoie **l'intelligentsia parisienne** : Zola, Catulle Mendès, Alphonse Daudet, Émile Bergerat, Huysmans, Céard, E. de Goncourt ainsi que le romancier russe Ivan Tourgueniev qui traduira quelques-unes de ses œuvres en russe. Flaubert introduit également son disciple dans plusieurs **salons parisiens parmi lesquels celui de madame Brainne** à qui Maupassant dédiera *Une vie*.

LA LONGUE GESTATION D'*UNE VIE*

• Après l'éclatant succès de *Boule de suif*, **Maupassant sait que Flaubert atten** **de lui une œuvre de longue haleine**. Le passage du récit court au roman ne s'ef fectue pas facilement pour lui.

Dans une lettre de décembre **1877**, Maupassant annonce à Flaubert avoir rédig « le **plan d'un *Roman*** » ; le maître en prendra connaissance et sera « enchanté » d ce plan. Cependant, en août 1878, Flaubert prendra des nouvelles du roman exhortant son disciple à l'écriture.

• Maupassant est **surchargé de travail**. Il est employé au ministère de la Marin puis à celui de l'Instruction publique et doit donc laisser son projet de côté pen dant deux ans. Il continue cependant à écrire des chroniques et est occupé à l rédaction de *Boule de suif*.

• **Flaubert meurt brutalement en mai 1880** ; son disciple, accablé, part e voyage en Corse. Il reprend l'écriture de son roman en 1881, dont il détache deu nouvelles publiées la même année : *Histoire corse* et *Par un soir de printemps*.

• *Une vie* paraîtra enfin en **feuilleton dans *Gil Blas*, du 27 février au 3 avril 188** Transition entre récit court et roman, cette œuvre témoigne d'une recherch d'efficacité, que l'auteur désigne dans sa correspondance comme « un nouvea roman », un récit qui puisse s'étendre sur des périodes de moins en moins longue Après les romans *Bel-Ami* (1885) et *Mont-Oriol* (1886), ***Pierre et Jean* (1888) concré tisera ce roman court**, ce « petit roman » que l'auteur souhaitait créer.

LA VISION DU MONDE : D'*UNE VIE* JUSQU'AUX ROMANS SUIVANTS

• Dans ce premier roman d'un nouvelliste, une **géographie imaginaire** apparaî que l'on retrouvera dans les autres romans de l'auteur : la Normandie comm terre mère, la Méditerranée comme espace sensuel et joyeux et, enfin, Pari comme lieu inquiétant et inhospitalier.

• Dans le sillage d'*Une vie,* les romans suivants témoigneront d'une **même visio du monde pessimiste**, évoquant notamment l'incompatibilité entre les êtres, la di ficulté des rapports familiaux et amoureux.

À travers ces différents récits, l'écrivain s'interroge sur la place de la religion et l'exis tence de Dieu, et se demande si la vie humaine n'est pas une perpétuelle douleur.

• L'ensemble de ces questions accompagne aussi la vie de **Maupassant**, qui termine ses jours dans le désespoir et la folie. Atteint de syphilis à marche neurotrope[1], l'écrivain est hospitalisé dans la clinique du docteur Blanche[2] et **meurt tenaillé par la folie**, suite à des convulsions épileptiques le 6 juillet 1893.

• Maupassant nous a laissé **plus de trois cents nouvelles** et **huit romans** dont deux inachevés.

1. Syphilis à marche neurotrope: virus qui se lie au système nerveux.

2. La clinique du docteur Blanche: fondée en 1821 par le docteur Esprit Blanche (1796-1852), cette clinique a accueilli de célèbres patients au cours du XIXᵉ siècle dont le poète Gérard de Nerval (1808-1855).

Modèles littéraires et adaptations filmiques d'*Une vie*

Le premier roman de Maupassant est dédié à Mme Brainne et à Flaubert. Même si *nom du romancier n'est pas divulgué, la dédicace nostalgique et affectueuse « en sou* *venir d'un ami mort » ne le rend que plus présent. Les ressemblances avec l'œuvre d* *maître soulignent aussi le fort attachement du disciple, comme si, pour son premie* *roman, Maupassant ne voulait pas encore se détacher de son modèle. Cependant, Un* vie *suit son propre chemin et s'inscrit également dans une époque où les romancier* *s'intéressent à la condition féminine. Les adaptations filmiques du roman s'attacher* *principalement à cet aspect de l'œuvre.*

LES MODÈLES LITTÉRAIRES D'*UNE VIE*

● Le roman est placé **sous le signe de Flaubert**. On trouve de nombreuses simil tudes avec l'œuvre du maître, notamment avec *Madame Bovary*, *L'Éducatio sentimentale* et *Un cœur simple*, extrait des *Trois contes*. Cependant, Maupassan prend également soin de nourrir son roman d'autres lectures[1].

1 • Flaubert, le maître

Madame Bovary (1857)

● Comme **Emma Bovary**, Jeanne, à la sortie du collège, est une jeune fille **idéa liste**, **romantique**, en proie à un enthousiasme naïf, **la tête pleine de rêves** q finiront par se briser au contact d'une réalité cruelle qui ne correspond pas à c qu'elle avait imaginé. Comme Emma, Jeanne subit l'**ennui de la province** et ser **victime du bovarysme**.

● L'entrevue de Jeanne avec le **curé Picot** au chapitre x rappelle celle d'Emm Bovary avec l'**abbé Bournisien** au chapitre vi de la IIe partie du roman de Flauber Cependant, si Emma, incomprise par son abbé qui ne lui est d'aucun secours, fin par plonger dans l'adultère, Jeanne s'enfonce au contraire dans la solitude et l résignation face aux malheurs qui s'abattent sur elle.

---

1. On appelle *innutrition* les phénomènes d'inspiration d'un artiste puisés dans l'œuvre d'un autre artiste.

'Éducation sentimentale (1869)

● Par sa **passivité**, sa **crédulité** et sa **candeur**, Jeanne s'apparente davantage à **Frédéric Moreau** de *L'Éducation sentimentale*, sans pour autant en avoir les prétentions naïves et romantiques de réussite artistique, puisque sexe et condition sociale diffèrent.

● Quant aux ressemblances avec **Mme Arnoux**, l'un des principaux personnages féminins, elles sont à chercher du côté de l'**attachement acharné et excessivement prude à l'enfant** : Jeanne pour oublier les infidélités de son mari, Mme Arnoux pour éviter de tomber dans l'adultère auquel Frédéric la pousse.

Un cœur simple, dans Trois contes (1877)

● Les croisements continuent entre *Une vie* et *Un cœur simple* : l'**adoration vague et délirante de la Vierge Marie** rapproche Jeanne de **Félicité**, les deux femmes ayant aussi le même esprit lourd, lent à la compréhension et sans imagination.

2 • Les romans de la condition féminine

● Cependant, Maupassant n'est pas redevable au seul Flaubert ; le sujet de la **condition féminine** inspire plusieurs écrivains réalistes et naturalistes : Balzac avec *La Femme de trente ans* (1842), Huysmans avec *Marthe, histoire d'une fille* (1876), Edmond de Goncourt avec *La Fille Élisa* (1877) et Zola avec *Nana* (1880), apogée du genre.

● Dans l'une de ses chroniques « En lisant », Maupassant témoigne aussi du vif intérêt éprouvé à la lecture d'*À vau-l'eau* (1882) de **Huysmans**. Il loue la « **sincérité banale et navrante** » et l'« **humanité saignante** » mise en scène par son ami romancier – deux traits caractéristiques d'une œuvre naturaliste dont on retrouvera les échos dans *Une vie*, à commencer par le **sous-titre** : « **L'humble vérité** ».

LES ADAPTATIONS FILMIQUES D'*UNE VIE*

● La première adaptation filmique du roman date de **1947**. Elle est signée par Toivo J. Särkkä, réalisateur finlandais prolifique, qui met en scène la vie de Jeanne dans un film en noir et blanc qui connaîtra un très grand succès public.

● La deuxième adaptation est française cette fois. **Alexandre Astruc** (né en 1923) réalise en **1958** un film en couleurs avec Maria Schell dans le rôle de Jeanne et Christian Marquand dans celui de Julien. Astruc porte à l'écran la première partie du roman : le film s'achève sur le décès de la mère de Jeanne et le meurtre du couple adultère Julien de Lamare et Gilberte de Fourville. La narration du film est linéaire et effectuée par la voix off de Maria Schell/Jeanne. Le réalisateur change le nom de famille de Jeanne en Dandieu et des Fourville en Fourcheville. Le film prend le parti d'un **lyrisme exacerbé délaissant le drame bourgeois**, comme le confie Astruc qui dit avoir voulu peindre «les reflets des saisons sur l'âme» de Jeanne[1].

● En **2004**, **Élisabeth Rappeneau** adapte *Une vie* pour la télévision. L'essentiel de l'action se passe en Normandie, à Yport. Comme chez Astruc, le téléfilm met en scène la seule première partie du roman. Le cadre et l'époque sont respectés.

1. Entretien de 1958 avec Jean-Luc Godard.

Un art du récit court

*n maître de la forme courte, Maupassant applique les traits légers, rapides et habiles
e la nouvelle au genre roi de l'époque : le roman. La brièveté est une véritable esthé-
ique chez Maupassant qui fait éclore une œuvre dense à travers un choix de style
imple mais très suggestif et vif. D'une attaque rapide à un récit scandé par de grandes
cènes dramatiques au rythme soutenu, Maupassant déploie l'art du récit court à
'échelle d'un roman.*

UNE ATTAQUE RAPIDE

● Le **rythme de la narration** est donné **dès l'*incipit*[1]** d'*Une vie.* En effet, le roman
débute ***in medias res*[2]**, c'est-à-dire au cœur de l'intrigue. Le lecteur prend la narra-
ion en cours de route, alors que l'action a déjà débuté : « Jeanne, ayant fini ses
malles, s'approcha de la fenêtre, mais la pluie ne cessait pas. » (chap. I, p. 9).
e personnage principal est immédiatement nommé, impliqué dans une action
qui vient de s'achever et une autre qui s'ouvre sur le futur imminent d'un départ.
'**entrée en matière** est ainsi **très rapide** et son caractère abrupt est encore **sou-
igné par une ellipse**[3], celle de l'intention de Jeanne puisque le narrateur ne men-
ionne pas qu'elle regarde par la fenêtre afin de voir s'il continue de pleuvoir.

● Cette **première phrase** contient en même temps le **thème principal du
oman : la déception**. Le départ a beau représenter un espoir d'avenir, il ne sera
cependant pas accompagné d'une journée de soleil. Le temps morne est d'emblée
e signe de la tristesse qui caractérise Jeanne tout au long du roman.

● La **brièveté de cette entrée en matière** contribue à installer immédiatement
'**illusion du réel**, essentielle à toute entreprise romanesque.

UN RÉCIT BIEN RYTHMÉ

● L'**effet de réel dans le récit** est assuré par le **traitement du temps** qui scande la
narration de manière rapide. Dès le quatrième paragraphe du **chapitre I**, le lecteur
ait que l'histoire commence le 3 mai « 1819 » (p. 9) et que la sortie du couvent

---

1. *Incipit* : premiers mots ou premiers
paragraphes d'une œuvre littéraire.

2. *In medias res* : (latin) littéralement :
« au milieu des choses ».
3. Ellipse : figure de style par laquelle on
supprime quelques mots d'une phrase.

de Jeanne date de la veille : le « 2 mai » (p. 9). Ces **indications chronologiques**, fréquentes dans les premiers chapitres, balisent les étapes historiques de l'éducation sentimentale de la jeune fille ; elles ne seront pas toujours aussi précises.

• À partir du **chapitre III**, les **indications temporelles** se font **plus vagues**, mais elles **précipitent le passage du temps** : « Le dimanche suivant » (p. 41), « deux jours après » (p. 42), « la semaine suivante », « régulièrement », « Plusieurs fois » (p. 45), « de jour en jour » (p. 54).

• Au **chapitre IV**, l'**effet de rapidité se marque** par une extraordinaire **condensation du temps**, entre la déclaration de mariage faite « un matin » (p. 61) et la réalisation du projet, sans étape intermédiaire. Jeanne se retrouve en effet à l'église sans s'en apercevoir : « Elle ne reprit possession d'elle que dans le chœur de l'église pendant l'office. » (p. 70). Tous les préparatifs de la cérémonie sont passés sous silence par Maupassant, alors que ces détails sont généralement fort bien décrits dans les romans réalistes et naturalistes.

• Dans la **suite du roman**, l'accélération est de plus en plus évidente : dans les huit premiers chapitres, Maupassant raconte un an de la vie de Jeanne tandis que dans les six chapitres restants, il fait s'écouler trente ans. Les **ellipses temporelles** font succéder les épisodes de la narration à une allure vertigineuse. Cependant, entre chaque ellipse, Maupassant fait une **pause pour relater les moments forts de la vie de Jeanne** qui, paradoxalement, se morfond dans l'ennui.

• Ce qui intéresse Maupassant est la **démonstration du passage de douleurs successives dans l'existence d'une femme**. Il ne tolère donc ni le superflu, ni les digressions que l'on admet généralement dans le genre romanesque, d'où son **recours systématique à l'ellipse**.

UN ROMAN SCANDÉ PAR DES SCÈNES DRAMATIQUES

• La lecture haletante du récit est également due à la **mise en scène d'événements dramatiques** destinés à alimenter chez le lecteur le goût pour les **émotions fortes**. Cette efficacité recherchée par Maupassant témoigne d'une exigence d'écriture qui provient de la nouvelle mais aussi du **roman-feuilleton[1]**, forme sous laquelle *Une vie* paraît pour la première fois (→ repère 2, p. 354).

---

1. Roman-feuilleton : roman populaire publié en épisodes dans une revue ou un journal.

• Au cours du voyage en Corse, au chapitre v, le couple rencontre son guide, ʒaoli Palabretti. C'est l'occasion pour Maupassant de faire frissonner Jeanne ɔ. 98) et les lecteurs de son roman en évoquant le **banditisme** et le **thème de la ɛendetta** déjà célèbre grâce à *Colomba* (1840), la nouvelle de Prosper Mérimée. De ηême, quand la jeune Corse demande à Jeanne de lui envoyer un «petit pistolet» ɔ. 99) depuis Paris, Maupassant annonce à travers cette atmosphère dramatique ɛe vendetta la suite de son roman où la **jalousie** conduira à la **vengeance** et au ηeurtre.

• La **tentative de suicide de Jeanne**, suite à la découverte de l'infidélité de Julien, ubit également un **traitement dramatique** pour frapper à vif l'émotion du lec-ɛur. L'effet de surprise est total, la découverte étant présentée comme un **coup e théâtre**: «À la lueur du feu agonisant, elle aperçut, à côté de la tête de son ηari, la tête de Rosalie sur l'oreiller.» (chap. VII, p. 139). Affolée et désespérée, ɛanne pousse des cris et part dans la nuit vers la falaise en marchant dans la neige, ɛ'arrête au bord du précipice, puis s'évanouit. Les circonstances dramatiques ɔurnent au **mélodrame** lorsque Jeanne près du gouffre est comparée aux ɛeunes soldats éventrés dans les batailles » prononçant leur unique dernier mot: Maman!» (p. 141).

• La **mort de petite mère** au chapitre IX constitue un nouveau drame dans la vie ɛ Jeanne et **prépare**, par son caractère funeste, **à la catastrophe suivante**: le **ɔuble meurtre** de Julien et de Gilberte au chapitre X. Les éléments naturels se échaînent dans une tempête épouvantable, accompagnant la folie de ven-ɛeance du comte de Fourville. Le drame tourne à l'**horreur** pour susciter davan-ɔge d'**angoisse** et d'**effroi** chez le lecteur: le comte est comparé à un monstre ɔ. 233) et, en tant qu'être féroce, il commet un crime effrayant. La scène est anglante et épouvantable, les corps des victimes sont retrouvés broyés «la face crasée», «leurs membres cassés» (p. 234).

• L'ensemble de ces scènes, qui passent du drame au mélodrame pour aboutir à ɦorreur et dans lesquelles la tension est à son comble, entretiennent la lecture ɔssoufflée et précipitée de ce récit court dans lequel Maupassant excelle.

D'une galerie de personnages secondaires à une héroïne sans héroïsme

*La première ébauche d'*Une vie *comportait une surabondance de personnages q■ dans la forme définitive, se réduisent à une poignée de figures secondaires gravita■ autour du personnage principal qu'est Jeanne. Comme dans un récit court, Maupassa■ privilégie l'efficacité du sujet et de l'intrigue afin d'opposer avant tout les différen■ types sociaux. La place de Jeanne s'en trouve affectée car, loin d'avoir la force d'u■ héroïne, elle se caractérise par une grande passivité.*

LES FIGURES SECONDAIRES

1 • Le peuple

• Le **peuple** (fermiers, domestiques et matelot) ne compte que pour son **utili■ dans l'histoire**. En ce sens, il n'est constitué que de **personnages accessoires q■** forment un ensemble nécessaire à l'intrigue et se prête en général, sous la plum■ de Maupassant, à la **caricature** et à la **stylisation**.

• Les **Martin** et les **Couillard** sont de véritables **marionnettes.** Maupassa■ souligne leur ridicule en montrant la même gestuelle mécanique des de■ familles qui, au passage de leur maîtresse, lèvent automatiquement les br■ (chap. VI, p. 109-110).

• La liste des **personnages épisodiques aux noms pittoresques** donnant u■ **tonalité normande** au récit est relativement courte : la cuisinière Ludivine, le pè■ Simon, le pâtissier Lerat, la veuve Dentu, présente aux naissances et aux décès. ■ femme du maire d'Yport, dont le nom n'est pas mentionné, prête quant à elle à ■ caricature : « Elle avait une figure étroite serrée dans son grand bonnet norman■ une vraie tête de poule à huppe blanche, avec un œil tout rond et toujours éto■ né » (chap. III, p. 60). Lastique, le matelot, Joséphin de son prénom, est un perso■ nage haut en couleur, amateur d'eau-de-vie et fumeur de pipe qui aura droit à u■ portrait rapide mais bien stylisé (p. 47-48).

• Affirmant le caractère populaire de ces figures, la **parlure**[1] est un trait suppl■ mentaire qui distingue le **peuple normand**. Elle produit à la fois un **effet comiqu■** et un **effet de réel**. Le père Lastique parle un langage qui, sans être un pato■

---

1. Parlure : expressions et tournures employées par un groupe social précis.

compréhensible, rend la spécificité normande à travers la syntaxe fautive ou ellipse de certaines voyelles. Quant à Désiré Lecoq, le futur mari de Rosalie, il concentre dans son propos l'expression normande la plus populaire et la plus colorée. Ses fautes de grammaire et de syntaxe ainsi que l'utilisation de la phonétique caractéristique de la région le rapprochent foncièrement de sa terre.

• Les nobles

À l'opposé du peuple, Maupassant met en place l'univers d'une **noblesse décadente de province**, vivant sous la **Restauration (1814-1830)**.

Les membres de la **famille Le Perthuis des Vauds** semblent vivre **dans un autre temps**, ils ne s'adaptent pas aux nouvelles réalités sociales ; dépensiers, négligents et nonchalants, ils sont incapables de gérer leurs biens. Le père de Jeanne, le baron, vit selon un système philosophique vague ; son tempérament peu volontaire fera le malheur de sa fille. Mme Adélaïde, son épouse, n'est intéressée que par les questions concernant l'arbre généalogique des familles aristocratiques ; elle donnera sa fille en mariage au vicomte de Lamare après s'être renseignée sur les ascendants du jeune homme.

Les autres familles de nobles sont au nombre de trois : les Briseville, les Coutelier et les Fourville. Maupassant montre ici une galerie de pantins maniérés destinés à disparaître. Il en va ainsi des Briseville, famille en voie de momification et de décomposition : l'écart entre leur statut social et la réalité matérielle montrée à travers le domestique paralysé ou les meubles recouverts de housses est le signe précurseur de ce processus. Les Coutelier sont, quant à eux, plus fortunés mais ils n'en sont pas moins des fantoches surannés[1] ayant le goût des reliques. Les Fourville, davantage au-devant de la scène, appartiennent eux aussi à cet univers médiéval qui vit en dehors du temps présent. Lorsque Jeanne et Julien leur rendent visite, la comtesse porte une robe démodée, elle ressemble à « la dame du Lac » (chap. IX, p. 174) et le comte est comparé à un « géant » et à un « ogre » (p. 176). Le couple formé d'une Belle et d'une Bête est aussitôt projeté par Maupassant dans un univers merveilleux très loin du territoire cauchois[2] et de l'époque dans lesquels ils devraient évoluer.

---

1. **Surannés** : désuets, vieillis.

2. **Cauchois** : du pays de Caux, région normande.

3 • Le clergé

• Les deux curés, l'**abbé Picot** et l'**abbé Tolbiac**, sont des personnages mineu▮ qui n'apparaissent que ponctuellement, mais ils dominent la vie communautai▮ ainsi que la vie privée, notamment celle de Jeanne. Ils **s'opposent en tout**: le▮ physique, leur âge, leur mentalité et leur idéologie. L'abbé Picot est rond, a l'âg▮ du sage, possède un caractère joyeux et fait preuve de compréhension envers s▮ paroissiens en pardonnant leurs fautes de façon bienveillante. L'**abbé Tolbiac** es▮ quant à lui, un jeune prêtre; sa maigreur et sa petite taille sont à l'image de s▮ austérité. Sa brusquerie, sa violence et son «implacable intolérance» (chap. ▮ p. 220) trouvent leur apogée dans le massacre de la chienne.

4 • Autour de la famille Le Perthuis de Vauds: Julien, Rosali▮ tante Lison, Paul

• **Julien**, bien que mari de Jeanne, a une existence éphémère dans le réc▮ Annoncé au chapitre ɪɪ, il entre en scène dans ce même chapitre et disparaît dé▮ nitivement au chapitre x; il n'occupe ainsi que l'espace de trois ans dans le roma▮ qui couvre pourtant plus de trois décennies. Sa présence est rendue nécessaire p▮ Maupassant afin de mettre en lumière certains aspects du caractère de Jean▮ pour qui il est la source de tous les chagrins. Maupassant esquisse un portra▮ physique antithétique du couple, destiné à montrer leur mésentente fondame▮ tale. Ce don juan cauchois impénitent, brutal, avare et hypocrite, n'aura p▮ ailleurs que peu droit à la parole dans le récit. Les dialogues le révèlent moins q▮ sa gestuelle et ses emportements physiques, qu'il s'agisse de ses promenades▮ cheval, de ses adultères ou de sa cruauté envers Marius.

• **Rosalie**, la bonne, est aussi un portrait en antithèse de Jeanne. Leur différen▮ physique est frappante: alors que Rosalie est forte et solide comme un homm▮ Jeanne possède l'élégance, la finesse et la beauté d'«un portrait de Véronès▮ (chap. ɪ, p. 11). La robustesse de Rosalie et la fragilité de Jeanne sont mises ▮ l'épreuve au moment de leurs accouchements. En effet, l'accouchement de ▮ bonne s'effectue sans peine, tandis que celui de Jeanne se révèle terrible de do▮ leur. La servante acquiert progressivement de l'importance au fil du récit, à par▮ du chapitre vɪɪ lors de la découverte de sa grossesse clandestine; après les ave▮ du forfait, elle disparaît pour réapparaître au chapitre xɪ et s'occuper de Jean▮ désormais esseulée et désespérée. Les trois derniers chapitres consacrent av▮ force l'ascension de Rosalie et le déclin de Jeanne; la servante prend le gouvern▮

ent absolu de la vie de sa maîtresse, et c'est bien à Rosalie que revient le mot de fin du roman.

Tante Lison vit dans un malheur aux antipodes de celui de Jeanne. Si Jeanne connaît le chagrin après le mariage, tante Lison illustre l'infortune du célibat. Sa présence n'est qu'une absence, le personnage étant tellement effacé aux yeux de tout le monde qu'elle ne représente que le vide de sa terrible solitude.

Paul, le fils de Jeanne, n'a aucune consistance en tant que personnage : son unique fonction narrative consiste à incarner le malheur qui frappe sans cesse Jeanne. Il est à l'image de l'accouchement laborieux de sa mère dont il incarne les souffrances. Il est également l'antithèse de Denis, l'enfant de Rosalie, qui représente le bon fils.

JEANNE, UNE HÉROÏNE ?

• Un personnage passif et effacé

Si Jeanne est le personnage principal du roman de Maupassant, elle n'est cependant pas une Princesse de Clèves[1] dont les actes courageux façonnent le récit. Ainsi, Jeanne a beau apparaître dans tous les chapitres du livre, sa **passivité constante** concourt à son **échec** et à son **aliénation**.

Du portrait physique au portrait moral qu'en brosse Maupassant, Jeanne s'impose comme un personnage que l'auteur a choisi de rendre décevant[2] car il entend montrer qu'elle n'est pas faite de l'étoffe des héros. Sa supériorité sociale et sa beauté physique ne lui donnent paradoxalement pas la force de volonté nécessaire et attendue pour affronter la vie, maintenir ses privilèges sociaux et continuer à flatter une certaine coquetterie. Sa canitie[3] précoce ne semble pas atteindre et renforce au contraire l'idée du passage ravageur du temps sur cet être sans vigueur ni ampleur. Insouciante, sentimentale et enthousiaste au début du roman, elle se bornera par la suite, malgré tous ses malheurs, à suivre nostalgiquement un idéalisme vague dû à sa naïveté surprenante.

Née dans un château qui domine la mer, Jeanne se retrouvera à la fin de ses jours dans une maison bourgeoise entourée de champs ; à l'euphorie de sa jeunesse

1. La Princesse de Clèves : roman de Madame de La Fayette (1634-1693) paru en 1678.

2. On parle alors de *personnage déceptif*.
3. Canitie : décoloration des cheveux, d'abord gris puis blancs.

répond l'ensevelissement dans l'ennui du reste de sa vie. Après avoir perdu so mari qui ne l'a épousée que par intérêt, elle sera abandonnée par son fils qui dil pide tous ses biens. Elle vit un **martyre incessant** qu'elle accepte avec **abnégatic et résignation** : « Puis le temps marchant toujours et les mois tombant sur les mo poudrèrent d'oubli, comme d'une poussière accumulée, toutes ses rémini cences[1] et ses douleurs ; et elle se donna tout entière à son fils. » (chap. XI, p. 239

2 • Une victime silencieuse

• Jeanne est constamment ballottée au gré du hasard, ignorante de tout ce q l'entoure ; elle n'aura même pas la capacité de s'échapper de la réalité avec la for de la rêverie que possède Emma Bovary. Fille des Le Perthuis des Vauds pu vicomtesse de Lamare, elle n'est cependant appelée que par son prénom Jeann tout au long du roman comme si, enfermée dans sa simplicité d'esprit, elle n pouvait pas accéder à un véritable patronyme[2].

• Ce personnage est **victime** d'une part du **système éducatif imprécis de so père**, d'autre part de l'**apathie intellectuelle et physique de sa mère**. La jeun fille n'a pas été préparée à prendre son existence en main, à essayer de con prendre la réalité ; personne ne l'a aidée à affronter la vie, dont elle ignore total ment les lois. Comme Agnès de *L'École des femmes* de Molière (→ thème 1, p. 37 Jeanne a été tenue « sévèrement enfermée, cloîtrée, ignorée et ignorante de choses humaines. » (chap. I, p. 11). Voulant éduquer leur fille dans la chasteté et naïveté, ses parents ont fait d'elle un souffre-douleur. Malgré les trahisons avéré de son mari, elle sera contrainte de rester enfermée à la maison, esclave du jo parental et du clergé. Jeanne ne pourra jamais agir ni réagir, condamnée à condition de femme soumise. Comme Molière, Maupassant stigmatise le **piè de ces éducations fatales pour les jeunes filles**.

---

1. Réminiscences : souvenirs.   **2. Patronyme** : nom de famille.

De l'ennui au pessimisme

La tristesse domine l'ensemble du roman. Dès le premier chapitre, le champ lexical annonce de manière prémonitoire et irrévocable le morne destin de Jeanne qui sera progressivement vidée de sa substance vitale. Maupassant recouvre ainsi les êtres et les choses d'un vernis d'ennui.

UNE DÉCOLORATION D'ENSEMBLE

1 • Un roman de l'ennui et de la monotonie

● Dès le chapitre I, les personnages sont placés dans une situation où ils s'ennuient : le paysage est inondé de pluie, les campagnes sont « monotones et trempées » (chap. I, p. 15), l'œil du baron est « morne » (p. 14) et Jeanne ressent sous cette pluie ininterrompue « le **premier gros chagrin de son existence** » (p. 12).

● Contrairement aux atmosphères joyeuses qui accompagnent les mariages, celui de Jeanne ne sera pas une réussite. En effet, les convives ne sont pas gais mais se révèlent étonnamment « mornes » (chap. IV, p. 74). C'est également sous le **signe de l'ennui** que se déroulera la visite aux Briseville, qui n'élargira pas l'univers des connaissances de Jeanne et restera une visite sans espoir pour l'avenir : « La route fut triste » (chap. VI, p. 117), Jeanne, petite mère et le baron sont qualifiés de « mornes » et « gênés » (p. 117), le salon où Jeanne attend le couple d'aristocrates est empli d'un air qui imprègne « les poumons, le cœur et la peau de tristesse » (p. 118). Tout tourne à la **monotonie** et enferme davantage Jeanne dans la solitude.

● Mis à part Julien, dont les actes brutaux et violents ne peuvent conduire qu'à son meurtre, et Rosalie, dont la solidité physique l'aidera à traverser et même à conclure le roman, les autres personnages, marqués par l'absence d'activité, vivent et évoluent dans une « léthargie morne » (chap. VI, p. 107). Paradoxalement, même face à la découverte du fils bâtard de Julien et de Rosalie, **Jeanne ne se révolte pas** et s'efface derrière un « **désespoir morne** » (chap. VII, p. 151), comme si cette femme dont on raconte la vie n'était qu'une morte vivante : « Elle marchait à pas muets, toute seule dans l'immense château silencieux, comme à travers un cimetière. » (chap. XIV, p. 307).

2 • Un univers sans couleurs

● On comprend alors que l'univers qui entoure Jeanne soit sans couleurs car il est à l'image de sa résignation devant la vie : « Ainsi que les vieux fauteuils du salon ternis par le temps, tout se décolorait doucement à ses yeux, tout s'effaçait, prenait une nuance pâle et morne. » (chap. VI, p. 110) ; la neige ne possède pas l'éclat immaculé ou d'argent devant lequel on s'extasie, elle n'est pour Jeanne qu'une « nappe livide et morne » (chap. VII, p. 129). Cette **décoloration du monde** est par ailleurs présentée au lecteur presque uniquement à travers la vision de Jeanne, Maupassant ayant choisi d'écrire son roman en **focalisation interne**[1].

● Jeanne hérite[2] du **mal du siècle**[3] cher aux romantiques, ainsi que d'une forme de *spleen*[4] **baudelairien** qui l'enferment dans sa solitude cruelle, à cette différence notable qu'elle n'éprouve jamais de sentiment de dégoût ni d'angoisse existentielle profonde. Sa vie est un tombeau morne qu'elle creuse à force d'échouer à affronter le réel, par faiblesse, ignorance et sottise.

UN PESSIMISME D'ENSEMBLE

1 • Une interrogation sur l'existence

● Cette vision d'un monde plongé dans l'ennui et le malheur rejoint plus largement la conception philosophique de Maupassant sur le monde : le **pessimisme**[5]. Si le scepticisme[6] lui a certainement été transmis par son maître Flaubert, les tribulations de Jeanne, victime d'une fatalité aveugle, illustrent en revanche davan

---

1. Focalisation interne : position du narrateur par rapport à l'histoire racontée ; ici, le narrateur n'évoque que ce que sait et voit le personnage de Jeanne.

2. Hériter : l'affirmation peut sembler anachronique puisque le début du récit porte la date de 1819, mais le roman de Maupassant est publié en 1883.

3. Mal du siècle : expression qui apparaît après 1830 sous la plume des romantiques pour désigner l'inadéquation fondamentale entre le moi et l'ordre du monde. Dans *Confession d'un enfant du siècle* (1836), Musset exprime le désarroi de la jeunesse désabusée sous la Restauration.

4. Spleen : état affectif de mélancolie sans cause apparente pouvant aller de l'ennui à la tristesse vague et au dégoût de l'existence. Baudelaire exprime cet état dans plusieurs des poèmes des *Fleurs du mal* (1857).

5. Pessimisme : disposition de l'esprit qui porte à considérer le présent et l'avenir sous leur aspect négatif.

6. Scepticisme : doctrine qui se fonde sur le doute.

age une conception négative de la vie héritée de l'œuvre du philosophe allemand rthur Schopenhauer[1]. Le pessimisme de Maupassant n'est certes pas assimilable la tristesse vague exprimée par Jeanne ; il n'en demeure pas moins que le roman st placé sous le signe d'une **interrogation sur la vie humaine**, sur son sens et sur e **sentiment de l'absurdité** que l'homme éprouve face à certaines situations.

Dès le **titre**, *Une vie*, le lecteur est invité à s'interroger sur le genre d'existence ont il va être question. La lecture du premier chapitre montre qu'il est bien question de la vie de Jeanne, mais l'article indéfini « une » enlève à la vie du personnage out caractère exceptionnel en rendant aussitôt Jeanne à toute sa tristesse d'être anal. La **modestie du titre** renvoie au pessimisme de l'auteur qui, à travers étude d'un cas particulier, même si très ordinaire, annonce ainsi vouloir illustrer s petites misères de l'humanité. Le questionnement sur le sens de la vie s'installe onc en dépit de la volontaire platitude du titre.

Un double souci de modestie est présent dans le **sous-titre**, « **(L'humble érité.)** » : au projet naturaliste que sous-entend cette formule – peinture fidèle de réalité, bienveillance à l'égard de la misère du monde – s'ajoute la vision pessimiste de l'auteur qui s'attachera à montrer, à travers un quotidien trivial, l'évidence brutale d'une vie qui n'est que malheur.

• Une leçon de vie ?

Cependant, même si la **dernière phrase du roman** : « **La vie, voyez-vous, ça 'est jamais si bon ni si mauvais qu'on croit.** » (chap. XIV, p. 312) ne manque pas e faire écho à ce pessimisme annoncé et illustré, elle fonctionne aussi comme ntiphrase[2] par rapport au contenu du roman, apportant une morale ironique à histoire. Cette phrase de clôture rappelle par ailleurs la conclusion d'une **lettre e Flaubert** à Maupassant de décembre 1878 : « Les choses ne sont jamais ni aussi mauvaises ni aussi bonnes qu'on croit. »

Cette phrase prononcée par Rosalie, la servante, sert d'effet de chute à laupassant qui utilise déjà ce procédé dans ses chroniques et ses nouvelles.

. Arthur Schopenhauer : philosophe llemand (1788-1860). Sa philosophie essimiste, en particulier avec *Le Monde omme volonté et comme représentation* 1818), a eu une influence considérable, otamment sur Nietzsche.

2. Antiphrase : figure de style par laquelle on exprime volontairement le contraire de ce que l'on a dit.

3

Elle renvoie à l'évidence à une forme de bon sens paysan, mais elle met en même temps en garde avec ironie **contre tout manichéisme**[1]. La vie ne peut correspondre à un idéal ni se réduire à la triste réalité. Enfin, il est intéressant de remarquer que cette maxime[2] n'est pas prononcée par le personnage principal mais par un personnage secondaire qui a pris sa vie en main et qui, en dépit de sa médiocrité, a su s'affranchir des malheurs qui ont jalonné son existence.

---

1. Manichéisme: conception du monde uniquement en termes opposés de bien et de mal. (Cette vision est dérivée de la doctrine religieuse de Mani, prophète mésopotamien, IIIe siècle.)

2. Maxime: proposition générale qui sert de principe de vie.

L'éducation des jeunes filles

ne vie peut être aussi lu comme un manuel pour l'éducation des jeunes filles. En effet, travers ce récit des malheurs successifs de Jeanne auxquels elle est incapable de faire ce, *Maupassant dénonce une éducation fort négligée qui fait de la femme une vic- me idéale. La question de l'éducation des filles et celle de leur liberté se posent encore ujourd'hui dans une société où la femme en est réduite à jouer les seconds rôles.* a *littérature se charge de nous fournir le lieu d'une réflexion.*

DOCUMENT 1

MOLIÈRE, *L'École des femmes* (1662), ♦ acte I, scène 1

Dans cette pièce, Molière (1622-1673) met en scène Arnolphe qui vit dans la rainte d'être trompé par une femme. Il décide donc d'épouser la jeune Agnès qu'il fait élever au couvent dans l'ignorance totale afin qu'elle ne vive que dans la oumission intellectuelle et morale à son mari.

ARNOLPHE

Épouser une sotte est pour n'être point sot[1] :
Je crois, en bon chrétien, votre moitié[2] fort sage ;
Mais une femme habile est un mauvais présage ;
Et je sais ce qu'il coûte à de certaines gens
Pour avoir pris les leurs avec trop de talents.
Moi, j'irais me charger d'une spirituelle[3]
Qui ne parlerait rien que cercle et que ruelle[4] ?
Qui de prose et de vers ferait de doux écrits,
Et que visiteraient marquis et beaux esprits,
Tandis que, sous le nom du mari de Madame,
Je serais comme un saint que pas un ne réclame[5] ?
Non, non, je ne veux point d'un esprit qui soit haut ;
Et femme qui compose en sait plus qu'il ne faut.

Sot : jeu de mots sur le terme qui signifie stupide » mais désigne aussi un homme rompé par sa femme.
Votre moitié : votre épouse.
Spirituelle : personne qui a de l'esprit.

4. Que cercle et que ruelle : les cercles étaient des assemblées de dames du monde et les ruelles des alcôves où les dames de qualité se réunissaient. Il s'agissait de salons où régnait une conversation au ton précieux.
5. Pas un ne réclame : personne n'invoque.

Je prétends que la mienne, en clartés peu sublime,
15 Même ne sache pas ce que c'est qu'une rime ;
Et s'il faut qu'avec elle on joue au corbillon[1]
Et qu'on vienne à lui dire à son tour : « Qu'y met-on ? »
Je veux qu'elle réponde : « Une tarte à la crème » ;
En un mot, qu'elle soit d'une ignorance extrême ;
20 Et c'est assez pour elle, à vous en bien parler,
De savoir prier Dieu, m'aimer, coudre et filer.

CHRYSALDE

Une femme stupide est donc votre marotte[2] ?

ARNOLPHE

Tant, que j'aimerais mieux une laide bien sotte
Qu'une femme fort belle avec beaucoup d'esprit. »

DOCUMENT 2

PIERRE CHODERLOS DE LACLOS, *Les Liaisons dangereuses* (1782), ♦ lettre LXXX

*Le roman épistolaire de Choderlos de Laclos (1741-1803) met en scène le du[...]
pervers de deux manipulateurs appartenant à la noblesse : le vicomte de Valmon[...]
et la marquise de Merteuil. Les deux libertins projettent sans cesse, à travers leu[...]
lettres, la conquête de nouvelles victimes. Mme de Merteuil révèle ici comment el[...]
a su échapper à une éducation défaillante qui aurait fait d'elle un pâle et fa[...]
reflet de son époux.*

Mais moi, qu'ai-je de commun avec ces femmes inconsidérées ? quan[...]
m'avez-vous vue m'écarter des règles que je me suis prescrites, et manquer [...]
mes principes ? je dis mes principes, et je le dis à dessein[3] : car ils ne sont pa[...]
comme ceux des autres femmes, donnés au hasard, reçus sans examen et suiv[...]
5 par habitude, ils sont le fruit de mes profondes réflexions ; je les ai créés, et j[...]
puis dire que je suis mon ouvrage.

Entrée dans le monde dans le temps où, fille encore, j'étais vouée par éta[...]
au silence et à l'inaction, j'ai su en profiter pour observer et réfléchir. Tand[...]

---

1. Corbillon : jeu de société où l'on doit
répondre par un mot rimant en *-on*.
2. Marotte : bâton surmonté d'une tête
coiffée d'un capuchon à grelots considéré
comme le symbole de la folie et attribut
des bouffons de cour.

3. À dessein : volontairement.
4. Par état : par mon état de femme.

qu'on me croyait étourdie ou distraite, écoutant peu à la vérité les discours qu'on s'empressait à me tenir, je recueillais avec soin ceux qu'on cherchait à me cacher.

Cette utile curiosité, en servant à m'instruire, m'apprit encore à dissimuler ; forcée souvent de cacher les objets de mon attention aux yeux de ceux qui m'entouraient, j'essayai de guider les miens à mon gré ; j'obtins dès lors de prendre à volonté ce regard distrait que vous avez loué si souvent. Encouragée par ce premier succès, je tâchai de régler de même les divers mouvements de ma figure. Ressentais-je quelque chagrin, je m'étudiais à prendre l'air de la sérénité, même celui de la joie ; j'ai porté le zèle jusqu'à me causer des douleurs volontaires, pour chercher pendant ce temps l'expression du plaisir. Je me suis travaillée avec le même soin et plus de peine, pour réprimer les symptômes d'une joie inattendue. C'est ainsi que j'ai su prendre sur ma physionomie cette puissance dont je vous ai vu quelquefois si étonné.

J'étais bien jeune encore, et presque sans intérêt : mais je n'avais à moi que ma pensée, et je m'indignais qu'on pût me la ravir ou me la surprendre contre ma volonté. Munie de ces premières armes, j'en essayai l'usage : non contente de ne plus me laisser pénétrer[1], je m'amusais à me montrer sous des formes différentes ; sûre de mes gestes, j'observais mes discours ; je réglai les uns et les autres, suivant les circonstances, ou même seulement suivant mes fantaisies : dès ce moment, ma façon de penser fut pour moi seule, et je ne montrai plus que celle qu'il m'était utile de laisser voir.

DOCUMENT 3

JEAN-JACQUES ROUSSEAU, *Émile ou De l'éducation* (1762), ♦ livre V, « Sophie ou la femme »

Le traité de l'éducation qu'est Émile *est déjà annoncé dans le roman précédent de Rousseau (1712-1778) :* La Nouvelle Héloïse *(1761). Dans ce dernier, à la mort de Julie de Wolmar, Saint-Preux, ancien précepteur de ses enfants continue, comme il l'avait promis, à s'occuper de leur éducation. Sous une forme romanesque,* Émile *présente « l'art de former les hommes » selon Rousseau. On voit ici que l'éducation de la jeune fille devra différer de celle du jeune homme.*

Croyez-moi, mère judicieuse, ne faites point de votre fille un honnête homme, comme pour donner un démenti à la nature ; faites-en une honnête femme, et soyez sûre qu'elle en vaudra mieux pour elle et pour nous.

Me laisser pénétrer : me laisser être découverte, comprise.

S'ensuit-il qu'elle doive être élevée dans l'ignorance de toute chose, ⟨e⟩
bornée aux seules fonctions du ménage[1] ? L'homme fera-t-il sa servante de s⟨a⟩
compagne ? Se privera-t-il auprès d'elle du plus grand charme de la société[2] ⟨?⟩
Pour mieux l'asservir l'empêchera-t-il de rien sentir, de rien connaître ? En fer⟨a⟩
t-il un véritable automate ? Non, sans doute ; ainsi ne l'a pas dit la nature, qu⟨i⟩
donne aux femmes un esprit si agréable et si délié ; au contraire, elle veu⟨t⟩
qu'elles pensent, qu'elles jugent, qu'elles aiment, qu'elles connaissent, qu'ell⟨es⟩
cultivent leur esprit comme leur figure[3] ; ce sont les armes qu'elle leur donn⟨e⟩
pour suppléer à la force qui leur manque et pour diriger la nôtre. Elles doive⟨nt⟩
apprendre beaucoup de choses, mais seulement celles qu'il leur convient d⟨e⟩
savoir.

Soit que je considère la destination particulière du sexe[4], soit que j'observ⟨e⟩
ses penchants, soit que je compte ses devoirs, tout concourt également ⟨à⟩
m'indiquer la forme d'éducation qui lui convient. La femme et l'homme so⟨nt⟩
faits l'un pour l'autre, mais leur mutuelle dépendance n'est pas égale : l⟨es⟩
hommes dépendent des femmes par leurs désirs ; les femmes dépendent de⟨s⟩
hommes et par leurs désirs et par leurs besoins ; nous subsisterions plutôt sa⟨ns⟩
elles qu'elles sans nous. Pour qu'elles aient le nécessaire, pour qu'elles soient dan⟨s⟩
leur état[5], il faut que nous le leur donnions, que nous voulions le leur donne⟨r⟩
que nous les en estimions dignes ; elles dépendent de nos sentiments, du pri⟨x⟩
que nous mettons à leur mérite, du cas que nous faisons de leurs charmes et d⟨e⟩
leurs vertus. Par la loi même de la nature, les femmes, tant pour elles que pou⟨r⟩
leurs enfants, sont à la merci des jugements des hommes : il ne suffit pas qu'ell⟨es⟩
soient estimables, il faut qu'elles soient estimées ; il ne leur suffit pas d'être belle⟨s⟩
il faut qu'elles plaisent ; il ne leur suffit pas d'être sages, il faut qu'elles soie⟨nt⟩
reconnues pour telles ; leur honneur n'est pas seulement dans leur conduit⟨e⟩
mais dans leur réputation, et il n'est pas possible que celle qui consent à pass⟨er⟩
pour infâme[6] puisse jamais être honnête. L'homme, en bien faisant, ne dépen⟨d⟩
que de lui-même, et peut braver le jugement public ; mais la femme, en bie⟨n⟩
faisant, n'a fait que la moitié de sa tâche, et ce que l'on pense d'elle ne lui impor⟨te⟩
pas moins que ce qu'elle est en effet. Il suit de là que le système de son éducati⟨on⟩
doit être à cet égard contraire à celui de la nôtre : l'opinion est le tombeau de l⟨a⟩
vertu parmi les hommes, et son trône parmi les femmes.

---

1. Ménage : dépense et entretien d'une famille.
2. La société : compagnie, fréquentations mondaines.
3. Leur figure : leur apparence.

4. Du sexe : ici, du genre féminin.
5. Pour qu'elles soient dans leur état : pour qu'elles soient telles qu'elles doivent être.
6. Infâme : qui a mauvaise réputation.

DOCUMENT 4

STENDHAL, *Le Rouge et le Noir* (1830), ♦ livre I, chapitre VII

Dans ce roman, Stendhal (1783-1842) retrace le parcours d'un fils de charpentier, Julien Sorel, un être d'élite que la nature a fait naître dans un milieu médiocre. Au début du roman Julien se voit proposer un poste de précepteur pour les enfants du maire de Verrières, M. de Rênal. Julien ne tarde pas à remarquer sa femme.

Madame de Rênal était une de ces femmes de province, que l'on peut très bien prendre pour des sottes pendant les quinze premiers jours qu'on les voit. Elle n'avait aucune expérience de la vie, et ne se souciait pas de parler. Douée d'une âme délicate et dédaigneuse, cet instinct de bonheur naturel à tous les êtres faisait que, la plupart du temps, elle ne donnait aucune attention aux actions des personnages grossiers, au milieu desquels le hasard l'avait jetée.

On l'eût remarquée pour le naturel et la vivacité d'esprit, si elle eût reçu la moindre éducation. Mais en sa qualité d'héritière, elle avait été élevée chez des religieuses adoratrices passionnées du Sacré-Cœur de Jésus[1], et animées d'une haine violente pour les Français ennemis des jésuites. Madame de Rênal s'était trouvé assez de sens[2] pour oublier bientôt, comme absurde, tout ce qu'elle avait appris au couvent ; mais elle ne mit rien à la place, et finit par ne rien savoir. Les flatteries précoces dont elle avait été l'objet, en sa qualité d'héritière d'une grande fortune, et un penchant décidé à la dévotion[3] passionnée, lui avaient donné une manière de vivre tout intérieure. Avec l'apparence de la condescendance[4] la plus parfaite, et d'une abnégation de volonté, que les maris de Verrières citaient en exemple à leurs femmes, et qui faisait l'orgueil de M. de Rênal, la conduite habituelle de son âme était en effet le résultat de l'humeur la plus altière. Telle princesse, citée à cause de son orgueil, prête infiniment plus d'attention à ce que ses gentilshommes font autour d'elle, que cette femme si douce, si modeste en apparence, n'en donnait à tout ce que disait ou faisait son mari. Jusqu'à l'arrivée de Julien, elle n'avait réellement eu d'attention que pour ses enfants. Leurs petites maladies, leurs douleurs, leurs petites joies, occupaient toute la sensibilité de cette âme, qui, de la vie, n'avait adoré que Dieu, quand elle était au Sacré-Cœur de Besançon.

---

1. Sacré-Cœur de Jésus : sous la Restauration, confréries vouées à l'adoration du Christ et consacrées uniquement à l'éducation des jeunes filles.
2. Sens : ici, la raison.

3. Dévotion : ferveur religieuse.
4. Condescendance : attitude bienveillante teintée d'un sentiment de supériorité, de mépris.

1

DOCUMENT 5

GUSTAVE FLAUBERT, *Madame Bovary* (1857), ♦ chapitre VI

Fille d'un riche fermier normand, Emma Rouault épouse Charles Bovary, officie
de santé et veuf. La jeune femme a développé au pensionnat l'aptitude
s'imaginer autre que ce que l'on est et à vivre dans la rêverie naïve et sotte plutô
que dans la vraie vie, aptitude que l'on appellera plus tard « bovarysme »
Flaubert (1821-1880) trace le parcours d'une femme victime d'une formatio
intellectuelle trop faible.

Elle avait lu *Paul et Virginie*[1] et elle avait rêvé la maisonnette de bambou
le nègre Domingo, le chien Fidèle, mais surtout l'amitié douce de quelque bo
petit frère, qui va chercher pour vous des fruits rouges dans des grands arbre
plus hauts que des clochers, ou qui court pieds nus sur le sable, vous apportar
5 un nid d'oiseau.

Lorsqu'elle eut treize ans, son père l'amena lui-même à la ville, pour l
mettre au couvent. Ils descendirent dans une auberge du quartier Sain
Gervais, où ils eurent à leur souper des assiettes peintes qui représentaie
l'histoire de Mlle de La Vallière[2]. Les explications légendaires, coupées çà et l
10 par l'égratignure des couteaux, glorifiaient toutes la religion, les délicatesses d
cœur et les pompes[3] de la Cour.

Loin de s'ennuyer au couvent les premiers temps, elle se plut dans la sociét
des bonnes sœurs, qui, pour l'amuser, la conduisaient dans la chapelle, où l'o
pénétrait du réfectoire par un long corridor. Elle jouait for peu durant le
15 récréations, comprenait bien le catéchisme[4], et c'est elle qui répondait toujou
à M. le vicaire dans les questions difficiles. Vivant donc sans jamais sortir de l
tiède atmosphère des classes et parmi ces femmes au teint blanc portant de
chapelets[5] à croix de cuivre, elle s'assoupit doucement à la langueur mystiqu
qui s'exhale des parfums de l'autel, de la fraîcheur des bénitiers[6] et d
20 rayonnement des cierges. Au lieu de suivre la messe, elle regardait dans son livr
les vignettes pieuses bordées d'azur, et elle aimait la brebis malade, le Sacr

---

1. *Paul et Virginie* : roman de Jacques-
Henri Bernardin de Saint-Pierre (1737-1814)
écrit en 1787. L'auteur eut une influence
capitale sur le romantisme.
2. Mlle de la Vallière : Louise de la Vallière
(1644-1710), jeune demoiselle à la cour de
Louis XIV, eut longtemps une liaison avec
le roi.

3. Les pompes : le caractère fastueux,
luxueux et solennel.
4. Catéchisme : enseignement de la religion
chrétienne, particulièrement aux enfants.
5. Chapelets : colliers de grains servant
à compter les prières.
6. Bénitiers : récipients d'eau bénite.

Cœur percé de flèches aiguës, ou le pauvre Jésus, qui tombe en marchant sous sa croix. Elle essaya, par mortification[1], de rester tout un jour sans manger. Elle cherchait dans sa tête quelque vœu à accomplir.

25   Quand elle allait à confesse[2], elle inventait de petits péchés afin de rester là plus longtemps, à genoux dans l'ombre, les mains jointes, le visage à la grille sous le chuchotement du prêtre. Les comparaisons de fiancé, d'époux, d'amant céleste et de mariage éternel qui reviennent dans les sermons[3] lui soulevaient au fond de l'âme des douceurs inattendues.

DOCUMENT 6

GUY DE MAUPASSANT, *Une vie* (1883), ♦ chapitre I

Dès le début du roman, Jeanne est condamnée, comme Emma Bovary, à une existence remplie d'échecs pour avoir manqué d'une bonne éducation morale et intellectuelle. Cet incipit la présente d'emblée comme un personnage d'une grande passivité.

«Le baron Simon-Jacques Le Perthuis des Vauds [...] elle ne rêvait que la campagne.»
→ p. 10 à 12, l. 24 à 83

1. Mortification : souffrance, privation que l'on s'attribue dans un souci de pénitence ou d'élévation spirituelle.

2. Allait à confesse : allait se confesser.
3. Sermons : discours religieux, généralement catholique.

SIMONE DE BEAUVOIR, *Mémoires d'une jeune fille rangée* (1958)
© Éditions Gallimard ◆ deuxième partie

Dans ce premier volet de son autobiographie, Simone de Beauvoir (1908-1986) raconte les vingt premières années de sa vie, de son enfance à sa réussite à l'agrégation de philosophie en 1929. Ce passage montre la force d'esprit de la jeune fille qui lui permet de se défaire de l'éducation bourgeoise qu'elle a reçue. Simone de Beauvoir réussira par les études à devenir la grande intellectuelle qui recevra les louanges qu'elle désire si fortement ici.

Mon père, qui souffrait de se trouver à cinquante ans devant un avenir incertain, souhaitait avant tout pour moi la sécurité ; il me destinait à l'administration qui m'assurerait un traitement fixe et une retraite. Quelqu'un lui conseilla l'École des chartes. J'allai avec ma mère consulter une demoiselle,
5 dans les coulisses de la Sorbonne. Je suivis des corridors tapissés de livres sur lesquels s'ouvraient des bureaux remplis de fichiers. Enfant, j'avais rêvé de vivre dans cette savante poussière et il me semblait aujourd'hui pénétrer dans le Saint des Saints[1]. La demoiselle nous peignit les beautés mais aussi les difficultés de la carrière de bibliothécaire ; l'idée d'apprendre le sanscrit[2] me
10 rebuta[3] ; l'érudition ne me tentait pas. Ce qui m'aurait plu, ç'aurait été de continuer mes études de philosophie. J'avais lu dans une revue un article sur une femme philosophe qui s'appelait Mlle Zanta : elle avait passé son doctorat ; elle était photographiée devant son bureau, le visage grave et reposé ; elle vivait avec une jeune nièce qu'elle avait adoptée : ainsi avait-elle réussi à
15 concilier sa vie cérébrale avec les exigences de sa sensibilité féminine. Comme j'aurais aimé qu'on écrivît un jour sur moi des choses aussi louangeuses ! Les femmes qui avaient alors une agrégation ou un doctorat de philosophie se comptaient sur les doigts de la main : je souhaitais être une de ces pionnières. Pratiquement, la seule carrière que m'ouvriraient ces diplômes, c'était
20 l'enseignement : je n'avais rien contre. Mon père ne s'opposa pas à ce projet mais il refusait de me laisser courir le cachet[4] : je prendrais un poste dans un lycée. Pourquoi pas ? Cette solution satisfaisait mes goûts et sa prudence. Ma mère en avisa timidement ces demoiselles[5] et leurs visages se glacèrent. Elle

---

1. Le Saint des Saints : partie sacrée du Temple de Jérusalem ; au sens figuré, partie la plus réservée, la plus secrète d'une chose.
2. Sanscrit : langue sacrée de l'Inde ancienne.

3. Rebuta : dégoûta.
4. Courir le cachet : chercher à donner des leçons particulières.
5. Ces demoiselles : ici, les religieuses.

avaient usé leurs existences à combattre la laïcité et ne faisaient guère de différence entre un établissement d'État et une maison publique[1]. Elles expliquèrent en outre à ma mère que la philosophie corrodait[2] mortellement les âmes : en un an de Sorbonne, je perdrais ma foi et mes mœurs. Maman s'inquiéta. Comme la licence classique offrait, selon papa, plus de débouchés, comme on permettrait peut-être à Zaza[3] d'en préparer quelques certificats, j'acceptai de sacrifier la philosophie aux lettres. Mais je maintins ma décision d'enseigner dans un lycée. Quel scandale ! Onze ans de soins, de sermons, d'endoctrinement[4] assidu : et je mordais la main qui m'avait nourrie ! Dans les regards de mes éducatrices je lisais avec indifférence mon ingratitude, mon indignité, ma trahison : Satan m'avait circonvenue[5].

1. Une maison publique : maison qui accueille des prostituées.
2. Corrodait : détruisait.
3. Zaza : meilleure amie et confidente de Simone de Beauvoir.

4. Endoctrinement : action d'endoctriner, de donner à quelqu'un une doctrine, une croyance.
5. Circonvenue : séduite.

La confrontation sociale

*Maupassant ancre le récit d'*Une vie *dans un cadre historique qui, s'il appara[ît]
sur un mode secondaire, ne manque cependant pas d'ouvrir une réflexion sur l[a]
société et son devenir. La Restauration est une époque où la noblesse vit dans l[a]
nostalgie des anciens pouvoirs qu'elle détenait sous l'Ancien Régime car elle do[it]
désormais faire face à une classe montante : celle des domestiques et des paysan[s].
La confrontation sociale entre l'autorité des maîtres et la servitude des classe[s]
laborieuses ne date pas de cette période : ce sujet, inhérent à la condition humain[e],
a toujours interpellé la sensibilité des écrivains.*

DOCUMENT 8

MARIVAUX, *L'Île des esclaves* (1725), ◆ scène I

*Dans sa comédie, Marivaux (1688-1763) met en scène l'échange de pouvoi[r]
entre maîtres et valets. Dans cette scène d'exposition, Arlequin vient d'apprendr[e]
que, sur cette île où il a fait naufrage avec son maître, la loi établie par Triveli[n],
un ancien esclave, veut que le seigneur Iphicrate devienne désormais son servite[ur].*

ARLEQUIN. Je t'en prie, je t'en prie ; comme vous êtes civil[1] et poli ; c'est l'a[ir]
du pays qui fait cela.

IPHICRATE. Allons, hâtons-nous, faisons seulement une demi-lieue sur la côt[e]
pour chercher notre chaloupe, que nous trouverons peut-être avec un[e]
5   partie de nos gens ; et en ce cas-là, nous nous rembarquerons avec eux.

ARLEQUIN, *en badinant.* Badin[2], comme vous tournez[3] cela. (*Il chante :*)
L'embarquement est divin,
Quand on vogue, vogue, vogue ;
L'embarquement est divin
10   Quand on vogue avec Catin[4].

IPHICRATE, *retenant sa colère.* Mais je ne te comprends point, mon ch[er]
Arlequin.

ARLEQUIN. Mon cher patron, vos compliments me charment ; vous ave[z]
coutume de m'en faire à coups de gourdin[5] qui ne valent pas ceux-là, et l[e]
15   gourdin est dans la chaloupe.

---

1. Civil : courtois.
2. Badin : esprit léger.
3. Tournez : arrangez.

4. Catin : nom de fille, particulièrement fille de la campagne, abréviation de Catherine. Le mot désigne aussi une femme aux mœurs légères.
5. Gourdin : bâton gros et court servant à frapper.

IPHICRATE. Eh ne sais-tu pas que je t'aime ?

ARLEQUIN. Oui ; mais les marques de votre amitié tombent toujours sur mes épaules, et cela est mal placé[1]. Ainsi tenez, pour ce qui est de nos gens, que le Ciel les bénisse ; s'ils sont morts, en voilà pour longtemps ; s'ils sont en vie, cela se passera, et je m'en goberge[2].

IPHICRATE, *un peu ému.* Mais j'ai besoin d'eux, moi.

ARLEQUIN, *indifféremment.* Oh, cela se peut bien, chacun a ses affaires ; que[3] je ne vous dérange pas.

IPHICRATE. Esclave insolent !

ARLEQUIN, *riant.* Ah ah, vous parlez la langue d'Athènes, mauvais jargon que je n'entends[4] plus.

IPHICRATE. Méconnais-tu[5] ton maître, et n'es-tu plus mon esclave ?

Arlequin, *se reculant d'un air sérieux.* Je l'ai été, je le confesse à ta honte ; mais va, je te le pardonne : les hommes ne valent rien. Dans le pays d'Athènes j'étais ton esclave, tu me traitais comme un pauvre animal, et tu disais que cela était juste, parce que tu étais le plus fort : eh bien, Iphicrate, tu vas trouver ici plus fort que toi ; on va te faire esclave à ton tour ; on te dira aussi que cela est juste, et nous verrons ce que tu penseras de cette justice-là, tu m'en diras ton sentiment, je t'attends là. Quand tu auras souffert, tu seras plus raisonnable, tu sauras mieux ce qu'il est permis de faire souffrir[6] aux autres. Tout en irait mieux dans le monde, si ceux qui te ressemblent recevaient la même leçon que toi. Adieu, mon ami, je vais trouver mes camarades et tes maîtres.

Il s'éloigne.

DOCUMENT 9

DENIS DIDEROT, *Jacques le Fataliste et son maître* (1771-1783, paru en 1796)

Comme l'indique si bien le titre de ce roman subversif de Diderot (1713-1784), le valet tient ici le premier rôle : Jacques possède un prénom, le maître n'est défini que par sa fonction sociale. Rebelle, Jacques fascine le maître qui, tout comme le lecteur, est suspendu à la parole de son valet-narrateur promettant sans cesse le récit de ses amours. Il rappelle ici les conditions égalitaires dont il a toujours bénéficié.

---

1. **Mal placé**: déplacé.
2. **Je m'en goberge**: je m'en moque.
3. **Que**: du moment que.

4. **N'entends plus**: ne comprends plus.
5. **Méconnais-tu**: ne reconnais-tu pas.
6. **Souffrir**: supporter.

JACQUES. Un Jacques[1] ! un Jacques, Monsieur, est un homme comme un autre

LE MAÎTRE. Jacques tu te trompes, un Jacques n'est point un homme comme un autre.

JACQUES. C'est quelquefois mieux qu'un autre.

5 LE MAÎTRE. Jacques, vous vous oubliez. Reprenez l'histoire de vos amours, e souvenez-vous que vous n'êtes et que vous ne serez jamais qu'un Jacques.

JACQUES. Si, dans la chaumière où nous trouvâmes les coquins, Jacques n'avai pas valu un peu mieux que son maître...

LE MAÎTRE. Jacques, vous êtes un insolent : vous abusez de ma bonté. Si j'a
10 fait une sottise de vous tirer de votre place, je saurai bien vous y remettre Jacques, prenez votre bouteille et votre coquemar[2], et descendez là-bas.

JACQUES. Cela vous plaît à dire, monsieur ; je me trouve bien ici, et je n descendrai pas là-bas.

LE MAÎTRE. Je te dis que tu descendras.

15 JACQUES. Je suis sûr que vous ne dites pas vrai. Comment, Monsieur, aprè m'avoir accoutumé pendant dix ans à vivre de pair à compagnon[3]...

LE MAÎTRE. Il me plaît que cela cesse.

JACQUES. Après avoir souffert toutes mes impertinences...

LE MAÎTRE. Je n'en veux plus souffrir.

20 JACQUES. Après m'avoir fait asseoir à table à coté de vous, m'avoir appelé votr ami...

LE MAÎTRE. Vous ne savez pas ce que c'est que le nom d'ami donné par un supérieur à son subalterne.

JACQUES. Quand on sait que tous vos ordres ne sont que des clous à soufflet
25 s'ils n'ont été ratifiés par Jacques ; après avoir si bien accolé votre nom a mien, que l'un ne va jamais sans l'autre, et que tout le monde dit Jacques e

---

1. Jacques : est appelé maître Jacques un homme qui a plusieurs emplois dans une maison, par allusion au maître Jacques de *L'Avare* (1668) de Molière, qui est à la fois cuisinier et cocher. Jacques Bonhomme était aussi le nom du chef de la révolte paysanne de 1318 qui s'appela la *Jacquerie*. Jacques Bonhomme est également un nom donné par dérision aux paysans aux xive et xve siècles. François Rabelais (1494-1553) utilisait ce mot pour désigner un homme grossier et rustre, vêtu d'une jacques ou jaquette.

2. Coquemar : récipient de terre ou de métal utilisé autrefois pour faire bouillir l'eau.

3. De pair à compagnon : de façon égalitaire.

4. Des clous à soufflet : sans valeur.

son maître ; tout à coup il vous plaira de les séparer ! Non, monsieur, cela ne sera pas. Il est écrit là-haut que tant que Jacques vivra, que tant que son maître vivra, et même après qu'ils seront morts tous deux, on dira Jacques et son maître.

LE MAÎTRE. Et je dis, Jacques, que vous descendrez, et que vous descendrez sur-le-champ, parce que je vous l'ordonne.

JACQUES. Monsieur, commandez-moi toute autre chose, si vous voulez que je vous obéisse.

DOCUMENT 10

HONORÉ DE BALZAC, *Eugénie Grandet* (1833)

Dans La Comédie humaine, *Balzac (1799-1850) décrit souvent une société de province totalement figée dans ses habitudes et ses traditions.* Eugénie Grandet *raconte dans les premières pages l'enrichissement exceptionnel du père Grandet juste après la Révolution. La société de l'Ancien Régime a disparu, mais le pouvoir du maître sur son serviteur existe toujours. Balzac présente ici Nanon et montre un stade d'asservissement animal.*

À l'âge de vingt-deux ans, la pauvre fille n'avait pu se placer chez personne, tant sa figure semblait repoussante ; et certes ce sentiment était bien injuste : sa figure eût été fort admirée sur les épaules d'un grenadier[1] de la garde[2] ; mais en tout il faut, dit-on, l'à-propos[3]. Forcée de quitter une ferme incendiée où elle gardait les vaches, elle vint à Saumur, où elle chercha du service, animée de ce robuste courage qui ne se refuse à rien. Le père Grandet pensait alors à se marier, et voulait déjà monter son ménage. Il avisa[4] cette fille rebutée[5] de porte en porte. Juge de la force corporelle en sa qualité de tonnelier[6], il devina le parti qu'on pouvait tirer d'une créature femelle taillée[7] en Hercule[8], plantée sur ses pieds comme un chêne de soixante ans sur ses racines, forte des hanches, carrée du dos, ayant des mains de charretier et une probité[9] vigoureuse comme l'était son intacte vertu.

---

1. Grenadier : soldat chargé de lancer les grenades, des projectiles.
2. Garde : corps de troupes affecté au service d'un souverain.
3. L'à-propos : ce qui est à propos, convenable.
4. Avisa : aperçut.
5. Rebutée : rejetée.

6. Tonnelier : artisan qui fabrique et prépare les tonneaux.
7. Taillée : sculptée.
8. Hercule : héros de la mythologie romaine, connu pour son courage, sa force et ses nombreux exploits.
9. Probité : intégrité, honnêteté.

Ni les verrues qui ornaient ce visage martial[1], ni le teint de brique, ni les bra
nerveux, ni les haillons de la Nanon n'épouvantèrent le tonnelier, qui s
15 trouvait encore dans l'âge où le cœur tressaille. Il vêtit alors, chaussa, nourri
la pauvre fille, lui donna des gages[2], et l'employa sans trop la rudoyer[3]. En s
voyant ainsi accueillie, la Grande Nanon pleura secrètement de joie, e
s'attacha sincèrement au tonnelier, qui d'ailleurs l'exploita féodalement[4]
Nanon faisait tout : elle faisait la cuisine, elle faisait les buées[5], elle alla
20 laver le linge à la Loire, le rapportait sur ses épaules ; elle se levait au jour, s
couchait tard ; faisait à manger à tous les vendangeurs pendant les récolte
surveillait les halleboteurs[6] ; défendait, comme un chien fidèle, le bien d
son maître ; enfin, pleine d'une confiance aveugle en lui, elle obéissait san
murmure à ses fantaisies les plus saugrenues. Lors de la fameuse année d
25 1811, dont la récolte coûta des peines inouïes, après vingt ans de service
Grandet résolut de donner sa vieille montre à Nanon, seul présent qu'ell
reçut jamais de lui. Quoiqu'il lui abandonnât ses vieux souliers (elle pouva
les mettre), il est impossible de considérer le profit trimestriel des souliers d
Grandet comme un cadeau, tant ils étaient usés. La nécessité rendit cett
30 pauvre fille si avare que Grandet avait fini par l'aimer comme on aime u
chien, et Nanon s'était laissé mettre au cou un collier garni de pointes don
les piqûres ne la piquaient plus.

DOCUMENT 11

GUY DE MAUPASSANT, *Une vie* (1883) ♦ chapitre XI

Rosalie qui avait disparu de la vie de Jeanne, chassée après avoir accouché d'u
enfant de Julien, vendue à un inconnu pour le prix d'une ferme, revient a
chapitre XI pour s'occuper de sa maîtresse vieillie et sans fortune. Au déclin d
Jeanne correspond l'ascension de sa bonne : c'est à ce moment que l'on assiste a
nivellement des classes sociales.

«Alors Jeanne, s'asseyant sur son lit [...] Le soleil se leva comme elles causaien
encore.» → p. 266 à 268, l. 762 à 803

---

1. Martial : décidé, combatif.
2. Gages : rémunération.
3. Rudoyer : maltraiter.
4. Féodalement : comme au Moyen Âge.

5. Buées : lessives.
6. Halleboteurs : personnes qui cherchent des grappes oubliées dans la vigne après les récoltes.

DOCUMENT 12

OCTAVE MIRBEAU, *Le Journal d'une femme de chambre* (1900) ♦ chapitre I

C'est à travers la parole d'une soubrette[1] que le roman de Mirbeau (1848-1917) nous fait découvrir les ignominies de la classe dominante. Dans son journal, Célestine révèle sans réticence les dessous peu honorables d'une famille bourgeoise de la province normande. Le maître lui donne ici un nouveau prénom afin d'asseoir son pouvoir absolu. Comme une esclave, la jeune Célestine devra se soumettre aux désirs fétichistes[2] de son riche employeur.

– Comment vous appelez-vous, mon enfant ?

– Célestine, Monsieur.

– Célestine... fit-il... Célestine ?... Diable !... Joli nom, je ne prétends pas le contraire... mais trop long, mon enfant, beaucoup trop long... Je vous appellerai Marie, si vous le voulez bien... C'est très gentil aussi, et c'est court... Et puis, toutes mes femmes de chambre, je les ai appelées Marie. C'est une habitude à laquelle je serais désolé de renoncer... Je préférerais renoncer à la personne...

Ils ont tous cette bizarre manie de ne jamais vous appeler par votre nom véritable... Je ne m'étonnai pas trop, moi à qui l'on a donné déjà tous les noms de toutes les saintes du calendrier... Il insista :

– Ainsi, cela ne vous déplaît pas que je vous appelle Marie ?... C'est bien entendu ?...

– Mais oui, Monsieur...

– Jolie fille... bon caractère... Bien, bien !

Il m'avait dit tout cela d'un air enjoué, extrêmement respectueux, et sans me dévisager, sans fouiller d'un regard déshabilleur mon corsage, mes jupes, comme font, en général, les hommes. À peine s'il m'avait regardée. Depuis le moment où il était entré dans le salon, ses yeux restaient obstinément fixés sur mes bottines.

– Vous en avez d'autres ?... me demanda-t-il, après un court silence, pendant lequel il me sembla que son regard était devenu étrangement brillant.

– D'autres noms, Monsieur ?

– Non, mon enfant, d'autres bottines...

---

1. Soubrette : servante, domestique.

2. Fétichistes : qui ont trait au fétichisme, c'est-à-dire à un engouement sexuel pour un objet ou pour quelqu'un.

25   Et il passa, sur ses lèvres, à petits coups, une langue effilée, à la manière de chattes.

Je ne répondis pas tout de suite. Ce mot de bottines, qui me rappela l'expression de gouaille[1] polissonne du cocher[2], m'avait interdite[3]. Cela ava donc un sens ?... Sur une interrogation plus pressante, je finis par répondr
30   mais d'une voix un peu rauque et troublée, comme s'il se fût agi de confesse un péché galant :

— Oui, Monsieur, j'en ai d'autres...
— Des vernies ?
— Oui, Monsieur.
35   — Des très... très vernies ?
— Mais oui, Monsieur...
— Bien... bien... Et en cuir jaune ?
— Je n'en ai pas, Monsieur...
— Il faudra en avoir... je vous en donnerai.
40   — Merci, Monsieur !
— Bien... bien... Tais-toi !

DOCUMENT 13

JEAN GENET, _Les bonnes_ (1947) ♦ © Éditions Gallimard

Frustrées par leur condition sociale, humiliées dans leur dignité, les bonnes dan la pièce de Genet (1910-1986) profitent de l'absence de leur maîtresse pour singe une confrontation entre celle-ci et l'une des deux servantes. La haine de Solang et de Claire est tellement profonde qu'elles ont voulu détruire l'amour d Madame en écrivant une lettre de dénonciation anonyme contre l'amant de celle ci désormais emprisonné. Elles projettent ensuite de tuer Madame.

SOLANGE

Madame se croyait protégée par ses barricades de fleurs, sauvée par u exceptionnel destin, par le sacrifice. C'était compter sans la révolte des bonne La voici qui monte, Madame. Elle va crever et dégonfler[4] votre aventure. C Monsieur n'était qu'un triste voleur et vous une...

---

1. Gouaille : (familier) attitude moqueuse et insolente ; raillerie plus ou moins vulgaire.
2. Allusion au premier échange de Célestine avec le cocher.

3. M'avait interdite : m'avait déconcertée.
4. Dégonfler : ramener une chose à ses justes proportions, dénoncer la démesure.

CLAIRE

5   Je t'interdis !

SOLANGE

M'interdire ! Plaisanterie ! Madame est interdite. Son visage se décompose.
Vous désirez un miroir ?

Elle tend à Claire un miroir à main.

CLAIRE, *se mirant avec complaisance[1].*

J'y suis plus belle ! Le danger m'auréole[2], Claire, et toi tu n'es que ténèbres...

SOLANGE

10   ... infernales ! Je sais. Je connais la tirade. Je lis sur votre visage ce qu'il faut
vous répondre et j'irai jusqu'au bout. Les deux bonnes sont là – les dévouées
servantes ! Devenez plus belle pour les mépriser. Nous ne vous craignons plus.
Nous sommes enveloppées, confondues dans nos exhalaisons[3], dans nos
fastes[4], dans notre haine pour vous. Nous prenons forme, Madame. Ne riez

15   pas. Ah ! surtout ne riez pas de ma grandiloquence[5]...

CLAIRE

Allez-vous-en.

SOLANGE

Pour vous servir, encore, Madame ! Je retourne à ma cuisine. J'y retrouve
mes gants et l'odeur de mes dents. Le rot silencieux de l'évier. Vous avez vos
fleurs, j'ai mon évier. Je suis la bonne. Vous au moins vous ne pouvez pas me

20   souiller. Mais vous ne l'emporterez pas en paradis. J'aimerais mieux vous y
suivre que de lâcher ma haine à la porte. Riez un peu, riez et priez, vite, très vite !
Vous êtes au bout du rouleau ma chère ! *(Elle tape sur les mains de Claire qui
protège sa gorge.)* Bas les pattes et découvrez ce cou fragile. Allez, ne tremblez
pas, ne frissonnez pas, j'opère vite et en silence. Oui, je vais retourner à ma

25   cuisine, mais avant je termine ma besogne.

Elle semble sur le point d'étrangler Claire.
Soudain un réveille-matin sonne. Solange s'arrête.
Les deux actrices se rapprochent, émues, et
écoutent, pressées l'une contre l'autre.

---

1. Complaisance : contentement de soi,
autosatisfaction.
2. M'auréole : me glorifie.
3. Exhalaisons : gaz ou odeurs se dégageant
d'un corps.

4. Fastes : ostentations, étalage du luxe.
5. Grandiloquence : manière pompeuse,
emphatique, exagérée de s'exprimer.

L'éducation des jeunes filles

Objets d'étude : Le personnage de roman, du XVIIe siècle à nos jours ; la question de l'homme dans le genre argumentatif

DOCUMENTS *(Les documents figurent dans l'ouvrage, p. 371 à 377.)*

- **MOLIÈRE, *L'École des femmes*** (1662), DOC. 1, P. 371
- **CHODERLOS DE LACLOS, *Les Liaisons dangereuses*** (1782), DOC. 2, P. 372
- **STENDHAL, *Le Rouge et le Noir*** (1830), DOC. 4, P. 375
- **MAUPASSANT, *Une vie*** (1883), DOC. 6, P. 377

QUESTIONS SUR LE CORPUS

1 Montrez la vision de la femme dans chaque texte du corpus. Selon quel registre s'exprime-t-elle dans chacun des cas ?

2 Comment les auteurs mettent-ils en évidence l'inégalité entre les hommes et les femmes ?

TRAVAUX D'ÉCRITURE

Commentaire (séries générales)

Vous ferez le commentaire du texte de Choderlos de Laclos (doc. 2, p. 372).

Commentaire (séries technologiques)

Vous ferez le commentaire du texte de Choderlos de Laclos (doc. 2, p. 372) en vous aidant des pistes de lecture suivantes.

– Vous montrerez tout d'abord comment, pour madame de Merteuil, l'éducation de la femme se construit contre les valeurs et la place de l'homme dans la société. Vous analyserez la manière dont la femme doit prendre le pouvoir socialement.

– Vous montrerez ensuite comment madame de Merteuil oppose sans cesse nature et culture. Vous analyserez en quoi la marquise est une femme du siècle des Lumières.

Dissertation

Zola écrivait : « Nous autres romanciers, nous sommes les juges d'instruction des hommes et de leurs passions. »

En vous appuyant sur les textes du corpus et votre culture personnelle, vous vous demanderez dans quelle mesure le roman peut avoir un rôle éducatif.

Écriture d'invention

Dans une lettre adressée à l'une de ses anciennes camarades de couvent, Jeanne, désormais âgée et à la fin de sa vie, revient sur son mariage avec Julien. Elle expose combien son éducation l'a peu préparée aux difficultés traversées tout au long de son existence.

Vous rédigerez la lettre en prenant soin d'exprimer à la fois le respect mais aussi les distances critiques de Jeanne pour son éducation.

La confrontation sociale | SUJET D'ÉCRIT 2

Objets d'étude : Le théâtre, texte et représentation ; genres et formes de l'argumentation ; le personnage de roman, du XVIIᵉ siècle à nos jours.

> **DOCUMENTS** *(Les documents figurent dans l'ouvrage, p. 380 à 386.)*

- **MARIVAUX, *L'Île des esclaves*** (1725), DOC. 8, P. 380
- **BALZAC, *Eugénie Grandet*** (1833), DOC. 10, P. 383
- **MAUPASSANT, *Une vie*** (1883), DOC. 11, P. 384
- **GENET, *Les bonnes*** (1947), DOC. 13, P. 386

QUESTIONS SUR LE CORPUS

1 Montrez comment chaque texte du corpus repose sur des affrontements sociaux. Ces affrontements sont-ils tous de même nature ?

2 Précisez comment ces textes, chacun à sa manière, s'organisent sur un jeu de rôles qui dénonce la comédie sociale.

TRAVAUX D'ÉCRITURE

Commentaire (séries générales)

Vous ferez le commentaire du texte de Jean Genet (doc. 13, p. 386).

Commentaire (séries technologiques)

Vous ferez le commentaire du texte de Jean Genet (doc. 13, p. 386) en vous aidant des pistes de lecture suivantes.

– Vous montrerez que Solange et Claire sont en révolte contre leur condition de bonnes. Comment cherchent-elles à y échapper ? Vous mettrez en évidence le jeu des différents registres.

– Vous montrerez que le théâtre dans le théâtre est mis ici au service de la dénonciation de la violence des inégalités sociales.

Dissertation

Stendhal écrivait que « le roman est un miroir que l'on promène le long d'un chemin ».

En vous appuyant sur les textes du corpus et votre culture personnelle, vous vous demanderez dans quelle mesure le roman est un reflet de la société.

Écriture d'invention

Madame revient à l'improviste et surprend les bonnes alors qu'elles jouent à être leur maîtresse. En utilisant les registres tragique et ironique, vous écrirez cette scène en mettant en évidence la défense des bonnes. Vous montrerez également l'énervement de Madame.

Un incipit pessimiste | SUJET D'ORAL 1

• MAUPASSANT, *Une vie* ♦ chapitre I

« Jeanne, ayant fini ses malles, [...] des lois sereines de la vie. » → p. 9 à 11, l. 1 à 47

QUESTION

Montrez comment Jeanne est d'emblée un personnage qui peine à exister par elle-même.

POUR VOUS AIDER À RÉPONDRE

a Analysez comment Maupassant se sert de la description du paysage pour dépeindre les sentiments de Jeanne.

b Pourquoi peut-on dire que la présentation immédiate du père de Jeanne souligne que cette dernière manque de personnalité ?

c Pourquoi Maupassant choisit-il de présenter l'éducation reçue par la jeune fille ?

COMME À L'ENTRETIEN

1 Selon vous, Maupassant laisse-t-il à son héroïne une chance d'exister ?

2 L'éducation de Jeanne la prépare-t-elle aux épreuves de la vie ?

3 Maupassant voulait suggérer le pessimisme dès le début de son récit : par quels moyens y parvient-il ?

4 Pourquoi l'année 1793 est-elle évoquée d'emblée ?

5 Pourquoi le destin de Jeanne paraît-il déjà scellé ici ?

Une mort fantastique ? | SUJET D'ORAL 2 |

• **MAUPASSANT,** *Une vie* ♦ chapitre x

« Là-bas, devant lui, le val de Vaucotte […] et on se mit à raisonner longuement sur les causes de ce malheur. » → p. 232 à 234, l. 662 à 716

QUESTION

Montrez comment la mort de Julien se situe à mi-chemin entre le conte fantastique et le conte cruel.

POUR VOUS AIDER À RÉPONDRE

a Pourquoi peut-on parler ici de surnaturel ?

b La mort de Julien apparaît-elle comme une punition divine ?

c En quoi Maupassant se sert-il de la folie de l'abbé Tolbiac pour dénoncer une crise de l'Église ?

COMME À L'ENTRETIEN

1 Peut-on parler ici d'un récit épique ? Quelles en sont les principales étapes ?

2 Cette mort symbolise-t-elle plus largement la déchéance morale progressive de Julien ?

3 Comment Maupassant choisit-il de donner du rythme à son récit ?

4 Peut-on dire que la cabane devient un personnage à part entière ?

5 Peut-on parler d'un récit naturaliste ?

Un paysage impressionniste

DOCUMENT

• **CLAUDE MONET,** *Promenade sur la falaise, Pourville* (1882) ♦ 2e de couverture

Peintre né en 1840 et mort en 1926, Claude Monet est l'un des fondateurs de l'impressionnisme avec son tableau *Impression soleil levant* (1872). En rupture avec l'académisme, les impressionnistes comme Monet cherchent à rendre les impressions fugitives, les sensations et les couleurs qu'évoque spontanément la nature. À l'instar de Maupassant, Monet trouve dans les paysages normands le lieu propice à son art.

QUESTIONS

1 Décrivez la composition du tableau.

2 En quoi cette image montre-t-elle des personnages disparaissant dans le paysage ?

3 Ce tableau vous paraît-il représentatif de l'impressionnisme ? Pourquoi ?

Une femme normande

DOCUMENT

• **AUGUSTE RENOIR,** *Au bord de la mer* (1883) ♦ 3e de couverture

Né en 1841 et mort en 1919, Auguste Renoir est l'un des peintres les plus importants du mouvement impressionniste, célèbre pour avoir produit plus de 6 000 tableaux dont *Le Bal du moulin de la Galette* (1876). Ses peintures se distinguent par leur célébration de la beauté féminine souvent mise à nu dans une sensualité rare. Comme Monet, il affectionnait particulièrement les paysages de bord de mer.

QUESTIONS

1 Décrivez la composition du tableau.

2 Comment le peintre oppose-t-il le visage de la jeune femme au reste du tableau ?

3 Ce tableau vous paraît-il pouvoir représenter l'héroïne de Maupassant ? Justifiez votre réponse.

CLASSIQUES & CIE

Hatier s'engage pour l'environnement en réduisant l'empreinte carbone de ses livres. Celle de cet exemplaire est de :

1,2 kg éq. CO$_2$

Rendez-vous sur www.hatier-durable.fr

PAPIER À BASE DE FIBRES CERTIFIÉES

Achevé d'imprimer par Grafica Veneta à Trebaseleghe - Italie
Dépôt légal : 96668-2/06 - Novembre 2020